行政手続三法の解説〈第3次改訂版〉

◉行政手続法
◉デジタル手続法
◉マイナンバー法

宇賀克也[著]

学陽書房

『行政手続三法の解説　第3次改訂版』はしがき

本書の第2次改訂版刊行後、「行政手続等における情報通信の技術の利用に関する法律」(行政手続オンライン化法)が大幅に改正され、法律の名称も、「情報通信技術を活用した行政の推進等に関する法律」になった。また、「行政手続における特定の個人を識別するための番号の利用等に関する法律」(マイナンバー法)についても、重要な改正が行われた。さらに、行政手続法の解説において引用した法令についても、少なからず改正が行われた。そのため、本書の改訂を行った。マイナンバー法の改正の中には未施行のものもあるが、本書においては、すべての規定が施行された段階での条文番号を用いている点に留意をお願いしたい。また、今回の改訂に当たり、引用文献を追記したり、最新版に改めたりする作業を行った。

今回の改訂に当たっても、学陽書房編集部の川原正信氏に大変精緻な編集作業を行っていただいた。ここに記して厚くお礼申し上げたい。

二〇二二年三月

宇賀克也

『行政手続三法の解説』はしがき

著者は、行政手続法の施行前の平成六年三月に、『行政手続法の解説』を学陽書房から刊行し、これまで六回の改訂を行ってきた。第4次改訂版からは、「行政手続等における情報通信の技術の利用に関する法律」（行政手続オンライン化法）についての解説も加えたため、行政手続法、行政手続オンライン化法の二法についての解説書になったが、書名の変更は行わなかった。平成二五年五月二四日に「行政手続における特定の個人を識別するための番号の利用等に関する法律」（番号法ないしマイナンバー法）が成立したため、同法の解説を追加するとともに、書名を『行政手続三法の解説』と改めることにした。

行政手続三法は、国、地方公共団体の公務員、行政法の研究者、法曹実務家、行政法を学ぶ学生のみならず、民間企業にとっても理解しておくべき重要な法律である。本書が、行政手続三法の理解の促進に寄与することができれば幸いである。

本書の刊行に当たっては、学陽書房編集部の川原正信氏に大変お世話になった。ここに記して厚くお礼申し上げたい。

二〇一四年一月

宇賀克也

はしがき

公法学界で長年の懸案とされていた行政手続法が、平成五年一一月五日に成立し、同年一一月一二日に公布された。平成六年一〇月頃の施行が予定されている。

行政手続は、情報公開や個人情報保護と比べて、一般になじみが薄く、そのため、その重要性は必ずしも広く認識されていないように思われる。しかし、行政不服審査法や行政事件訴訟法のような事後的救済法とは異なり、事前手続について定めた行政手続法は、国民の生活により身近にかかわるものである。申請をしたとき、審査基準や標準的な処理期間が明確でないために不安を覚えたり、拒否処分がなされても、理由が明示されないため、不満を抱いたりした経験がある人は少なくないと思われる。また、口頭で行政指導を受けたが、その趣旨、内容等が明確でなく、担当者が代わると、内容も変化してしまい、困惑した経験を持つ人も必ずしも珍しくないであろう。行政手続法は、申請に対する処分、不利益処分、行政指導、届出について、行政機関が遵守すべき基本的ルールを明確にしたものである。

申請に対する処分については、審査基準を定め、公にすることが義務づけられるので、申請をしようとする者は、あらかじめ、許認可等が与えられるか否か、どのような準備をしたらよいかについての見通しを持つことができるようになるし、標準処理期間作成の努力義務が課せられ、これが定められたときは、それを公にしなければならないこととされ、かつ、申請がその事務所に到達したときは、遅滞なく当該申請の審査を開始しなければならないことが明記されたので、申請が長期間放置される事態の解消が期待される。また、拒否処分については、原則として理由の提示が義務づけられたので、処分庁の判断の慎重合理性の担保と相手方の不服申立ての便宜が図られることになる。

許可を取り消したり、その効力を停止したりする不利益処分については、処分基準を作成し公にする努力義務が課せられ、また、原則として、理由の提示が義務づけられている。なお、従前は、不利益処分をする場合にも、名あて人となるべき者に事前に意見を述べる機会を与えていない法律が少なくなく、成田新法に関する最高裁判決も、憲法三一条の保障が行政手続にも及びうることを示唆しながら、行政処分の相手方に事前の告知、弁解、防御の機会を与えるか否かは、行政処分により制限を受ける権利利益の内容、性質、制限の程度、行政処分により達成しようとする公益の内容、程度、緊急性等を総合考慮して決定されるべきという抽象的基準を示すにとどまっていた。もっとも、同判決において、園部逸夫裁判官は、少なくとも、不利益処分については、名あて人となるべき者から事前に意見を聴取する規定を法律に設けることが、原則として必要であると述べられていたが、行政手続法によって、この趣旨の一般原則が打ち立てられている。その際、許可の取消しのような重大な不利益処分の場合には、聴聞手続が必要になり、そこでは、口頭で意見を述べる機会が保障され、また、当事者等に不利益処分の原因となる事実を証する資料の閲覧権も与えられている。そして、行政庁が不利益処分の決定をするときには、聴聞主宰者が作成する聴聞調書の内容と報告書に記載された聴聞主宰者の意見を十分に参酌しなければならないこととされている。他方、許可の効力の停止のような場合には、原則として、書面による弁明の機会が付与される。

また、内外からその不透明性について批判の強かった行政指導についても、当該行政指導の趣旨および内容ならびに責任者を明確にしなければならないという原則が明記され、行政指導が口頭でされた場合において、相手方からの書面交付請求に応ずべきことが定められた。

届出についても、形式上の要件に適合した届出が法令により当該届出の提出先とされている事務所に到達したときに、当該届出をすべき手続上の義務が履行されたものとすることが明記され、届出を受け取らないことにより、実質的に届出制が許可制として運用されるという事態の解消が企図されている。

なお、行政手続法は、国の機関の処分、行政指導、国の機関に対する届出のみならず、地方公共団体の機関が行う処分や地方公共団体の機関に対する届出であっても、法律に根拠規定のあるものには適用されるし、また、地方公共団体の機関が行う行政指導や条例に根拠を有する処分・届出についても、本法の規定の趣旨にのっとり、行政運営における公正の確保と透明性の向上を図るため必要な措置を講ずるよう努めなければならないこととされている。

したがって、国家公務員であれ、地方公務員であれ、公務員にとっては、その正しい理解は、不可欠といえよう。また、今後、行政手続法の解釈が訴訟の場で争われることも増大すると考えられるので、裁判官や弁護士にとっても、本法は、重要な意味を持つことになろう。さらに、本法が、行政手続における公正の確保と透明性の向上という所期の効果を発揮しうるか否かは、国民一般が、本法の趣旨を理解し、積極的に本法を活用しようとするかに依存するところが少なくない。広く国民一般に本法の理解を普及させることの重要性が存する所以である。行政手続法についての概説書の必要性を力説する学陽書房の樋口滋氏の説得を受け、本書の執筆をお引き受けしたが、この拙い書が、行政手続への関心を広めることに、いささかでも寄与することができれば、望外の幸せである。

著者が行政手続法に興味をいだくきっかけとなったのは、旧行政管理庁の行政手続法研究会に参加したことである。その後、総務庁行政手続研究会に加わり、第三次行革審の公正・透明な行政手続部会小委員会の末席を穢させていただいた。本書は、それらの場で得た知見に多くを負っている。これらの研究会等の委員や事務局の全ての方々、とりわけ、こうした場への参加をお誘いいただいた塩野宏先生に深甚なる謝意を表したい。また、立法のための地味な基礎作業や他省庁との折衝に精力的に取り組まれた第三次行革審の事務局や、行政手続法制定準備室のご努力に対して、心より敬意を表させていただきたい。行政手続法の産みの親とも言うべきご活躍をされた塩野先生にさしあげるにはまことに未熟な書物ではあるが、著者の行政手続法研究が先生のご指導によるところがきわめて大きいことに鑑み、そのご学恩に少しでも報いることができることを念じつつ、本書を先生に献呈させていただきたい。

また、これらの研究会等の場に限らず、行政判例研究会、公法判例研究会等においても、行政手続に関し多くのことを教えていただいた小早川光郎先生にも、この場をお借りして、心より感謝の意を表させていただきたい。

一九九四年三月

宇賀克也

〈判例略称〉

最判(決)＝最高裁判所判決(決定)
高判(決)＝高等裁判所判決(決定)
地判(決)＝地方裁判所判決(決定)
民　集＝最高裁判所民事判例集
行　集＝行政事件裁判例集
判　時＝判例時報
訟　月＝訟務月報

装丁・佐藤　博

I　行政手続法制定の意義

行政手続の意味

行政手続という用語は、一般には、行政庁（行政機関）がある作用を行うときの事前の手続のことを指す。しかし、広義で行政手続というと、このような事前の手続にとどまらず、行政過程で行われる事後的な手続も含むことになる。かかる事後手続のうち、行政庁の処分その他公権力の行使に関する不服申立手続については、一般法として行政不服審査法がある。第一次臨時行政調査会（以下「第一臨調」という。）が昭和三九年に公表した行政手続法草案は、事前手続のみならず、事後手続も含んだものであり、そこでは、行政手続という用語が、広い意味で用いられていたのである。しかし、平成五年に成立した行政手続法は、事前手続のみを対象としたものである。

22

事後的救済の限界

それでは、なぜ事前の手続について一般法を制定する必要があるのであろうか。行政作用が違法または不当に行われた場合に、事後的救済の手段を用意しておくのみでは不十分なのであろうか。戦前のわが国においては、事前手続の意義は十分に理解されず、事後的救済を保障すれば足りるという考えが支配的であった。そして、行政過程で不服を申し立てるための一般法として訴願法を、また、裁判所に救済を求めるための一般法として行政裁判法を制定したのである。実は、こうした事後的救済自体、法律勅令で列記された事項に救済を限定する列記主義の採用等にみられるとおり、きわめて不十分であり、この点については、戦前からかなり批判が存在したが、事前手続を整備する必要性は、ほとんど認識されなかった。その一因としては、戦前のわが国の行政法学がドイツのそれの強い影響下にあり、当時のドイツ行政法学も、事前の行政手続の意義を軽視していたことがあげられよう。

しかし、事後的救済は、たとえ、法令で救済の範囲を限定列記せずに広く救済を認める概括主義がとられたとしても、国民の権利利益の保障手段として、決して十分ではない。行政過程では中立的な裁判所が審査するわけではないため、公正性に疑問が持たれることがある。平成二六年に全部改正された行政不服審査法は、審理員制度および行政不服審査会等への諮問制度の導入により、中立性を大きく向上させたが、裁決権限を有する審査庁は、処分庁に上級行政庁がないときは処分庁自身、処分庁に上級行政庁があるときには処分庁の最上級行政庁であることが原則であり、裁判所に匹敵する中立性への信頼を確保しうるかについては、なお疑問も提起されている。また、行政上の不服申立ては、裁判に比べれば簡易迅速であるということがいえても、やはり、一般の国民にとっては、かなりフォーマルな手続であり、気軽に利用できるものとは必ずしもいえないと思われる。よりインフォーマルな苦情処理の制度も存在するが、法的拘束力を伴わないという限界がある。他方、訴訟提起は、弁護士に依頼せざるを得ない場合が多く、かなりの費用がかかるし、また、一般的にいって相当の時間がかかる。さらに、違法か否かの問題に審査が限定され、違法ではなくても裁量権の行使が妥当でなく不当か否かの問題は審査されない。

もっとも行政処分が行われても、それが行政争訟によって争われうる、または現に争われている間は、当該行政処分の効力が発生しないというシステムがとられているのであれば、行政争訟制度による救済の実効性は、かなり高くなり、それだけ事前手続の整備の必要性も減少しよう。しかし、わが国では、個別の法律に特別の定めがないかぎり、行政処分は相手に到達したときに効力が生ずるという原則をとっている（この点については、阿部泰隆・行政救済の実効性〔弘文堂〕一七〇頁以下、小早川光郎「行政処分の確定と発効」法学教室一四一号六五頁、宇賀克也・行政法概説I〔第七版〕〔有斐閣〕三九〇頁参照）。

数少ない例外として、海難審判法四七条があり、そこでは、裁決は、確定の後これを執行すると定められている。したがって、海難審判所または地方海難審判所の裁決で免許取消しの懲戒裁決がなされても、裁決の取消訴訟が提起されたときは、当該懲戒裁決は確定せず、裁決取消請求を棄却する判決が確定してはじめて当該懲戒裁決の効力が発生することになる。このような特例がある場合を除けば、行政処分がなされると、不服申立期間や出訴期間を経過しなくても、当該処分は発効し、それが不利益処分であれば、直ちに権利制限や義務賦課の効果が生じることになる。もっとも、行政上の不服申立てや取消訴訟が提起された場合には、仮の救済として執行停止制度が存在するが、原則として執行不停止原則がとられており、執行停止の要件はかなり厳格である。実際にも、執行停止の申立てが認容されないことも少なくない。執行停止が認められないと、当該処分が違法であっても、期間の経過により訴えの利益が失われたり、取り消すことが公共の福祉に適合しないとして請求を棄却する事情判決（行政事件訴訟法三一条参照）がなされたりする可能性も生ずるし、本案で勝訴しても、それまで不利益な状態が継続するのである。このように、行政処分即時発効原則と執行不停止原則が相まって、行政争訟の実効性を減少させているのである。

そして、このことは、事前手続を整備することによって、そもそも違法または不当な行政処分がなされることを抑止する必要性を高めることになる。さらに、行政が高度に専門化、複雑化するにつれて、行政裁量を裁判所が実体的に統制することはますます困難になってきており、実効的な司法審査は手続的統制に依存せざるを得ないという場合が増大しつつある。このこともまた、事前手続の整備の重要性を基礎づける要因となっている。

行政手続法制定前の状況

それでは、行政手続法制定前のわが国の事前手続の状況はどのようであったのであろうか。この点については、昭和三七年に発足した第一臨調第三専門部会が詳細な実態調査を行っている。そこで指摘されていたことのうち、主なものは、以下のとおりである。

第一に、用語の不統一が存在したことである。戦後、主としてアメリカの影響により、個別の法律において、手続的規定が置かれることは珍しくなくなったが、聴聞、聴問、弁明する機会、陳述する機会、釈明する機会、審問、審理、口頭審理、審判、意見の聴取等、多様な用語が使われていた。もっとも、異なる言葉が、それぞれ異なった内容を意味するのであれば、用語の多様性には合理的理由があることになるが、実際には、必ずしもそうではなく、立法に際しての統一的指針が欠如しているがゆえに、用語法の不統一が生じていたにすぎない。また、「聴聞」と「聴問」のように、文字の不統一も見られたのである。

第二に、聴聞等の規定が置かれている場合であっても、単に聴聞の機会を与えなければならないと定めるのみの、わずか一条の規定が置かれるだけで、具体的にいかなる手続が必要なのかが明らかでない規定が少なくなかった。そのため、手続については、行政庁の広範な裁量が認められ、手続規定を設けた意義が疑われるようなケースが多かったのである。

第三に、当然に手続規定が必要と思われるケースにおいて、それがまったく欠けていたり、逆に手続規定が不要と思われるケースであるにもかかわらず、それが設けられていたりすることもあった。まったく同種の処分であるにもかかわらず、ある法律には、聴聞規定が存在し、別の法律には、これが存在しないというような不合理な不統一を見出すことも困難ではなかった。

第一臨調が指摘したかかる不備不統一は、結局、行政手続についての統一的立法指針が存在せず、そのため、各省庁の法案原案作成に際してのみならず、内閣法制局の審査においてすら、その是正を期待しがたい状況の反映であったといえる。

行政手続の実態調査は、その後、旧総務庁の行政手続法研究会（以下「第二次研究会」という）においても実施されたが、基本的には、実情はほとんど変わっていなかった。このときの調査によると、たとえば、許認可等の取消処分の規定についての約七三〇の条項についてみると、事前手続規定を有するものが約四五〇、有しないものが約二八〇であるが、後者のうち、事前手続を設けない合理的理由がないと思われるものが、全体の八割強の約二三〇にのぼっていた（総務庁行政管理局編・行政手続法の制定にむけて〔ぎょうせい〕九頁参照）。

行政手続法制定の必要性

かかる状況が行政手続の整備の必要性を裏付けるものであったことは、多言を要しないであろう。もっとも、事前手続の整備の必要性と統一的行政手続法の制定の必要性とは、論理的には、直結するものではない。なぜならば、制定法によらず、判例法によって行政手続を整備していくという方策もあれば、制定法による場合であっても、個々の法律ごとに手続を整備する方策、フランスの租税手続法（詳しくは、石村耕治・先進諸国の納税者権利憲章〔中央経済社〕六〇頁参照）のように、いくつかの処分類型ごとに手続法を制定するという選択肢も存在する。また、フランスの理由附記法のように手続の種類ごとに法律を制定することも考えられないわけではない。しかし、わが国においては、やはり、統一的行政手続法の制定が、行政手続の不備不統一の是正にとって、最善の選択であったといってよいと思われる。その理由は、以下のとおりである。

第一に、裁判例による行政手続の整備についていうと、確かに、従前、いくつかの裁判例を通じて行政手続の法理が発達してきたことは否めないが、わが国の場合、行政手続に関する裁判例数は少なく、また、とりわけ、最高裁判所は制定法準拠主義の傾向が強いため、判例による不備不統一の大幅な是正は、到底望みえない状況であったといわざるをえない（総務庁行政手続法研究会中間報告参照）。

第二に、行政手続についての統一的立法指針を定めて、内閣法制局の審査に際してもこれを用い、漸進的に個々の法律の手続規定の不備を是正し、統一を図っていくという方針については、わが国でも、一時、政府部内で検討されたこともあるが、やはり、百年河清を俟つの観がある。

第三に、いくつかの処分類型ごとに別個の行政手続法を制定することについては、処分の多様性に応じた手続類型を設けることは是認しうるとしても、それは、統一的行政手続法の中で行うことが可能であり、かつ、その方が、一覧性という観点からも望ましいということがいえよう。

第四に、理由附記等、手続の種類ごとに異なった法律を制定するという方策は、行政手続の一定類型についてのみしか立法化のコンセンサスが得られないときに、次善の策として、可能な部分から法典化していく際にはやむをえないが、もし、包括的な行政手続法を制定することができるのであれば、その方が上策であることは、説明を要しないであろう。

昭和五六年三月に発足した臨時行政調査会（以下「第二臨調」という。）の最終答申においても、「行政手続に関する法令を整備する場合には、部分的な行政手続法の制定、あるいは個別法による手続規定の整備によるのでは、実現に時間がかかり、また内容が不十分ないし不統一になるおそれがあるので、統一的な行政手続法を制定することが最も適当である。」と述べられているが、正当な認識といえよう。

Ⅱ　行政手続法整備の動向

1　諸外国における行政手続法制定の状況

英米の状況

わが国における行政手続法制定の経緯について述べる前に、簡単に、諸外国における行政手続法制についてみておくこととしたい。

行政過程における事前手続の重要性は、イギリスやアメリカのようなコモン・ロー系諸国では、古くから認識されていた。イギリスの自然的正義＝ナチュラル・ジャスティスの法理は、行政庁が不利益処分を行うに際しての通知と意見陳述の機会（notice and hearing）等を保障するものであったし、アメリカではデュー・プロセス条項が、行政手続にも適用されうることは、早くから承認されていた。そして、アメリカでは、一九四六年に連邦行政手続法が制定され、各州も、それぞれ、行政手続法を制定している。アメリカでは、その後、一九六五年、Agency Practice Act で、行政手続において私人を代理する弁護士の資格制限を禁じ、一九七二年の連邦諮問委員会法（Federal Advisory Committee Act）で、連邦諮問委員会の会議の原則公開や会議録の閲覧複写を認め、一九七六年の政府日照法（Government in the Sunshine Act）で、行政委員会の会議の原則公開を定め、一九八〇年の Equal Access to Justice Act で、訴訟手続のみならず、正式裁決の行政手続においても、自己の主張が認容された私人で、資産が乏しい者につき、訴訟や行政手続に要した費用を公費で負担することを認め、一九九〇年の交渉による規則制定法（Negotiated Rulemaking Act）、行政紛争解決法（Administrative Dispute Resolution Act）で、交渉によるコンセンサスの形成を奨励している（これらの法律については、宇賀克也・アメリカ行政法〔第二版〕〔弘文堂〕一頁以下参照）。また、イギリスでは、一九五八年の審判所及び審問法により、審判所審議会を設置し、各審判所の手続規則を作成する場合、同審議会の諮問を経ることを必要としている。

大陸法系諸国の状況

もっとも、大陸法系諸国が行政手続に無関心であったわけではもちろんなく、世界で初めて行政手続法を制定したのは、オーストリアである。同国は、一八七五年に行政裁判所設置法を制定しているが、そこにおいては、行政裁判所は、原則として、最終審たる行政庁の認定した事実に拘束されることとしたため、行政庁の事実認定手続の適正さを保障することが重要な課題となり、前世紀から、行政手続法の立法化が課題として認識されることとなった。そして、一九二五年に行政手続諸法と総称される一般行政手続法、行政手続法施行法、行政刑罰法、行政執行法が制定されたのである。その影響を受けて、一九二七年には旧チェコスロバキア、一九二八年にはポーランド、一九三〇年には旧ユーゴスラビアが行政手続法を制定していった。オーストリアは、その後、ドイツに併合されたが、一九二五年の行政手続法は、一九五〇年に再公布されている。また、スペインが一九五八年、スイスが一九六八年、ノルウェーが一九六七年、スウェーデンが一九七一年、デンマークが一九八五年に行政手続法を制定している。旧西ドイツも、一九七六年に、きわめて詳細な行政手続法を制定している。フランスでは、一九七九年に行政行為の理由附記及び行政と公衆の関係の改善に関する法律が制定されている。さらに、一九八三年一一月二三日のデクレ八条で、従前コンセイユ・デタの判例法により発展してきた防御権保障の法理を明文化しており、ポルトガルが一九九一年、ギリシャが一九九九年に行政手続法を制定している。その他イスラエル等も、行政手続法を制定している。

アジア諸国の状況

ポルトガルの植民地であったマカオでは一九九四年に、韓国では一九九六年に、また、台湾においても一九九九年に行政手続法が制定されている。なお、一九九二年に中国の福建省で行政の法執行手続規則が制定されている。また、一九九六年制定の中国の行政処罰法は、不利益処分を行うに際しての事前の聴聞に関する規定を設けている。なお、中国では、一九八七年に行政法規制定暫定条例が制定されていたが、二〇〇一年、行政法規制定手続条例と行政規則制定手続条例が制定されている。

2　わが国における行政手続法制定の経緯

「行政手続法典制定への灯」

平成五年一一月五日、行政手続法案は、参議院本会議で可決・成立し、一一月一二日に公布された。第二次研究会の座長を務められた塩野宏教授による同研究会の中間報告の紹介（塩野宏「行政手続法研究会（第二次）中間報告の公表にあたって」ジュリスト九四九号一〇〇頁参照）を読むと、「行政手続法典制定への灯」を消さないよう腐心されてきたことが窺われる。この表現を本書でお借りすれば、わが国においては、戦後、「行政手続法典制定への灯」は、三度灯り、ようやく、三回目に、行政手続法の制定にこぎつけたことになる。以下において、まず、行政手続法制定に至る経緯について、説明しておくこととしたい。

昭和二〇年代の状況

わが国では、昭和二三年に臨時行政機構改革審議会が行政運営法制定の準備の必要性を認め、昭和二五年一〇月にＧＨＱの示唆に基づいて法制審議会に行政手続法部会が設けられ、草案が検討されている。しかし、ＧＨＱも行政手続法の制定にさほど熱心ではなく、また、当時、わが国において、行政手続の意義についての理解が乏しかったこともあり、行政手続法部会は具体的成果を産み出すことはできなかった（橋本公亘「行政手続」行政法講座〔有斐閣〕三巻六五頁参照）。

昭和二七年五月に国家行政運営法案が衆議院議員提出法案として第一三回国会に提出され、継続審査に付されたが、第一四回国会で衆議院解散に伴い廃案となった。この法案は、その名の示すように、行政運営の適正化を目的としたものであり、訓示的規定が多かったが、全文一四か条からなる同法案には、今日の目から見ても注目に値する行政手続規定も若干含まれており、この法案が成立していれば、わが国の行政手続に、戦後かなり早い時点から一定の改善が見られたと思われる（塩野宏教授、南博方教授も同様の感想を述べられている。塩野宏「行政手続の整備と行政改革」行政過程とその統制〔有斐閣〕二二四頁、南博方「行政手続法の制定を待望する」市原昌三郎先生古稀祝賀記念論集『行政紛争処理の法理と課題』〔法学書院〕一二頁参照）。

なお、昭和二八年、行政審議会運営部会は、全文二一か条からなる国家行政運営法案要綱（試案）を発表し、翌年、日本公法学会は、「行政運営法案と行政手続法」という統一テーマで総会を開き、右要綱（試案）につき、日本公法学会と日本行政学会が、合同研究討議を行っている（これについては、公法研究一一号参照）。右要綱（試案）には、行政運営に関する訓示規定と行政手続に関する規定が併存していたが、前者についてはは立法化するまでもなく、後者については不備があるという批判があり（公法研究一一号一五一頁以下参照。杉村章三郎教授も、聴聞その他国民の権利義務に関する一連の手続は運営法ではなく行政手続法の中に規定すべきではないかと述べられている。杉村章三郎「国家行政運営法案の行方」自治研究三〇巻三号一二頁参照）、学界においても、必ずしも広範な支持を得ることはできなかった。

結局、この要綱（試案）は法案化されることなく終わったのである。成田頼明教授は、法技術面での不備、行政手続における行政庁側の理解の欠如、他の重要な立法課題の山積等の事情が、法律としての成立を期待しがたい状況にした原因と述べられている（成田頼明・行政法序説〔有斐閣〕二二九頁参照）。

昭和二八年一二月二一日の行政審議会総会決議には、聴聞、審査、審問、弁明等の手続は、制度の趣旨に鑑みとくに公正かつ民主的に実施すること、聴聞等の手続に関する法令の規定を整備統一すること、という提言も含まれていたが、これも、行政手続法の制定まで明言したものではなかったし、この提言自身、昭和二九年二月一二日の閣議決定（「行政運営の改善に関する件」）に盛り込まれなかったことから窺えるように、十分に尊重されてきたとはいいがたい。このように、すでに昭和二〇年代において灯った行政手続の統一的法規制に向けての灯は、立ち消えになってしまった。

しかし、英米行政法学の研究の進展とともに、事前の行政手続の法的規制の重要性が、公法学者の間で広く認識されるようになってきた。そして、日本公法学会は、昭和三五年に開かれた第二五回総会において、行政手続を統一テーマとしている（公法研究二三号参照）。

第一臨調

昭和三七年二月に発足した第一臨調第三専門部会第二分科会は、一六八か条からなる詳細な行政手続法草案を作成し、昭和三九年二月にこれを公表し、同年九月には、第一臨調もこれに基づき、行政手続に関する改善意見を答申している（橋本公亘・行政手続法草案参照）。そして、答申の中で、「現行の行政手続制度に検討を加え、行政手続に関する法制を調査、審議、立案させるため、専門的な調査会を設置すべきである。」と提言したのである。

これによって、「行政手続法典制定への灯」が再び灯ったのであるが、この灯を完全燃焼させるだけの条件は、当時のわが国には存在しなかった。行政管理庁は、この答申を受けて、昭和四〇年に臨時行政手続法制調査会設置のための予算要求を行っているが、この要求はいれられることなく、こうして、今日の目からみても非常にすぐれた右行政手続法草案も日の目を見ることなく終わってしまったのである。

しかし、この草案が、その後のわが国の行政手続法研究に与えた影響は看過することができず、以後、学界では、行政手続研究が着実に蓄積されていく。また、わが国の行政法学に大きな影響を与え続けてきた旧西ドイツにおいて行政手続法が制定されたことは、日本の行政法学者の間での行政手続法への関心を一層高めるものであった。

第一次研究会

ダグラス・グラマン事件の発生を背景として、航空機疑惑問題等防止対策に関する協議会が設置され、昭和五四年九月に出されたその提言において、一般的行政手続法の整備についても、長期的課題として検討することが必要であるとされたことから、行政管理庁行政管理局長の私的諮問機関として、行政手続法研究会（以下「第一次研究会」という。）が設けられ、ここでまた、「行政手続法典制定への灯」が灯ることになった。

第一次研究会は、多数の国に関する比較法的研究をしたのち、各省庁から行政手続の制度・実態についてのヒアリングを行い、昭和五八年一一月に七一か条からなる行政手続法法律案要綱案を公表し、翌年、日本公法学会総会は、右要綱案について審議している（公法研究四七号参照）。この要綱案は、行政調査手続、命令制定手続、計画策定手続、多数当事者手続、規制的行政指導手続等、広範な手続を対象とし、いわゆる行政手続の現代化の要請にも応えようとしていた点に特色がある。

第二次研究会

昭和五八年三月の第二臨調最終答申において、行政手続法を制定する準備のための臨時の専門的な調査審議機関を設置することとされ、昭和五八年五月、昭和五九年一月の閣議決定においても、この方針が確認されている。そして、これを受けて、昭和六〇年六月、旧総務庁に行政管理局長の私的諮問機関として、第二次研究会が設けられた。この研究会では、第一次研究会要綱案に関する各省庁へのアンケート調査やヒアリングを実施し、また、改めて、米独仏の比較法的研究を行い、その結果をふまえて、第一次研究会要綱案の見直し作業を実施した。そして、平成元年一〇月、臨時行政改革推進審議会（以下「第二次行革審」という。）公的規制の在り方に関する小委員会の場で、塩野宏教授より、第二次研究会の報告がされている。

この報告は、四五か条からなる行政手続法要綱案を含んでいる。同報告においては、行政手続法実現への第一歩として、直接に国民の権利義務にかかわる分野につき法制化することとし、処分、行政指導、届出（届出については、〇三〇八条で申請に関するいくつかの規定を準用）に対象を限っている。この方針は、平成五年に成立した行政手続法に継承されている。

第三次行革審

平成二年四月の第二次行革審最終答申においては、行政手続法制の統一的な整備へ向けて、専門的な調査審議機関を設置して検討するとともに、早期に結論を得て実施に移すものとすることが提言され、同年一〇月に発足した臨時行政改革推進審議会（以下「第三次行革審」という。）は、翌年一月に公正・透明な行政手続部会を設け、同年七月に、行政手続法要綱案（以下「第一次部会案」という。）が公表されている（ジュリスト九八五号七三頁参照）。第一次部会案に対しては、各省庁からのみならず、経済団体連合会行政改革推進委員会、日本行政書士会連合会、税経新人会全国協議会からも意見書が提出され、また、アメリカ政府も、行政立法手続を設けること、行政指導への事後救済につき規定することなどの意見書を出している。

同部会の最終報告は同年一一月にまとまり、第三次行革審は、同年一二月、部会報告を基にした答申を行い、同月末には、早急に行政手続法案を国会に提出するようにという閣議決定が行われている（なお、第一次研究会要綱案、第二次研究会要綱案、第一次部会案、第三次行革審要綱案等を比較検討したものとして、阿部泰隆＝比山節男＝由喜門眞治＝金井恵里可「行政手続法諸案の比較検討（一）（二）（三）（四）（五）（六）」民商法雑誌一〇八巻四・五号二九三頁、一〇九巻一号一五二頁、三号一八一頁、四・五号二五七頁、一一〇巻一号一三二頁、一一〇巻三号五三五頁、地方自治総合研究所監修＝佐藤英善編著・自治体行政実務：行政手続法〔三省堂〕二九五頁以下（田村達久執筆）が有益である）。その後、平成四年の日米構造問題協議のフォローアップ会合の場では、アメリカ政府から、行政手続法の早期制定を促されている。また、平成四年六月には、室井力、原野翹、浜川清、市橋克哉、紙野健二、福家俊朗、本多滝夫、高橋正徳の八名の行政法学者が、第三次行革審要綱案に対する対案を発表している（行財政研究一三号二頁参照）。そして、旧総務庁の行政手続法制定準備室において、鋭意、立案作業が進められ、平成五年五月に法案が閣議決定され、第一二六回国会に提出された（第三次行革審答申後における政府提出法案取りまとめの経緯については、仲正・行政手続法のすべて〔良書普及会〕二二一頁以下参照）。しかし、衆議院の解散に伴い、廃案となり、同年九月、第一二八回国会に再提出された（行政手続法に関する閣議決定等については、総務庁行政管理局編・データブック行政手続法〔一九九五年版〕〔第一法規〕三八五頁以下参照）。

国会審議

第一二八回国会に提出された行政手続法案は、第一二六回国会に提出されたものと同一であり、行政手続法の施行に伴う関係法律の整備に関する法律（以下「整備法」という。）案の方は、その後の法改正に伴う若干の技術的修正がなされている。この両法案については、同年一〇月の日本公法学会総会において審議がなされている（内容については、公法研究五六号参照）。第一二八回国会においては、行政手続法案は、衆参両院の内閣委員会、本会議ともに全会一致で成立している。

整備法案については、衆参両院の内閣委員会で日本共産党から修正案が提出されている。その概要は、国税に関する法律に基づき行われる処分その他公権力の行使に当たる行為や、国税に関する法律に基づく納税義務の適正な実現を図るために行われる行政指導等につき、行政手続法の規定の適用を原則として排除した規定（整備法案六四条）、地方税に関する法令の規定による処分その他公権力の行使に当たる行為、地方団体の徴収金を納付し、または納入する義務の適正な実現を図るために行われる行政指導につき行政手続法の規定の適用を原則として排除した規定（整備法案三五五条）を削除し、租税の分野にも、行政手続法の規定を適用しようとするものであった。しかし、修正案が、賛成少数で否決された後、政府提出の原案が、全会一致で可決されている。国会審議においては、一般的にいって、行政手続法案の内容自体については高い評価がなされたが、行政立法手続・計画策定手続も重要であるにもかかわらず、それらが対象外とされている理由についての質問がなされていることが注目される。

意見公募手続等を導入する法改正

第三次行革審が将来の課題として位置づけた行政立法手続の法制化については、平成一一年三月二三日に「規制の設定又は改廃に係る意見提出手続」が閣議決定され、行政措置としてのパブリック・コメント手続の経験が蓄積されてきた。そして、平成一六年三月に閣議決定された「規制改革・民間開放推進三か年計画」において、行政立法手続等を含めた行政手続法の速やかな見直しと、パブリック・コメント手続の法制化の検討が盛り込まれたことを契機として、同年四月、総務大臣の下に、行政手続法検討会が開催され、同年一二月に報告書を提出している（その間、同年六月に閣議決定された「経済財政運営と構造改革に関する基本方針二〇〇四」において政省令等の行政立法手続に係る行政手続法改正の方針が明確にされた）。平成一七年通常国会（第一六二回国会）に提出された行政手続法改正案は、同年六月に全会一致で成立した。

行政指導の中止の求めと処分等の求め等

平成二六年六月六日、参議院本会議で、行政不服審査法の全部改正法案、「行政不服審査法の施行に伴う関係法律の整備等に関する法律案」とともに「行政手続法の一部を改正する法律案」が行政不服審査法関連三法案として可決・成立した。これにより、法律に基づく行政指導を受けた者が、当該行政指導が法律の要件に適合しないと思料する場合に、当該行政指導の中止等を求めることができるとする手続、何人も法令違反の事実を発見すれば、その是正のための処分または法律に基づく行政指導を求めることができるとする手続が法定された。また、行政指導に携わる者は、当該行政指導をする際に、行政機関が許認可等をする権限または許認可等に基づく処分をする権限を行使しうる旨を示すときは、その相手方に対し、当該権限を行使しうる根拠を示さなければならないこととされ、当該根拠を示す事項は、書面交付請求の対象とされた。

Ⅲ　行政手続法の内容

1　全体の構成

行政手続法の内容を紹介するに先立ち、本法の全体的構成について概観しておくこととしたい。本法は、八章（四八か条）と附則からなる。一章では、本法の目的、本法で使用する用語の定義、適用除外等について定めている。二章では、申請に対する処分について、七か条の規定が置かれ、審査基準、標準処理期間、申請に対する審査・応答、理由の提示、情報の提供、公聴会の開催等、複数の行政庁が関与する処分について定められている。

三章は、不利益処分に関するもので、まず、一節に通則的規定（処分の基準、不利益処分をしようとする場合の手続、不利益処分の理由の提示）が置かれている。二節では、聴聞について、詳細な定めがなされている（聴聞の通知の方式、代理人、参加人、文書等の閲覧、聴聞の主宰、聴聞の期日における審理の方式、陳述書等の提出、続行期日の指定、当事者の不出頭等の場合における聴聞の終結、聴聞調書および報告書、聴聞の再開、聴聞を経てされる不利益処分の決定、審査請求の制限、役員等の解任等を命ずる不利益処分をしようとする場合の聴聞等の特例）。三節の弁明の機会の付与では、弁明の機会の付与の方式、弁明の機会の付与の通知の方式についての規定と、聴聞に関する手続の準用に関する規定が置かれている。

四章が行政指導に関するもので、実体的規定（行政指導の一般原則、申請に関連する行政指導、許認可等の権限に関連する行政指導）と手続的規定（行政指導の方式、複数の者を対象とする行政指導、行政指導の中止等の求め）からなる。四章の二は、処分等の求めについての一か条からなる。五章は、届出についての一か条のみからなる。そして、六章では、命令等を定める場合の一般原則および意見公募手続（パブリック・コメント手続）について定められている。七章では、地方公共団体の機関がする手続で行政手続法の規定の適用除外とされたものにつき、地方公共団体がこの法律の規定の趣旨にのっとり、必要な措置を講ずるよう努力義務を課した規定が置かれている。制定時の本法附則では、施行期日（行政手続法の施行期日を定める政令（平成六年政令第三〇二号）により、平成六年一〇月一日より施行と定められた。）と経過措置について定められている。

2　総　則

(一)　目　的　等

目　的

以下、行政手続法について、その基本的な考え方を説明することとしたい。まず、その一条一項では、その目的として、処分、行政指導および届出に関する手続ならびに命令等を定める手続に関し、共通する事項を定めることによって、行政運営における公正の確保と透明性の向上を図り、もって国民の権利・利益の保護に資することを目的とすると定めている。対象としている行政作用は、そこにあるように処分、行政指導、届出、命令等の四つに限られている。計画策定手続、行政契約手続等は、この法律の対象とはなっていない。

透明性という言葉は、条約（ＷＴＯのサービスの貿易に関する一般協定（ＧＡＴＳ）三条、同協定の電気通信に関する附属書（テレコムアネックス）四条参照）においても使われるようになっていたが、わが国の法律で使用されたのは本法が初めてであり、そのため、行政上の意思決定について、その内容および過程が国民にとって明らかであることをいうと定義している。ちなみに、透明性という言葉は、その後、中央省庁等改革基本法二条等においても用いられている。また、この言葉が一般にも定着してきている状況に照らし、行政手続条例の中には、透明性という用語を定義しないで使用しているものもある（神奈川県行政手続条例一条一項参照）。行政運営における透明性の向上が目的規定に入れられたことの意義は過小評価されるべきではなく、行政手続法の運用過程においてはもとより、それ以外の局面においても、このことが持つ影響は看過しえないと思われる。

なお、行政運営における公正の確保と透明性の向上は、通常は、透明性が向上すれば、公正も確保されやすいという相互補完的関係にあるとみるべきであろう。しかし、ときには、プライバシー保護等の要請のため、透明性の向上が必ずしも公正の確保につながらない場合もある（両者の関係について、具体的には、宇賀克也・行政手続法の理論（東京大学出版会）三頁参照）。

一般法

この法律は一般法であるが、その一条二項では、「処分、行政指導及び届出に関する手続並びに命令等を定める手続に関しこの法律に規定する事項について、他の法律に特別の定めがある場合は、その定めるところによる。」と規定し、特別法がある場合にはその定めが優先するということを確認している。したがって、この行政手続法だけを見たのでは、どのような手続が適用されるかということは、必ずしも定かでない。なぜならば、三条は、適用除外について定めているが、そこに適用除外としてあげられていないものであっても、個別の法律で行政手続法の一部の規定の適用除外が定められていることがあるからである。

適用除外

行政手続法三条一項においては、基本的に、本来の行政権の行使とはみられないもの、特別の規律で律せられる関係が認められるもの、処分の性質上、行政手続法の諸規定の適用になじまないものを適用除外とし、特定の行政分野について独自の手続体系が形成されているものについては、原則として、整備法で適用除外とする方針がとられている（第三次行革審行政手続法要綱案の解説参照。整備法による適用除外の概観については、仲正「行政手続法―制定の経緯と概要」ジュリスト一〇三九号五二頁参照）。そして、特定の行政分野について独自の手続体系が形成されているものは、それぞれの個別法で、行政運営の公正の確保と透明性の向上を図る観点から所要の見直しを行った上で、行政手続法の規定の適用除外措置を講ずるというのが第三次行革審の方針であり、それに沿った形で整備法による適用除外措置がとられている。

たとえば、土地収用法に基づいて収用委員会が行う処分については、行政手続法の二章、三章の規定を適用しないということが整備法三二四条に書かれている（なお、土地収用法五〇条一項の和解勧告のような収用委員会が行う行政指導については、整備法では、行政手続法四章の規定の適用除外とされていないが、これは、三条一項一二号にも該当するし、また、収用委員会は、地方公共団体の機関であるので、その行政指導は、行政手続法三条三項によっても、同法四章の規定の適用を受けないことになる）。また、国税に関する法律に基づき行われる処分その他公権力の行使に当たる行為（酒税法二章の規定に基づくものを除く。）は、行政手続法だけを見ると適用除外となっていないが、整備法六四条で、行政手続法二章、三章の規定の適用を除外している（なお、宇賀克也「行政手続法と税務行政手続」行政手続法の理論〔東京大学出版会〕三〇七頁参照。平成二三年の国税通則法改正により、行政手続法二章、三章の規定の適用除外から、行政手続法八条、一四条の理由提示が除かれ、国税に関する法律に基づき行われる処分その他公権力の行使一般に理由提示が義務づけられた〔国税通則法七四条の一四第一項〕。この改正について、小幡純子「税務手続の整備について」ジュリスト一四四一号八九頁参照）。このように、整備法により個別法で行政手続法の規定の適用を除外しているものが一一七法律、一二四事項に及んでいる。さらに、個別法に特別の定めがあるのは、適用除外に限らず、聴聞手続または弁明の機会の付与の手続をとるべき場合の区分の特例が定められていることもある（整備法における整備の方針につき詳しくは、仲正・行政手続法のすべて〔良書普及会〕九五頁参照）。したがって、行政手続法だけを見るのでは不十分であって、個別法の方も参照し、行政手続法の規定がそのまま適用されるのか、それとも、個別法により特例が定められているのか否かをチェックする必要がある。なお、一条一項では、国民という言葉を用いているが、これが外国人を排除する趣旨でないことは、行政不服審査法一条一項の場合と同様である。また、平成一七年の行政手続法改正により、六章の意見公募手続等の規定を適用するのになじまないものが適用除外として定められることになった。

(二) 用語の定義

法令

この法律は二条で、同法で用いられている用語の定義をしている。

法令については、法律、法律に基づく命令（告示を含む。）、条例および地方公共団体の執行機関の規則（規程を含む。）をいうこととされている（二条一号）。執行機関の規則（規程を含む。）とは、普通地方公共団体の長が定める規則（地方自治法一五条）、普通地方公共団体の委員会が定める規則その他の規程（地方自治法一三八条の四第二項）である。行政手続法は「法令」という言葉を二条三号等で使用しているが、そこでいう「法令」とは、二条一号で定義したものに限定されることになる。したがって、単なる要綱に基づいて申請を認めているようなものは、本法の申請には該当しないということになる。なお、法令という用語は、地方公共団体の条例・規則等を含まない意味で用いられることもある（具体例について、宇賀克也・行政法概説Ⅰ〔第七版〕〔有斐閣〕八頁参照）。

処分

処分については、「行政庁の処分その他公権力の行使に当たる行為」（二条二号）と定義されており、これは行政事件訴訟法と同じ処分概念を採用したことを示している。衆議院が議員の除名処分を行ったり（国会法一二二条四号）、最高裁判所が司法修習生を任免したりする（裁判所法六六条一項、六八条）ことも処分に該当し、その限りでは、衆議院や最高裁判所も、ここでいう「行政庁」に該当しうる。

しかし、後述するように、国会の両院もしくは一院または議会の議決によってされる処分については、行政手続法三条一項一号により、本法二章から四章の二までの規定の適用はないこととされている。また、最高裁判所による司法修習生の任免は、行政手続法三条一項二号にいう「裁判所…の裁判により」される処分に該当するとみることには困難が伴うが、三条一項七号の「研修所において、…研修生に対してされる処分」にあたるとすれば、やはり、本法二章から四章の二までの規定は適用されないことになる。

弁護士会が所属弁護士に対して行う懲戒処分（弁護士法五六条）も、ここでいう処分にあたり、弁護士会は、その限りで、ここでいう行政庁ということになる。しかし、弁護士会にかかる懲戒権限を付与したのは、弁護士自治の尊重という理念に基づくものであるので、整備法三三条では、弁護士会が弁護士法に基づいて行う処分については、行政手続法二章および三章の規定は適用しないこととしている。したがって、弁護士会が所属弁護士に対して行う懲戒については、行政手続法三章の規定は適用されない。

また、行政書士となる資格を有する者からの申請に基づいて日本行政書士会連合会が行う登録（行政書士法六条、六条の二）、税理士となる資格を有する者からの申請に基づいて日本税理士会連合会が行う登録（税理士法二一条、二二条）は、行政手続法二章の申請に対する処分に該当し、同章の規定の適用を受けることになると解すべきである（もっとも、日本司法書士会連合会がした司法書士の登録取消しの処分性を否定した東京高判平成一一・三・三一判時一六八〇号六三頁がある。なお、国税通則法七四条の一四第一項は、国税に関する法律に基づき行われる処分その他公権力の行使にあたる行為（酒税法二章の規定に基づくものを除く。）については、行政手続法二章および三章の規定（理由提示の規定は除く）は適用しないこととしているが、税理士法は、そこでいう「国税に関する法律」に該当しない。）。

母体保護法一四条の規定に基づいて、都道府県医師会が、人工妊娠中絶を行うことができる医師を指定することも、行政手続法二条二号にいう処分に該当すると考えられる。そして、その限りで、都道府県医師会は、同号にいう行政庁に該当することになる。行政手続法には、この場合を適用除外とする規定はないし、整備法においても、母体保護法一四条の規定に基づく処分につき、適用除外とする旨の定めはない。したがって、人工妊娠中絶を行うことができる医師としての指定の申請については、行政手続法二章の規定が適用され、指定の取消・撤回（明文の規定がなくても、この指定の撤回が可能なことについては、実子あっせんを理由として医師法違反で有罪判決を受けた医師に対する旧優生保護法一四条の指定の撤回に関する最判昭和六三・六・一七判時一二八九号三九頁参照）については、行政手続法三章の規定が適用されることになる。

申　請

申請については、「法令に基づき、行政庁の許可、認可、免許その他の自己に対し何らかの利益を付与する処分（以下「許認可等」という。）を求める行為であって、当該行為に対して行政庁が諾否の応答をすべきこととされているものをいう。」（二条三号）と規定されている。場合によっては許認可等の取消しを申請するという場合もないわけではない。

たとえば、いわゆる外弁法―外国弁護士による法律事務の取扱い等に関する法律三〇条は、外国法事務弁護士が、その業務をやめようとするときには、所属弁護士会を経由して、日本弁護士連合会に登録の取消しを請求しなければならないと定めている。この場合には、そもそも、「自己に対し何らかの利益を付与する処分（以下「許認可等」という。）を求める行為」に該当しないという見方もできないわけではないが、かかる場合も、登録の取消しが自己にとって利益であるからこそ、自らそれを請求するのであるから、ここでいう申請に該当すると解すべきであろう。外国法事務弁護士は、その業務をやめようとするときには、登録を取り消しておかないと、弁護士会の会費納入義務が継続することになるし、一年のうち一八〇日以上本邦に在留しなければならないという義務を課せられ（同法四九条一項）、この義務の懈怠は懲戒事由となりうる（同法八三条一項）ことに照らしても、登録の取消しが自己にとって利益であるとみることは許されよう。

行政手続法二条三号の定義に該当するのであれば、実定法上、申請という用語が使われていなくても、本法でいう申請に該当することになる。逆に、個別の法律で申請という表現が用いられていたとしても、二条三号の要件を充足しないものは、行政手続法上は、申請としては取り扱われないことになる。ここでは、前者の例についてみることとする。

民法七三九条一項は、「婚姻は、戸籍法…の定めるところにより届け出ることによって、その効力を生ずる。」とし、同法七四〇条は、婚姻の届出は、その婚姻が、民法七三一条ないし七三七条及び七三九条二項の規定その他の法令の規定に違反しないことを認めた後でなければ、これを受理することができないと定めている。そして、これらの要件の中には、実体的要件も少なくない。婚姻届の受理は、かかる実体的要件をも充足していると行政庁が判断したときに行われるものである。

したがって、婚姻届の受理は、申請の応諾にあたるとみることができる。もとより、この場合の受理の要件は、裁量の余地のない羈束的なものであるが、このことは、婚姻届の受理が、申請の応諾としての性格を有することを否定するものではない。そうすると、婚姻届をする者は、行政庁の諾否の応答を求めていることになる。したがって、婚姻の届出は、その文言にもかかわらず、行政手続法二条三号の申請に該当することになり、本法五章ではなく、二章の適用を受けるべきことになる。

しかし、整備法では、行政庁が一定の権利関係または事実関係に関し形式的審査権限のみに基づいて行う登記、戸籍等のいわゆる公証行政における処分については、本法二章、三章の規定を適用しないという方針をとっている（第三次行革審要綱案第三三（一〇）参照）。戸籍事件に関する市町村長の処分についても、整備法三一条で、行政手続法二章および三章の規定は適用しないこととされているので、婚姻届については、行政手続法二章の規定も適用されないことになる。

なお、行政手続法二条三号の申請をなしうる者は、法人格を有する者に限られるわけではない。行政手続法は、行政手続能力に関する規定を置いていないが、個別の法律において、行政手続能力を認められている者については、行政手続法上も、それを前提として手続的保護を与える趣旨と解することができる（第二次研究会要綱案〇二〇三条は、平成二六年法律第六八号による改正前の行政不服審査法（以下「旧行政不服審査法」という。）一〇条にならって、法人でない社団または財団で代表者または管理人の定めがあるものは、その名で行政手続上の行為をすることができると規定していた）。

不利益処分

不利益処分については、「行政庁が、法令に基づき、特定の者を名あて人として、直接に、これに義務を課し、又はその権利を制限する処分」（二条四号）とされている。不利益処分という言葉は、これまでは公務員法上の用語であった。すなわち、国家公務員法八九条一項は、「職員に対し、その意に反して、降給（他の官職への降任等に伴う降給を除く。）し、降任（他の官職への降任等に該当する降任を除く。）し、休職若しくは免職をし、その他職員に対し著しく不利益な処分を行い」という表現を用いており、地方公務員法四九条一項は、「任命権者は、職員に対し、懲戒その他その意に反すると認める不利益な処分を行う場合においては」という表現を使用している。

他方、相手方の権利を制限したり義務を課す処分については、行政法学では、一般的に侵害処分という言葉を用いていた。第三次行革審においても、当初は侵害処分という言葉を使っていたが、この用語は、行政法学者にとっては抵抗はないものの、一般にはなじみがあるものではない。行政手続法は国民にわかりやすい行政ということを、ひとつの目的にしているので、用語も平易にすべきであるという意見が出され、侵害処分に代わり、不利益処分という言葉が使われるようになったのである。

不利益処分は、「特定の者を名あて人」とするということになっているので、いわゆる一般処分は、ここでいう不利益処分の対象からは除外されることになる。たとえば道路交通法に基づいて特定地域について交通規制を行う処分は、ここでいう不利益処分には入らないことになる。土地収用法に基づく事業認定も行政手続法の立法過程では「特定の者を名あて人」とする不利益処分ではないとして整理されたが、土地所有者が多数であることはありえても特定は可能であるから、不利益処分と解すべきという有力説がある（阿部泰隆・行政法の進路（中央大学出版会）二六八頁）。ここでいう「者」は、法人格を有する者に限らない。

なお、競願事案において、Aに対する許可処分がなされることが、Bに対する拒否処分を意味する場合であっても、当該許可処分がBを名あて人としてなされるわけではないし、また、Bの権利を「直接に」制限するものともいえないから、BはAに対する許可処分が自分に対する不利益処分であるとして、行政手続法三章の規定の適用を主張することはできない。

事実行為

二条四号ただし書では、イからニまでの行為を不利益処分から除いている。イでは、事実上の行為および事実上の行為をするに当たりその範囲、時期等を明らかにするために法令上必要とされている手続としての処分があげられている。したがって、行政代執行法に基づいて行われる代執行という事実行為や、同法上の戒告（なお、戒告がそもそも処分に該当するかについて、裁判例は必ずしも一致しているわけではない。否定説に立つ裁判例として、東京地判昭和二八・一二・二八行集四巻一二号三三一五頁、肯定説に立つ裁判例として、東京地判昭和四一・一〇・五行集一七巻一〇号一一五五頁参照。裁判例の大勢は、肯定説に立っているといえよう。）は、二条四号でいう不利益処分ではないことになり、三章の手続が適用されないことになる。また、即時執行（強制）も、不利益処分から除かれることになる。また、土地収用法三五条一項に基づく立入り、同法一一条に基づく立入りも事実上の行為であるので不利益処分から除かれることになる。

拒否処分等

ロでは、申請により求められた許認可等を拒否する処分その他申請に基づき当該申請をした者を名あて人としてされる処分が除かれている。許可を申請して、それが拒否されるのは、不利益処分ではないかとも考えられる（第一次研究会要綱案〇六〇六条の意見申述手続は、申請に対する処分にも適用されることとしていた。また、第一次部会案に対する日本行政書士会連合会の意見書においても、申請拒否処分を行おうとするときには、少なくとも弁明の機会の付与の手続を行うべきことが要望されている。）が、行政手続法は、これを不利益処分には含めないこととしている。この点については議論がありうるところではあるが、本法は、新たに許認可等を求める申請に対する処分の手続は、既存の地位・状態を不利益に変更する処分の場合と必ずしも同様の手続が要請されるわけではないという考えに立っている。もちろん、このような申請に対する処分については、行政手続法の二章に申請に対する処分に関する手続規定が置かれているので、それの適用は受けることになる。したがって、拒否処分を行うときには、その理由を提示するといったような手続は、当然、申請に対する処分の場合にも必要になる。しかし、不利益処分ではないので、三章の聴聞、弁明の機会の付与の手続は不要になり、したがって、申請を拒否する場合に、相手方に意見を述べる機会を与える必要はないわけである（ただし、個別法において、弁明の機会が付与されている例がある。税理士法二二条二項、行政書士法六条の二第三項参照。整備法は、従前の個別法によるプラスアルファの手続については、行政手続法の水準に引き下げるのではなく、そのまま存続させている）。また、広島県行政手続条例七条二項のように、申請拒否処分を行おうとする場合、申請者の意見を聴く機会を設ける努力義務を課している例がある。

もっとも、形式的には、申請の拒否ではあるが、実質的には、既存の許認可等の更新が前提とされており、申請の拒否が許認可等の撤回と同視しうるような場合も考えられる（訴えの利益に関する文脈においてではあるが、最判昭和四三・一二・二四民集二二巻一三号三二五四頁は、放送局の予備免許の期間の満了とともに免許の効力が完全に喪失され、再免許において、従前とはまったく別個無関係に、新たな免許が発効し、まったく新たな免許期間が開始するものと解するのは相当でないと判示している）。かかる場合に、「申請により求められた許認可等を拒否する処分」として、不利益処分ではないとするか、実質的には不利益処分であるとして、聴聞を必要とするかという問題があるが、立法者は、申請が更新を予定するものであり、更新の拒否にあたるときであっても、不利益処分にはあたらないという解釈をとっている（第三次行革審要綱案の解説の一（総則）第二（定義）参照）。ただし、この点については、議論の余地がないわけではない（小早川光郎編・行政手続法逐条研究〔有斐閣〕一七二頁以下参照）。

また、申請に基づいて、当該申請をした者を名あて人としてされる処分も、やはり不利益処分ではないとされている。したがって、申請をしたところ許可がされたが、その許可に附款―実定法では条件という言葉を使っているが―が付されている場合、附款によって義務が課されている限りでは不利益処分ではないかと考えられないわけではないが、こうしたものも不利益処分の対象から除いている。

申請の更新が前提となっている場合に、再申請で従来なかった附款が付され、新たな義務が課せられた場合についても、「その他申請に基づき当該申請をした者を名あて人としてされる処分」として、不利益処分ではないとみるか、新たに不利益処分が行われたとみて、弁明の機会の付与が必要であると解するかという問題が生ずるが、立法者意思によれば、かかる場合も、不利益処分には該当しないということになろう。

なお、医薬品、医療機器等の品質、有効性及び安全性の確保等に関する法律七六条のように、更新拒否処分につき、弁明の機会を付与している立法例も存在する。この立法理由については、医薬品の製造業や販売業などは、長期にわたって継続的に行われるものであり、許可の有効期限の満了に伴う次期の許可についてこれを与えないこととなる許可の更新の拒否は、相手方にとって極めて重大な不利益を与える結果となることから、まったくの新規の許可の場合とは異なり、特別の配慮を払う必要があるからであるとされている（厚生省薬務局編・逐条解説薬事法〔新版〕〔ぎょうせい〕四二六頁、團野浩編・詳説薬機法〔第三版〕〔ドーモ〕七八〇頁参照）。整備法一二六条は、既存の手続の水準を切り下げないという方針から、この場合の弁明手続を存続させている。

また、先にあげた外国弁護士による法律事務の取扱い等に関する法律三〇条に基づく登録の取消請求に対する取消しも、取消しの部分のみに着目すると不利益処分のようにみえるが、本人からの申請に基づく処分であるので、不利益処分から除かれることになる。

なお、ロでは、「当該申請をした者を名あて人としてされる処分」と規定しているから、第三者に対して不利益処分を課すように申請がなされ、それを受けて、第三者に対して不利益処分がなされた場合には、当該処分は、「当該申請をした者を名あて人としてされる処分」に該当しないから、ロにあたらず、三章の規定の適用を受けることになる。関税定率法八条四項の規定に基づき、本邦の産業に利害関係を有する者が、当該貨物に対して不当廉売関税を課すよう政府に求め、これを受けて、政府が不当廉売関税を課した場合、この課税処分は、「当該申請をした者を名あて人としてされる処分」ではないから、ロに該当しない。しかし、整備法五九条では、関税法やその他の関税に関する法律に基づく処分については、行政手続法二章、三章の規定を適用しないこととしているから、結局、この場合には、行政手続法三章の規定は適用されないことになる（そもそも、関税定率法八条四項に基づく請求が、行政手続法二条三号の申請にあたるか否かは疑わしく、独禁法四五条の措置要求と同じく職権発動の端緒と解される可能性が高い。不当廉売関税に関する政令八条三項は、財務大臣が調査を開始しない旨の決定をした場合には、その旨及びその理由を不当廉売関税を課すように求めた者に書面により通知しなければならないこととしているが、このことのみから、調査を開始しない旨の決定を処分とみることは困難である）。

なお、ウルグアイラウンドＴＲＩＰＳ協定を受けて、商標不正物品又は著作権海賊物品の通関停止申請権を商標権者、著作権者、著作隣接権者に付与する法改正が、平成六年秋の臨時国会（第一三一回国会）で行われた。この申請に対する諾否の応答は処分となるが（宇賀克也「アンチダンピング手続と司法救済」日本国際経済学会年報四号一五五頁）、関税法八八条の二第一項により、行政手続法二章の規定は適用されないことになる。

同意に基づく処分

ハでは、名あて人となるべき者の同意の下にすることとされている処分が除かれている。これは、名あて人となるべき者の同意が、法律上、処分要件とされている場合のみを念頭に置いている。そうでない場合に、たとえば、銀行免許を取り消すことにつき名あて人となるべき者が同意していたとしても、当該免許取消しが不利益処分でなくなるわけではなく、聴聞手続をとるべきことになる。初回の違反行為の際に始末書をとり、その中で、再度違反行為を行ったときは、いかなる処分を受けても異存はない旨を約束させることが行政実務上広く行われているが、そのような場合もハの要件を満たさず、原則として、三章の不利益処分の手続をとらなければならない。

法律上、名あて人となるべき者の同意が処分要件とされている例としては、文化財保護法三二条の二第一項の管理団体の指定についての規定がある。重要文化財につき、所有者が判明しない場合または所有者もしくは管理責任者による管理が著しく困難もしくは不適当であると明らかに認められる場合には、文化庁長官は、適当な地方公共団体その他の法人を指定して、当該重要文化財の保存のために必要な管理を行わせることができるという規定である。

しかし、この指定をするためには、文化庁長官はあらかじめ当該重要文化財の所有者（所有者が判明しない場合を除く。）および権原に基づく占有者ならびに指定しようとする地方公共団体その他の法人の同意を得なければならない（同条二項）。したがって、たとえばある文化財の所有者が、管理が不適当であると認められて、代わって地方公共団体やその他の法人が管理団体として指定される場合、自分で管理できなくなり他人の管理を認めなければならないという意味では不利益であるが、本人の同意がなければ、この管理団体の指定はできないわけであるから、やはり不利益処分とみる必要はないであろうと考えられたのである。また、適当な地方公共団体その他の法人が管理義務を負わされることも、不利益処分といえないわけではないが、この場合もやはり指定しようとする地方公共団体その他の法人の同意が必要とされているので、聴聞や弁明の機会の付与は不要と考えられる。

届出に基づく処分

ニでは、許認可等の効力を失わせる処分であって、当該許認可等の基礎となった事実が消滅した旨の届出があったことを理由としてされるものが除かれている。たとえば、土地収用法三〇条一項では、同法二六条一項の規定による事業の認定の告示があったのちに、起業者が事業の全部または一部を廃止し、または変更したために、土地を収用し、または使用する必要がなくなったときは、起業者は、遅滞なく、起業地を管轄する都道府県知事にその旨を届け出なければならないこととされている。

そして同条二項では、都道府県知事は、この届出を受け取ったときには、事業の全部または一部の廃止または変更があったことを都道府県知事が定める方法で告示をしなければならないと規定している。そして同条四項では、事業認定は、この告示があった日から将来に向かってその効力を失うと規定されている。

ここで都道府県知事が行う告示は、起業者の申請に基づいてなされた事業認定の効力を失わせるという効果を持つものであるが、これは、事業の全部または一部を廃止・変更して、収用または使用の必要がなくなったという起業者の届出に基づくものであるので、あえて、不利益処分として聴聞や弁明の機会の付与をする必要はないであろうと考えられたのである。

これに対し、土地収用法三〇条三項の場合は、起業者の届出がない場合においても、起業者が事業の全部または一部を廃止し、または変更したために土地を収用し、または使用する必要がなくなったことを都道府県知事が知ったときに、当該知事は、同法三〇条二項の告示、通知、報告をしなければならないとされており、二条四号ニには該当しない。したがって、行政手続法三章の不利益処分の規定が適用されることになる。

また、測量法五五条の九第一項は、「測量業者が次の各号のいずれかに掲げる場合に該当することとなつたときは、当該各号に掲げる者は、その日から三〇日以内に、国土交通大臣にその旨を届け出なければならない」とし、測量業者が死亡した場合は、その相続人（一号）、法人が合併により解散した場合は、その法人を代表する役員であった者（二号）と規定している。そして、同法五五条の一〇第一項では、国土交通大臣は、この届出があったときには、その登録簿から測量業者の登録を消除しなければならないこととされている。この場合も、登録簿から登録業者の登録を消除するという、その行為だけをみると、許認可等の効力を失わせる不利益処分と解することができないわけではないが、しかし、これは、測量業者の死亡や、法人の合併による解散の届出に基づくものであるので、不利益処分から除外しているのである。

これに対し、測量法五五条の九第一項の規定による届出がなくて同条同項各号の一に該当する事実が判明したときは、国土交通大臣は、当該測量業者の登録を取り消さなければならないこととされている（同法五七条一項二号）。この場合には、届出がないので、行政手続法二条四号ニには該当しない。

しかし、死亡や解散という事実は、客観的資料により証明可能であり、かかる事実が判明した場合には、取消しが義務づけられているので、行政手続法一三条二項二号により、同法の不利益処分の手続が適用されなくなると解することもできる。もっとも、死亡した者や解散した法人に対する処分はありえないという立場も考えられるが、そう解すると、この場合の取消しは、そもそも処分ではないから、やはり、行政手続法三章の規定の適用は受けないことになる。

行政機関

二条五号では、行政機関についての定義が置かれている。本法にいう行政機関とは、法律の規定に基づき内閣に置かれる機関もしくは内閣の所轄の下に置かれる機関、宮内庁、内閣府設置法四九条一項もしくは二項に規定する機関、国家行政組織法三条二項に規定する機関、会計検査院もしくはこれらに置かれる機関またはこれらの機関の職員であって法律上独立に権限を行使することを認められた職員を包含している（二条五号イ）。「法律上独立に権限を行使することを認められた職員」の例としては、労働基準法一〇一条一項により臨検・尋問や帳簿および書類の提出を命ずる権限を行使する労働基準監督官があげられる。また地方公共団体の機関も、ここでいう行政機関の定義の中に含まれているが、議会は除くことになっている（二条五号ロ）。そうすると、ここでいう行政機関の定義からは、国会、裁判所、内閣、地方議会は除外されることになる。

行政指導

二条六号では、行政指導について定義規定が置かれているが、そこでは「行政機関がその任務又は所掌事務の範囲内において一定の行政目的を実現するため特定の者に一定の作為又は不作為を求める指導、勧告、助言その他の行為であって処分に該当しないもの」と定義されている。わが国においては、行政指導が非常に広範に行われていることは言うまでもないが、これまで実定法上は、行政指導について根拠規定を設けている場合であっても、勧告、指導、助言、斡旋等の用語を使用しており、行政指導という言葉は使われていなかった。行政手続法において初めて行政指導という言葉が実定法上の用語になったこともあり、その定義規定が置かれているわけである。

そこでは「特定の者に」というのがひとつの重要な要件になっている。したがって、不特定一般に向かって行われるものは行政指導に含まれないことになる。たとえばエネルギー危機が起こり、国民一般に対して省エネを呼びかけるといった類のものは、「特定の者に」という要件に該当しないので、ここでいう行政指導からは除かれるということになる。また、気象業務法一三条で、気象庁は、国民の一般の用に供するための天気予報を行うことを義務づけられているが、気象庁が、明日の昼頃から大雨が降るという予報をすると、これは単なる情報提供であるが、したがって傘をお持ちくださいというと、作為を求めるようにみえる。しかし、このような場合には、そもそも特定の者に対してなされているというわけではないので、ここでいう行政指導には該当しないことになる。なお、省エネを呼びかける場合であっても、たとえば、放送会社に対して深夜放送の自粛を求めるような場合は、相手方が特定されており、ここでいう行政指導に該当することになる。

また、この定義の中で「作為又は不作為を求める」という部分も重要である。すなわち、単なる情報提供、教示はここでいう行政指導には含まれないのである。したがって、国民が行政機関に対して法律の解釈について照会し、それに対して行政庁が回答するというだけでは作為または不作為を求めているわけではないので、ここでいう行政指導には含まれないことになる。平成一三年三月二七日に閣議決定された「行政機関による法令適用事前確認手続の導入について」（日本版ノーアクション・レター制度）（宇賀克也・行政法概説Ⅰ〔第七版〕〔有斐閣〕一一三頁以下）も、教示・情報提供であって行政指導ではない。しかし実際には、教示・情報提供と行政指導との境界が微妙なケースは、いろいろと出てくると思われる。

なお、行政手続法は、行政庁については定義せず、処分権限を有する者が行政庁であるという前提に立っているのに対し、行政機関については定義規定を置き、行政指導は、行政機関が行うものに限定している。その理由は、処分の場合には必ず法令に根拠を有し、何が処分に該当するかは、当該根拠法規の解釈によって確定しうるのに対して、法的拘束力を伴わずに相手の任意の協力を求める作用は、法令の根拠なしに誰でもなしうるので、主体による限定が不可欠であるからである。したがって、処分と行政指導の定義における右のようなアプローチの相違は、論理的に矛盾するものではない。

届　出

二条七号は届出について定義している。そこでは「行政庁に対し一定の事項の通知をする行為（申請に該当するものを除く。）であって、法令により直接に当該通知が義務付けられているもの（自己の期待する一定の法律上の効果を発生させるためには当該通知をすべきこととされているものを含む。）をいう。」とされている。行政庁に対し一定の事項の通知をする行為であって申請に該当するものを除くとされていることから窺えるように、届出も申請も、いずれも行政庁に対し一定の事項の通知をするわけであるが、申請は諾否の応答を求めるものであるのに対し、届出は、そうではない。したがって、届出に対する拒否処分は存在しないことになる。

なお、「法令により直接に当該通知が義務付けられているもの（自己の期待する一定の法律上の効果を発生させるためには当該通知をすべきこととされているものを含む。）をいう。」という部分は、次のことを意味する。届出の規定の中には、過去の事実の届出を義務づけているもの（生活保護法六一条）、一定の行為をしようとするときに事前届出を義務づけているもの（浄化槽法五条一項）のほか、過去の事実を届け出ることができるとしているもの（船員法九七条三項）、一定の行為をしようとするときに事前届出ができるとしているもの（化学物質の審査及び製造等の規制に関する法律七条）、届出をすると不作為義務が解除されたり（労働基準法三六条一項）、作為義務が免除されたりするもの（計量法八〇条）のように、多様な定め方がなされている（総務省行政管理局編・逐条解説行政手続法〔二七年改訂版〕〔行政管理研究センター〕二八六頁以下参照）。

すなわち、届出を義務づけているものだけではなく、届出をするか否かは一応任意であるけれども、しかし、届出をするとあるメリットがある、あるいは届出をすることによってあるデメリットを防止できるというシステムをとっている場合がある。かかる場合には、届出が義務づけられているとは、必ずしもいえないかもしれないが、しかし自己の期待する一定の法律効果を発生させるためには、その通知をすべきこととされている場合も、その適正な処理の必要性は大きいから、行政手続法にいう届出に含むこととしたのである（この種の届出をいかに扱うかという問題は、行政手続法制定準備室における法案取りまとめの作業の過程で明瞭に認識されるようになった。）。

なお、二条七号では、「法令により直接に」当該通知を義務づけられているものを対象にしているから、処分により、通知を義務づけられたものは含まれない。たとえば、食品衛生法二八条一項は、厚生労働大臣、内閣総理大臣又は都道府県知事等が必要があると認めるときは、営業者その他の関係者から必要な報告を求めることができると定めている。都道府県知事等が、この規定に基づき、報告を命ずると、名あて人は、一定の事項を行政庁に通知することを義務づけられることになるが、それは、「法令により直接に」義務づけられたものではなく、報告を命ずる処分によってである。かかる報告命令は、行政調査の一環として出されるものであり、行政調査については、行政手続法三条一項一四号により、本法二章から四章の二までの規定は適用しないこととされている。そのこととの均衡からいっても、行政調査の過程で義務づけられた通知については、本法の規定の適用除外とすることが妥当と考えられる。

個別の法律においては、権利能力なき者に届出を認めている場合がある。行政手続法は、法人格がなくても、個別の法律で行政手続能力を認められている者については、本法の手続的保護を与えることを意図しているので、この場合の届出についても、当然、本法五章の規定が適用されることになる。

二条七号の定義に該当すれば、実定法上の名称の如何を問わないことはいうまでもない。個別の法律で届出以外の用語が使用されていても、二条七号の要件を満たせば、本法にいう届出となるし、逆に、個別の法律で届出という言葉が用いられていても、本法でいう届出には該当しないこともありうる。

命令等

命令等とは、内閣または行政機関が定める①法律に基づく命令（処分の要件を定める告示を含む。）または規則、②審査基準（申請により求められた許認可等をするかどうかその法令の定めに従って判断するために必要とされる基準をいう。）、③処分基準（不利益処分をするかどうかまたはどのような不利益処分とするかについてその法令の定めに従って判断するために必要とされる基準をいう。）、④行政指導指針（同一の行政目的を実現するため一定の条件に該当する複数の者に対し行政指導をしようとするときにこれらの行政指導に共通してその内容となるべき事項をいう。）を意味する。

①の規則は地方公共団体の機関が定めるものを念頭に置いている（会計検査院規則、人事院規則、公正取引委員会規則等は、法律に基づく命令に含まれる。）。②③の審査基準・処分基準については、平成一七年改正前は、それぞれ五条一項・一二条一項において定義されていたが、この改正により二条八号ロ・ハで定義されたものとは重要な相違があることに留意する必要がある。すなわち、従前は、審査基準・処分基準は、実際に処分を行う行政庁（処分庁）が作成するものに限定されていた。しかし、二条八号ロ・ハにおいては、行政庁が作成するものへの限定はない。たとえば、地方支分部局の長が処分庁であるが、その基準を主務大臣が通達で示している場合、かつてはこの基準は審査基準・処分基準に含まれなかったが、平成一七年改正により、これも審査基準・処分基準に含まれることになり、審査

基準・処分基準の範囲が拡大しているのである。この定義の拡張が行われたのは、このようなものも、六章の意見公募手続等の対象とすべきであるからである。④の行政指導指針という言葉は、平成一七年改正前の行政手続法では使われておらず、この改正で初めて用いられたものであるが、改正前の行政手続法三六条で作成・公表が義務づけられていたものと内容的には変わりない。六章の意見公募手続の対象に②③④のように法規命令でないものも含まれている点は、アメリカと異なり〔宇賀克也・アメリカ行政法〔第二版〕〔弘文堂〕六六頁以下〕、わが国の意見公募手続の特色といえる。

(三) 適用除外

本来の行政権の行使とはやや異質な手続

行政手続法三条一項には、同法二章から四章の二までの規定の適用を除外するものが列挙されている。二章は申請に対する処分に関する規定、三章は不利益処分に関する規定、四章は行政指導に関する規定、四章の二は処分等の求めに関する規定である。そこでは、初めに、「国会の両院若しくは一院又は議会の議決によってされる処分」〔一号〕、「裁判所若しくは裁判官の裁判により、又は裁判の執行としてされる処分」〔二号〕、「国会の両院若しくは一院若しくは議会の議決を経て、又はこれらの同意若しくは承認を得た上でされるべきものとされている処分」〔三号〕、「検査官会議で決すべきものとされている処分及び会計検査の際にされる行政指導」〔四号〕があげられている。

国会、裁判所、地方議会は、行政機関の定義からは除外されているので（二条五号）、そもそも、なぜ、三条一項一ないし三号で、これらの適用除外について規定しなければならないのか疑問がわくかもしれないが、処分の定義のところで、「行政庁の処分その他公権力の行使」という言葉が使われており、行政庁という場合には、行政機関ではなくても、処分権限を与えられているものが含まれることになる。民間の団体であっても、それに処分権限が与えられていれば、行政庁ということになる。たとえば母体保護法に基づいて人工妊娠中絶を行うことができる医師を指定する場合には、同法一四条一項により、都道府県の医師会がその指定権限を持っているが、この指定は処分にあたるので、その限りにおいては、都道府県医師会という社団法人が、ここでいう行政庁にあたることになる。国会、裁判所が行う処分も、処分の定義からすると、行政手続法の適用対象に含まれることになるが、処分を行う主体が特殊であるため、その手続にも独自の性格が認められるので、ここで適用除外としている。本法三条一項一ないし三号が、すべて処分のみに言及しているのは、すでに二条五号により、国会、裁判所が、行政指導を行う「行政機関」の定義から除外されているからである。会計検査院は、行政手続法制定時には、「行政機関」に含まれていなかったが、平成一七年の同法改正により、「行政機関」に含められたため、それが行う指導、勧告等は行政指導となる。しかし三条一項四号の改正で「会計検査の際にされる行政指導」は同法四章の規定の適用を除外された。

そのほか適用除外とされているものの中には、行政事件とみることができず、むしろ刑事手続としての性格を持つものがある。すなわち、「刑事事件に関する法令に基づいて検察官、検察事務官又は司法警察職員がする処分及び行政指導」（五号）や、「国税又は地方税の犯則事件に関する法令（他の法令において準用する場合を含む。）に基づいて国税庁長官、国税局長、税務署長、国税庁、国税局若しくは税務署の当該職員、税関長、税関職員又は徴税吏員

（他の法令の規定に基づいてこれらの職員の職務を行う者を含む。）がする処分及び行政指導並びに金融商品取引の犯則事件に関する法令（他の法令において準用する場合を含む。）に基づいて証券取引等監視委員会、その職員（当該法令においてその職員とみなされる者を含む。）、財務局長又は財務支局長がする処分及び行政指導」（六号）は、行政手続というよりも、本来、刑事手続に近いものであり、行政手続法の規定を適用するのになじまないことから、適用除外としている。

なお、証券取引等監視委員会が行う処分・行政指導については、第三次行革審要綱案では触れられていないが、その理由は、第三次行革審の答申時には、証券取引等監視委員会の設置のための法改正が実現していなかったからであり、その職務が本来の行政権の行使とみられない以上、行政手続法がこれを適用除外にしたのは当然であろう。

また、平成一七年四月の独禁法改正で導入された犯則調査については、独禁法一一七条で行政手続法二～四章の規定の適用が除外されている。

特別の規律で律せられる関係が認められる手続

また、処分主体とその名あて人との関係の特殊性のゆえに適用除外としている例がある。「学校、講習所、訓練所又は研修所において、教育、講習、訓練又は研修の目的を達成するために、学生、生徒、児童若しくは幼児若しくはこれらの保護者、講習生、訓練生又は研修生に対してされる処分及び行政指導」（七号）、「刑務所……において、収容の目的を達成するためにされる処分及び行政指導」（八号）、「公務員（国家公務員法（昭和二二年法律第一二〇号）第二条第一項に規定する国家公務員及び地方公務員法（昭和二五年法律第二六一号）第三条第一項に規定する地方公務員をいう。以下同じ。」）又は公務員であった者に対してその職務又は身分に関してされる処分及び行政指導」（九号）がその例である。

国家公務員法二条一項（「国家公務員の職は、これを一般職と特別職とに分つ。」）にいう公務員とは、一般職のみならず特別職も含むから、同法二条三項が規定する内閣総理大臣（一号）、国務大臣（二号）、人事官および検査官（三号）、国会議員（九号）、裁判官（一三号）等も含まれる。また、地方公務員法三条一項に規定する地方公務員も一般職と特別職の双方を包含するから、同法三条三項の規定する地方議会議員（一号）、委員会（審議会等を含む。）の構成員の職で臨時または非常勤のもの（二号）等も包摂されることになる。

しかし、司法修習生は、国家公務員法二条一項、地方公務員法三条一項にいう公務員に該当しないし、道路交通法一〇八条の四の定める指定講習機関の役員または職員については、同法一〇八条の七第二項で、刑法その他の罰則の適用については、法令により公務に従事する公務員とみなすこととされているが、国家公務員法二条一項、地方公務員法三条一項にいう公務員ではないので、行政手続法三条一項九号の規定の適用は受けない。

なお、地方独立行政法人法の施行に伴う関係法律の整備等に関する法律（平成一五年法律第一一九号）による改正前は、地方公務員法三条一項の部分は、同法二条であった。しかし、地方独立行政法人法四七条は、特定地方独立行政法人の役員および職員は、地方公務員としたため、これも含める必要がある。地方公務員法二条は、地方公共団体の公務員のみを指すが、同法三条一項は、地方独立行政法人法の施行に伴う関係法律の整備等に関する法律による改正により、地方公共団体のみならず、特定地方独立行政法人の地方公務員も含むこととされた。そのため、地方公務員法三条一項にいう公務員とすることとしたのである。

九号には、公務員のみならず、公務員であった者も含まれている。たとえば、国家公務員退職手当法一五条一項においては、すでに退職して退職手当を支給された者が、後に在職期間中の行為に係る刑事事件に関し禁錮以上の刑に処せられたとき等は、その支給を受けた一般の退職手当等の全部または一部を返納させることができることになっているので、公務員であった者に対しても、退職手当の返納命令のような処分がされることはあることになる。また、国家公務員法一〇〇条一項は、公務員が、その職を退いた後においても守秘義務を課している。したがって、守秘義務との関連で、公務員であった者に対して行政指導を行うこともありうることになる。

「外国人の出入国、難民の認定又は帰化に関する処分及び行政指導」（一〇号）が適用除外になっているのは、これが国家主権の問題であり、そもそも、外国人は、出入国、難民の認定または帰化に関する実体法上の権利を有しないと一般に解されているため、手続についても、そのことを踏まえて考察する必要があり、行政手続法の規定をそのまま適用することは必ずしも妥当とはいえないと考えられたのである。ここで注意を要するのは、外国人が全部、行政手続法の規定の適用対象から外れているわけではないということである。先に述べたように、同法一条一項では、「国民」という言葉を使用しているが、これは決して外国人を排除するという趣旨ではない。一般的には、外国の自然人、法人も対象に入ることになる。三条一項一〇号は、このことを前提とした上で、外国人の出入国、難民の認定または帰化に関する処分および行政指導に限定して、適用除外としているのである。

処分の性質上、行政手続法の規定の適用になじまない手続

「専ら人の学識技能に関する試験又は検定の結果についての処分」（一一号）が適用除外とされたのは、人の学識技能という一般的に客観的評価になじみにくいものについて、試験・検定委員の専門技術的裁量に大幅に依存してなさ

れるという判断過程の特殊性を斟酌したためである。「専ら」という限定が付されているから、「人の学識技能に関する試験又は検定の結果」とそれ以外の事項が総合的に考慮される場合は、一一号に該当しないことになる。

そのほか、「相反する利害を有する者の間の利害の調整を目的として法令の規定に基づいてされる裁定その他の処分（その双方を名宛人とするものに限る。）及び行政指導」（一二号）は、三面構造に伴う特殊性があり、行政庁・行政機関と処分・行政指導の名あて人との二面構造を基本的前提とした行政手続法の規定をそのまま適用することは必ずしも適切でないと考えられたためである。

この適用除外は、損失補償に関して重要な意味を持つ。損失補償について行政庁が判断を示す場合には、補償義務を負う行政主体の機関として（国有財産法三一条の二第五項、気象業務法四〇条二項、漁業法一七七条三項等参照）ではなく、第三者として裁決、裁定を行うことが多い（水利使用の許可にかかる損失補償について定めた河川法四二条二項参照。その他、森林法五九条二項、電気事業法六二条一項、鉄道事業法二一条五項等参照。詳しくは、宇賀克也「損失補償の行政手続（二）」自治研究六九巻二号三九頁参照）が、こうしたものは、三条一項一二号により、行政手続法二章から四章の二までの規定の適用が除外されることになる。

なお、同一の規定が、実質的観点からみた場合、補償義務を負う行政主体の機関の決定としての性格を有する場合と、第三者としての裁定の性格を有する場合とがありうる。たとえば、航空法四九条五項は、同条三項の補償すべき損失の額ならびに同条四項の買収およびその価格等の条件は、当事者間の協議により定めるとし、協議が調わないとき、または、協議することができないときは、国土交通大臣が裁定すると定めている。

ここでいう当事者の一方は、飛行場設置者であり、地方公共団体が飛行場設置者の場合は、国土交通大臣は、当該地方公共団体の監督者ということになるが、一応第三者としての立場における裁定とみることもできる（下山瑛二・国家補償法〔筑摩書房〕三一七頁は、この場合も、実質的には、第三者としての裁定ではないとする。）。他方、国が飛行場設置者の場合には、国土交通大臣の裁定は、形式的には第三者としての裁定であっても、実質的には、補償義務者たる行政主体の機関として行うものとみることも不可能ではない。

成田国際空港株式会社が設置者の場合には、同会社が国とは独立の法人格を有することから、第三者としての裁定とも解しうるが、旧運輸大臣が旧日本鉄道建設公団に対してした工事実施計画の認可が内部的行為であるとして、その処分性を否定した成田新幹線事件に関する最判昭和五三・一二・八民集三二巻九号一六一七頁のような考えをとれば、この場合も、実質的には、補償義務者たる行政主体の機関としての決定とみる余地もないわけではない。

しかし、行政手続法三条一項一二号は、実質を問題にするものではなく、当該法令が、形式的に、第三者としての裁定として構成されている場合には、適用除外とする趣旨である。

損失補償につき、行政庁が第三者として処分を行う場合には、大別して、収用委員会が裁決を行う場合と、収用委員会以外の行政庁が裁定を行う場合がある。前者については、手続が相当に整備されているが、後者については、不備が多い。行政手続法三条一項一二号が、かかる場合を適用除外にしたため、その手続の改善は、将来の課題として残されることとなった。

なお、「法令の規定に基づいてされる」という限定は、「裁定その他の処分」のみならず「行政指導」にもかかっており、したがって、調整的行政指導一般が本号により適用除外となるわけではないことに注意が必要である。

「公衆衛生、環境保全、防疫、保安その他の公益に関わる事象が発生し又は発生する可能性のある現場において警察官若しくは海上保安官又はこれらの公益を確保するために行使すべき権限を法律上直接に与えられたその他の職員によってされる処分及び行政指導」（一三号）は、現場で職員が臨機応変に対応する必要があるため、かかる特殊性に配慮した手続を個別法において定める方が適切であると考えられたのである。

「報告又は物件の提出を命ずる処分その他その職務の遂行上必要な情報の収集を直接の目的としてされる処分及び行政指導」（一四号）は、行政調査としての性格を持つものであり、行政庁の意思決定の準備的行為であることから、通常の処分、行政指導とは異なる特色があり、個別の法律に手続的規制を委ねることとした。もっとも、行政手続法の中に、行政調査手続についての一般的規定を設けることは、もとより可能であり、第一次研究会要綱案では、簡単ながら、行政調査手続に関しての規定も置いていた（〇三〇一～〇三〇三条）。行政調査手続をいかに手続的に規制するかは、今後の重要な検討課題のひとつである。

「審査請求、再調査の請求その他の不服申立てに対する行政庁の裁決、決定その他の処分」（一五号）は、事後救済手続であり、これについては、すでに一般法として、行政不服審査法が昭和三七年に成立しており（平成二六年に全部改正）、行政手続法の規定の適用除外としたのは当然であろう。「前号に規定する処分の手続又は第三章に規定する聴聞若しくは弁明の機会の付与の手続その他の意見陳述のための手続において法令に基づいてされる処分及び行政指導」（一六号）は、最終処分に至る手続の過程における中間的処分および行政指導であり、これについてまで手続的規制をかけることは、手続をいたずらに煩瑣にし、その遅延を招来するおそれがある。また、最終処分についての手続的保障が存在すれば、中間的処分および行政指導についての手続的保障がなくても、国民の権利利益の保護に大きく欠けるところはないと考えられる。

命令等の性質上、意見公募手続等の規定の適用になじまない行為

三条二項では、命令等の性質上、六章の意見公募手続等の規定の適用になじまないものを列記している。なお、後述するように、行政主体の組織内部または行政主体組織間の関係についての命令等であるため、六章の意見公募手続等の規定の適用になじまないものは、四条四項で適用除外にしているため、三条二項で適用除外にされているものは、それ以外のものになる。

「法律の施行期日について定める政令」は、通常、法律で期限を定め、その範囲内で内閣に与えられた時の裁量を行使させるにすぎず、意見公募手続をとる必要性は大きくない。「恩赦に関する命令」は、政府の高度の政策的判断に基づくものであり、国民の意見を聴くのになじまないとされた。「命令又は規則を定める行為が処分に該当する場合における当該命令又は規則」とは、「命令等が処分性を持つ場合」である。審査基準・処分基準・行政指導指針は処分性を持たないので、ここでは、「命令又は規則」のみが掲げられている。このような処分性を持つ命令または規則は、一般の命令または規則とは性格を異にするという前提に立って、六章の規定の適用除外としているが、かかる場合に事前手続が不要というわけではなく、また、このような命令または規則が私人に不利益な法効果を及ぼす場合であっても、「特定の者を名あて人として」いるのでないと不利益処分の手続が適用されないため（二条四号柱書）、かかる処分性を持つ命令または規則の制定手続は残された課題といえよう。「法律の規定に基づき施設、区間、地域その他これらに類するものを指定する命令又は規則」も、通常の命令または規則とは性格を異にする面があり、その事前手続は、計画策定手続とも密接に関連するため、それと併せて検討することが望ましい。したがって、六章の

規定の適用除外とはされたが、その事前手続の整備は、今後の課題として残されているといえよう。「公務員の給与、勤務時間その他の勤務条件について定める命令等」は、基本的には労使交渉の結果を反映して定められるものであり、一般からの意見公募には必ずしもなじまないとされた。「審査基準、処分基準又は行政指導指針であって、法令の規定により若しくは慣行として、又は命令等を定める機関の判断により公にされるもの以外のもの」についても六章の規定の適用が除外されている。審査基準・処分基準・行政指導指針はすべてが公にされるとは限らないが、合理的理由があって公にされないものについては、意見公募手続をとることにも支障があるので、六章の規定の適用が除外されている。

地方公共団体の機関が行う手続

行政機関の定義の中には、地方公共団体の機関も含まれている（二条五号ロ）が、三条三項では、地方公共団体の機関がする処分（その根拠となる規定が条例または規則に置かれているものに限る。）および行政指導、地方公共団体の機関に対する届出（二条七号の通知の根拠となる規定が条例または規則に置かれているものに限る。）ならびに地方公共団体の機関が命令等を定める行為については、二章から六章までの規定は適用しないと定めている。

逆にいうと、地方公共団体の機関が行う処分であっても、法律に基づく処分であれば、行政手続法の規定が適用されることになる。すなわち、処分の根拠規定が法律に置かれているということは、国法が当該処分に関心を持っているということであるから、その場合には地方公共団体の機関がその処分を行う場合であっても、その手続については国法の関心事として、この行政手続法の規定を適用するという発想に立っているわけである。法律に基づく処分であれば、行政手続法の規定の適用を受けるのであり、事務の種類は問わない。墓地、埋葬等に関する法律一〇条一項に基づき都道府県知事が行う墓地、納骨堂または火葬場の経営の許可のように、自治事務であっても、法律に基づく処分であればよい。

他方、その根拠となる規定が条例または規則に置かれている処分については、二章、三章の規定を適用しないのであるが、根拠規定が法律にあるとみるか、条例または規則にあるとみるかについて疑義が生ずる場合がないわけではない。法律において、「何々については、条例で規制することができる。」と定めており、実際に、条例で処分規定が設けられた場合には、その処分規定は、法律に基づくものといえるのか、それとも条例に基づくものとなるのかという問題が生ずる。この場合には、法律は、単に条例による規制が可能なことを示したにすぎず、根拠規定は条例に置かれているとみるのが妥当であろう。湖沼水質保全特別措置法四三条、振動規制法二三条、自然環境保全法四六条一項、悪臭防止法二三条、水質汚濁防止法二九条、騒音規制法二七条等、その例は少なくない。動物の愛護及び管理に関する法律九条、伊東国際観光温泉文化都市建設法三条一項、文化財保護法一八二条二項、屋外広告物法七条一項のように、条例で定めるところにより、必要な措置を講ずることができると定めている場合も同様である。

これに対して、水質汚濁防止法三条三項の規定に基づいて、都道府県が上乗せ排水基準を定める条例を制定したような場合は、処分の根拠規定は水質汚濁防止法にあり、法律に基づく処分として行政手続法の規定の適用を受けることになる（環境庁水質保全局企画課＝水質管理課・水質汚濁防止法の解釈と運用〔第一法規〕一四五頁参照）。

大気汚染防止法九条の規定に基づき、ばい煙の処理の方法に関する計画の変更命令等を出すケースでも、同法四条一項の規定により、条例で排出基準を上乗せすることが認められているが、その場合の条例は処分基準を変更するものにすぎず、不利益処分の根拠規定自体は法律に置かれていることに変わりはない（宇賀克也「行政手続法と地方公共団体の対応」行政手続法の理論〔東京大学出版会〕四七頁参照）。

なお、法律で、「何々については、都道府県の規則により定めることができる。」と規定されている場合には、単に規則による規制が可能なことを示したにすぎないとみるべきではなく、法律を根拠規定とし、地域の特性に応じた配慮をある程度可能とするために、規則による規制を行わせることとしたものとみるべきであろう。水産資源保護法四条一項、家畜伝染病予防法三二条一項、三三条、三四条がその例である。したがって、「地方公共団体の機関がする処分（その根拠となる規定が条例又は規則に置かれているものに限る。）」には該当しないとみるべきと思われる（仲正・行政手続法のすべて〔良書普及会〕九二頁参照）。

地方公共団体の機関がする行政指導については、行政手続法の規定の適用除外となっているが、この点は、第三次行革審公正・透明な行政手続部会において、種々、議論のあったところである。同部会が、平成三年七月に第一次部会案を出したときは、地方公共団体が行う行政指導であっても、法律に基づく処分との関連で行われる行政指導には、行政手続法四章の規定を準用するという考え方がとられていた。すなわち、法律に基づく処分につき国法の関心事として行政手続法の二章、三章の規定を適用するのであれば、それとの関連で行われる行政指導も、やはり行政手続法により規律するのが論理的な整合性を保つ所以ではないかという考え方が、その段階では強かったわけである。

しかし、地方自治への配慮や、はたしてある行政指導が法律に基づく処分との関連で行われているのかそうでないのかということを切り分けることは、実際には非常に困難であろうといったようなことも考慮され（塩野宏「行政手続法の制定について」地方自治五三二号一二頁参照）、結局、地方公共団体が行う行政指導については、本法の四章の規定は適用しないという形で整理されたのである。

地方公共団体の機関が定める命令等の中には、法律に根拠を有すると考えられるものもあり、この場合、処分・届出と同様、本法の手続規定を適用するという考えもありうるが、かかる場合も含めて、本法六章の規定の適用除外となっている。命令等を定める手続については、民主主義の要素があり、民主主義的参加の色彩が濃い手続には地方自治尊重の要請が大きいことに照らせば、本法が採用した立法政策は納得しうるものである。

行政手続法が保障するような手続的保護は、当然、地方公共団体の機関が行う処分や行政指導、地方公共団体の機関が定める命令等においても保障されてしかるべきであり、法律でそのことを定めたとしても、地方自治の本旨に反するとは考えられない。第一次研究会の案も、地方公共団体の機関が行う行政作用にも同様の手続を義務づけ、ただし、地方公共団体の事務については、条例で事項を特定して、同法の規定の全部または一部を適用しないことができることとしたのである（〇一〇二条五項）。第二次研究会要綱案も同様の立場を踏襲していた（〇一〇三条一項、三項）。行政手続法三条三項は、理論的に行政手続法の規定を適用できないと考えたから設けられたのではなく、地方自治に配慮して、地方公共団体の自主的な努力により、行政手続の整備を図ろうとしたものである。

固有の資格

行政手続法四条一項では、「国の機関又は地方公共団体若しくはその機関に対する処分（これらの機関又は団体がその固有の資格において当該処分の名あて人となるものに限る。）及び行政指導並びにこれらの機関又は団体がする届出（これらの機関又は団体がその固有の資格においてすべきこととされているものに限る。）については、この法律の規定は、適用しない。」と規定されている。ここでいう「固有の資格」は、行政不服審査法七条二項にいう「固有の資格」と同義であり、一般私人では立ちえず、国の機関または地方公共団体もしくはその機関であるからこそ立ちうる特別の立場を意味する。なぜならば、行政手続法一条一項は、「国民の権利利益の保護に資することを目的とする」と定めているが、ここでいう「国民」とは、自然人であれ法人等の団体であれ一般私人を念頭に置いていると考えられるので、一般私人ではなく、国の機関または地方公共団体もしくはその機関が「固有の資格」で当該処分の名あて人となるような場合については、適用除外としても、本法の目的に反しないと考えられるからであり、このように解すると、四条は、創設的規定というよりも、基本的に確認的規定ということになる。

したがって、たとえば地方公共団体が、地方財政法五条の四第一項により、（協議制の例外としての）起債の許可を総務大臣に対して申請して、総務大臣または都道府県知事がその起債を許可するといったような場合を考えると、起債の許可は、一般私人がその名あて人となることはできず、地方公共団体が固有の資格で名あて人となるものであるので、このような場合は、行政手続法の規定を適用しないことになる。

他面において、地方公共団体等が相手方となるときであっても、固有の資格でない場合は、適用除外とはならないことになる。たとえば、道路運送法四条一項は、「一般旅客自動車運送事業を経営しようとする者は、国土交通大臣の許可を受けなければならない。」と定めているが、そこでは、地方公共団体が一般旅客自動車運送事業を経営する場合についても、なんら特例を定めることなく、一般私人とまったく同様に取り扱っている。したがって、地方公共団体がバス事業（一般旅客自動車運送事業の一種である一般乗合旅客自動車運送事業）の免許を申請する場合には、民間事業者のバス事業の申請と同様の立場に立っているわけであり、地方公共団体の固有の資格で申請しているわけではない。かかる申請については、行政手続法二章の規定が適用されることになる。

もっとも、固有の資格であるか否かについて、若干疑義が生ずる場合も存在する。一般私人と国または地方公共団体のいずれもある行為を行うことが認められているが、国または地方公共団体については特例が定められている場合である。たとえば、公有水面埋立法二条一項は、埋立てをしようとするときは、都道府県知事の免許を受けなければならないと定めており、同法四二条一項は、国が埋立てをしようとするときは、都道府県知事の承認を受けなければならないとしている。この承認が処分としての性格を有するか否かは議論がありうるところであろうが、肯定的に解することができよう。最判令和二・三・二六民集七四巻三号四七一頁は、行政不服審査法七条二項にいう「固有の資格」についての判断においてではあるが、埋立ての事業については、国の機関と国以外の者のいずれについても、都道府県の処分（埋立承認または埋立免許）を受けて初めて当該事業を実施しうる地位を得ることができるものとされ、かつ、当該処分を受けるための規律が実質的に異ならないのであるから、処分の名称や当該事業の実施の過程等における規律に差異があることを考慮しても、国の機関が一般私人が立ちえないような立場において埋立承認の相手方となるものとはいえないと判示した。

逆に、一般私人もある行為を行いうるが、国または地方公共団体が当該行為を行うのが原則の場合に、国または地方公共団体が処分の名あて人となるときには、固有の資格とみてよいと思われる。水道法六条一項は、水道事業を経営しようとする者は、厚生労働大臣の認可を受けなければならないと定めているが、同条二項は、水道事業は、原則として市町村が経営するものとしている。したがって、市町村が、同条一項の認可を申請する場合は、固有の資格とみるべきであろう。

なお、行政手続法四条一項では、処分と届出については、固有の資格という限定が付いているが（第三次行革審要綱案第三一では、届出については、固有の資格という限定を付けていなかった。）、行政指導については、かかる限定がないことに留意しなければならない。国の機関が地方公共団体の機関に対して行政指導を行うような場合、実質的には、両者の力関係のゆえに、濫用にわたる行政指導が行われる可能性がないわけではない（室井教授も、四条一項につき、国の機関と地方公共団体の機関でまったく同様に扱えるかに疑問を呈しておられる。室井力「行政手続法とその課題」ジュリスト一〇三九号三二頁参照）。その意味では、地方公共団体の機関が、一般私人と同様の立場で行政指導の名あて人となる場合には、四章の規定を適用するという立法政策も考えられる。しかし、実際問題としては、法定外行政指導の場合、名あて人が固有の資格を有するかの判断が困難なことが少なくないと予想されることもあり、四条のように割り切っている。

しかし、地方公共団体がバス事業の免許を申請する場合のように、一般私人と同様の立場に立っていることが明瞭なケースでは、書面交付請求に応ずるなど、運用上、行政手続法四章の趣旨にそった対応がなされることが望ましいといえよう（施行通達―行政手続法の施行に当たって（平成六年九月一三日総管第二一一号各省庁事務次官等あて総務事務次官）第一の二参照）。

独立行政法人、国立大学法人、大学共同利用機関法人、日本司法支援センター、特殊法人、認可法人、指定検査機関

国、地方公共団体とは独立の法人格を有する団体であっても、行政代行的性格の業務を行い、実質的には、国、地

方公共団体に準ずるものに対する監督は、国民一般に対する関係とは異なるので、行政手続法の規定の適用対象外とすることが適切と考えられる。行政手続法四条二項は、「次の各号のいずれかに該当する法人に対する処分であって、当該法人の監督に関する法律の特別の規定に基づいてされるもの（当該法人の解散を命じ、若しくは設立に関する認可を取り消す処分又は当該法人の役員若しくは当該法人の業務に従事する者の解任を命ずる処分を除く。）については、次章及び第三章の規定は、適用しない。」とし、一号で独立行政法人、国立大学法人、大学共同利用機関法人、日本司法支援センター及び特殊法人、二号で認可法人、同条三項で指定検査機関（指定検査機関については、塩野宏「指定法人に関する一考察」法治主義の諸相〔有斐閣〕四四九頁以下、露木康浩「委託制度と指定機関制度に関する一考察」警察学論集四二巻一二号四〇頁以下、米丸恒治・私人による行政―その法的統制の比較研究〔日本評論社〕三二五頁以下が精緻な分析を行っている。）について定めている（これらの法人について詳しくは、宇賀克也・行政法概説Ⅲ〔第五版〕〔有斐閣〕二七〇頁以下参照）。

しかし、独立行政法人、国立大学法人、大学共同利用機関法人、日本司法支援センター、特殊法人、認可法人、指定検査機関に対する処分のすべてが適用除外になるわけではなく、行政代行としての実質に着目しているわけであるから、「当該法人の監督に関する法律の特別の規定に基づいてされるもの」（四条二項柱書）、「当該法律に基づいて当該事務に関し監督上される処分」（四条三項）に限って適用除外となる。したがって、行政代行業務を行っていることに基づく特別の関係ではなく、一般私人と同様の立場で処分の名あて人となる場合は、四条二項一号、二号及び同条三項の法人であっても、二章、三章の規定の適用が除外されるわけではないことに留意が必要である。

具体例をあげると、日本電信電話株式会社が、日本電信電話株式会社等に関する法律一二条の規定に基づき受ける事業計画の認可は、「当該法人の監督に関する法律の特別の規定に基づいてされるもの」であり、行政手続法二章の規定は適用されない。

他方において、「当該法人の監督に関する法律の特別の規定に基づいてされるもの」であっても、「当該法人の解散を命じ、若しくは設立に関する認可を取り消す処分又は当該法人の役員若しくは当該法人の業務に従事する者の解任を命ずる処分」は適用除外の対象から除かれている。「当該法人の解散を命じ、若しくは設立に関する認可を取り消す処分」は、当該法人の存立自体やその基礎を失わせるものであるし、「当該法人の役員若しくは当該法人の業務に従事する者の解任を命ずる処分」も、人事という重要な事項にかかわる不利益処分であり、実質的名あて人である役員等の権利保護の必要性があるので、これらについては、三章の不利益処分の規定を適用することとしている。

もっとも、特殊法人とされているもののすべてが行政代行的性格のものとは必ずしもいえず（塩野宏「特殊法人に関する一考察」行政組織法の諸問題〔有斐閣〕二〇頁以下、宇賀克也・新・情報公開法の逐条解説〔第八版〕〔有斐閣〕二四五頁、同・新・個人情報保護法の逐条解説〔有斐閣〕一〇九頁参照）、日本放送協会は、政府出資がなく、受信料により経営され、業務内容についてみても、基本的には、国営放送としての性格を持つわけではない（ただし、放送法六五条一項は、総務大臣が、放送区域、放送事項、その他必要な事項を指定して、日本放送協会に国際放送または協会国際衛星放送を行うことを要請することができるとしており、この要請を受けて行う国際放送または協会国際衛星放送については、行政代行的性格が濃厚である。）。他方、放送法二〇条二項一号に基づく外国放送事業者との協定の締結・変更についての総務大臣の認可（放送法二〇条八項）、放送法二〇条二項二号または三号の業務を行おうとするときの総務大臣の認可（放送法二〇条九項）については、一般放送事業者に対する規制とは異なる特別の規制であり、行政手続法二章の規定は適用されないことになろう。

認可法人（認可法人については、舟田正之「特殊法人論」情報通信と法制度〔有斐閣〕二一六頁参照）については、政令で定めるものを対象とすることとしているので、「その行う業務が国又は公共団体の行政運営と密接な関連を有するもの」か否かが、政令制定に際して検討されている。平成六年八月五日に公布された行政手続法施行令一条に、行政手続法四条二項二号の政令で定める法人が列挙されている。

代表的なものとしては、司法書士会、税理士会、日本銀行、国家公務員共済組合、日本赤十字社、健康保険組合、広域臨海環境整備センター、土地改良区、日本商工会議所、危険物保安技術協会、日本弁理士会、小型船舶検査機構、港務局、預金保険機構、労働災害防止協会、土地開発公社、行政書士会等がある。

そのひとつである税理士会を例にとると、税理士会の会則の財務大臣による認可（税理士法四九条の二第一項）、税理士会の総会決議の取消命令（税理士法四九条の一七）は、当該法人の監督に関する法律の特別の規定に基づいてされるものであり、行政手続法三章の規定は適用されないことになる。

なお、行政手続法四条三項の指定検査機関といえるためには、指定という処分により、行政代行的性格を付与されていることが必要であり、いわゆる民間委託契約により、行政事務を代行するものは、指定検査機関ではない。

行政組織内部または行政主体相互間の関係であるため、意見公募手続等の規定の適用除外となる場合

行政手続法四条四項は、広い意味での行政組織内部または行政主体相互間の関係についての命令等であって、直接

に国民の権利義務とかかわらないものについて六章の規定の適用を除外している。「国又は地方公共団体の機関の設置、所掌事務の範囲その他の組織について定める命令等」、「皇室典範（昭和二十二年法律第三号）第二十六条の皇統譜について定める命令等」、「公務員の礼式、服制、研修、教育訓練、表彰及び報償並びに公務員の間における競争試験について定める命令等」も、直接的には国民の権利義務とかかわるものではないことから六章の規定を適用しないこととしている。「国又は地方公共団体の機関の設置、所掌事務の範囲その他の組織について定める命令等」の例として、総務省組織令があげられる。たとえば、同令三六条は、「行政管理局に、次の二課及び管理官八人…を置く。」として、企画調整課と調査法制課の二課を列記しているが、かかる事項についてまで意見公募手続をとる意義に乏しいと考えられたのである。「公務員の礼式」について定める命令等の例としては、警察官の敬礼の仕方について定める警察礼式（国家公安委員会規則）がある。

「国又は地方公共団体の予算、決算及び会計について定める命令等（入札の参加者の資格、入札保証金その他の国又は地方公共団体の契約の相手方又は相手方になろうとする者に係る事項を定める命令等を除く。）並びに国又は地方公共団体の財産及び物品の管理について定める命令等（国又は地方公共団体が財産及び物品を貸し付け、交換し、売り払い、譲与し、信託し、若しくは出資の目的とし、又はこれらに私権を設定することについて定める命令等であって、これらの行為の相手方又は相手方になろうとする者に係る事項を定めるものを除く。）」については、かっこ内は、国民の権利義務との直接のかかわりがあるため、適用除外の対象から除いている。「会計検査について定める命令等」の中には、会計検査院情報公開・個人情報保護審査会規則は含まれない。かかる規則は、直接、会計検査について定めるものでなく、情報開示請求権という国民の権利とかかわるし、また、行政不服審査法に基づく審査請求の特例を定めるものであるから、六章の規定の適用を受けるべきであり、適用除外にしていない。「国の機関相互間の関係について定める命令等並びに地方自治法（昭和二十二年法律第六十七号）第二編第十一章に規定する国と普通地方公共団体との関係及び普通地方公共団体相互間の関係その他の国と地方公共団体との関係及び地方公共団体相互間の関係について定める命令等（第一項の規定によりこの法律の規定を適用しないこととされる処分に係る命令等を含む。）」は、行政主体間関係についての命令等であり、これも、直接に国民の権利義務とかかわるものではない。「第二項各号に規定する法人の役員及び職員、業務の範囲、財務及び会計その他の組織、運営及び管理について定める命令等（これらの法人に対する処分であって、これらの法人の解散を命じ、若しくは設立に関する認可を取り消す処分又はこれらの法人の役員若しくはこれらの法人の業務に従事する者の解任を命ずる処分に係る命令等を除く。）」は、本法四条二項の定める独立行政法人、国立大学法人、大学共同利用機関法人、日本司法支援センター、特殊法人、認可法人の役員および職員、業務の範囲、財務および会計その他の組織、運営および管理も、実質的に政府の一部とみることができたり、公共的性格が強い法人の組織内部の問題であるので、国民一般の意見を公募するのになじまないとされた。ただし、「第二項各号」と規定されているので、本法四条三項の指定検査機関の役員および職員、業務の範囲、財務および会計その他の組織、運営および管理について定める命令等は適用除外とされていないことに留意が必要である。また、本法四条二項各号に規定する法人であっても、これらの法人の解散を命じ、もしくは設立に関する認可を取り消す処分またはこれらの法人の役員もしくはこれらの法人の業務に従事する者の解任を命ずる処分に係る命令等は、法人の存立自体を失わせたり、その役職員の地位を失わせたりするものであり、意見公募手続等の適用除外とすることは適当でないとされた。

3　申請に対する処分

申請に対する処分の手続の重要性

行政手続法は、二章で申請に対する処分の規定を置き、三章で不利益処分に関する規定を設けている。ここでいう不利益処分には、申請により求められた許認可等を拒否する処分その他申請に基づき当該申請をした者を名あて人としてされる処分は含まれない（二条四号ロ参照）。申請に対する処分と不利益処分を抽象的に比較すると、既存の許可や資格を失わせる不利益処分の手続的規制の方が重要であるということがいえそうである。しかし、わが国の行政の実態に鑑みると、前者の手続的規制は、後者に優るとも劣らない重要性を有するといえる。なぜならば、わが国においては、一般的にいって、不利益処分はそれほど多用されておらず（このことは、旧総務庁および現総務省により行われた行政手続法施行状況調査により実証されている。この施行状況調査については、総務庁行政管理局行政手続室「行政手続法の施行状況に関する調査結果について」自治研究七一巻一二号一三九頁、大塚幸寛「行政手続法の施行状況について」ジュリスト一〇七九号七五頁、小橋昇「行政手続法制定後の状況」國士舘法學三一号一一〇頁以下、宇賀克也・行政手続・情報公開〔弘文堂〕二九頁、宇賀克也・行政手続と行政情報化〔有斐閣〕一七頁参照）、それが可能なときでも、行政指導で対処することが少なくないのに対して、申請は、広範な行政分野で日常的に大量に行われており、かつ、それに対する国民の不満が大きいからである。

すなわち、審査基準が公にされていなかったり、申請者の意思に反して申請書の受領が拒否されたり、受領後、長期間にわたって申請書が放置されたり、拒否処分に際して理由が提示されなかったりという例が多く、この問題に対しては、第三次行革審においても、大きな関心が寄せられた。二章は、かかる事態の是正を企図したものであり、きわめて重要な意味を持っているといえよう。二章には、七か条の規定が置かれている。比較法的にみて、行政手続法の中で申請について、ここまで詳細な定めをした行政手続法は珍しいということができよう。

審査基準

二条八号ロでは、審査基準を「申請により求められた許認可等をするかどうかをその法令の定めに従って判断するために必要とされる基準」と定義している。許認可等の要件は、法律や政省令に規定されているが、それだけではなお抽象的であり、行政庁等において申請の審査基準を作成していることが少なくない。五条一項は、この審査基準の作成を行政庁に義務づけ、かつ、同条二項は、その審査基準は、許認可等の性質に照らしてできる限り具体的なものとしなければならないと定めている。

「法令の定めに従って判断するために必要とされる基準」が審査基準と定義されているから、法令自体において定められている許認可等の基準は、ここでいう審査基準には該当しないことになる。また、附款を付すか否かの基準は、「許認可等をするかどうか」の基準ではないので、審査基準にはあたらないとされているが（総務省行政管理局編・逐条解説行政手続法〔改正行審法対応版〕〔行政管理研究センター〕五一頁）、この点については議論がある（小早川光郎編・行政手続法逐条研究〔有斐閣〕二一四頁以下参照）。

なお、五条一項では、「ものとする」という表現になっており、同条二項、三項では、それぞれ「しなければならない」「しておかなければならない」という文言になっているため、同条一項が、訓示規定ではないかという見方もありうるが、一二条一項との比較からも、また、第三次行革審要綱案第四に照らしても、五条一項は、原則として、審査基準の設定を義務づけたものと解しうる。ただし、法令自体において、許認可等の判断の基準が十分具体的に規定されており、審査基準を作成する必要がない場合も考えられるので、二項、三項より、若干表現を弱めて「ものとする」という表現にしたのである（仙台高判平成二〇・五・二八判タ一二八三号七四頁。基準が法令で具体的・一義的に定められているから審査基準の策定義務がないとしたものとして、東京高判平成一七・一二・二六判例集不登載がある。前掲仙台高判平成二〇・五・二八は、かかる場合に加えて、許認可等の性質上、個々の申請について個別具体的な判断をせざるを得ない場合も、審査基準を設定しないことにつき合理的理由があるとする。）。

このように具体的な審査基準が内部的にせよ作成されることは、行政庁の判断の公正性、合理性を担保するのに資するが、それが公にされていなければ、審査基準自体が適切かについても、行政庁が当該審査基準を遵守したかについても、外部から有効なチェックをすることができないことになる。また、申請者が意見を述べる機会を与えられている場合であっても、審査基準を知らなければ、適切な情報を提供することができないということも考えられる。行政手続法制定前も、行政庁は、内部的に審査基準を作成することは多かったと推測されるが、それを公にしないことも少なくなかった。そこで、五条三項は、法令により当該申請の提出先とされている機関の事務所における備付けその他の適当な方法により審査基準を公にすることを行政庁に義務づけている。

審査基準に関する重要判例として、個人タクシー事件最高裁判決（最判昭和四六・一〇・二八民集二五巻七号一〇三七頁）がある。

この事案においては、原告の個人タクシーの免許申請について、道路運送法に基づく聴聞（これは行政手続法の聴聞とは異なるので、整備法二七〇条により、「意見の聴取」という用語に変更された。現在は、タクシー事業の許可申請の処理に当たっての「意見の聴取」は行われていない。道路運送法八九条参照）が行われた。その際に、一応、審査基準は内部的に作成されていたが、原告の聴聞を担当した職員は、審査基準を知らされていなかった。原告は、審査基準のうち、「本人が他業を自営している場合には転業が困難なものでないこと」および「運転歴七年以上のもの」に該当しないとして拒否処分を受けたが、当該聴聞担当官は、かかる審査基準項目について知らずに聴聞を行い、聴聞開始前に上司から聴聞書の項目および聴聞内容について説明を受けたが、申請拒否の理由となった他業関係（転業の難易）および運転歴（軍隊における運転経験をも含む。）に関しても格別の指示はなされなかった。したがって、当該聴聞担当官は、原告が洋品業を廃業してタクシー事業に専念する意思があるか否か、軍隊における運転経験があるか否かについて判断するのに必要な事実については何ら聴聞を行わなかった。そのためにせっかく聴聞の機会が与えられていたにもかかわらず、原告は免許を得るために必要な主張をその場でできなかったのである。

このケースにおいて、最高裁判所は、多数の者のうちから少数特定の者を、具体的個別的事実関係に基づき選択して免許の許否を決しようとする行政庁としては、事実の認定につき行政庁の独断を疑うことが客観的にもっともと認められるような不公正な手続をとってはならないとし、当時の道路運送法六条は抽象的な免許基準を定めているにすぎないのであるから、内部的にせよ、さらに、その趣旨を具体化した審査基準を設定し、これを公正かつ合理的に適用すべく、とくに、右基準の内容が微妙、高度の認定を要するようなものである等の場合には、右基準を適用する上で必要とされる事項について、申請人に対し、その主張と立証の機会を与えなければならないと判示していたが、そこでは、審査基準を作成すべき場合として競願事案のみが念頭に置かれており、その場合でも、それを公にすることまでは要求されていなかった。しかも、右判示は、職業選択の自由とのかかわりに触れてはいるが、憲法解釈として一般的に適正手続を要求したものというより、道路運送法の解釈として、かかる手続が要請されるという立場をとったため、この面からも、射程が限定されざるをえなかった。

行政手続法五条が、申請一般につき、審査基準の作成と、それを公にする義務を行政庁に課したことは、この点に関する判例法を超えた大きな前進を意味するものである。これにより、申請をしようとする者は、あらかじめ、許可の見込みがあるか否かを判断することが容易になり、九条二項の規定（「行政庁は、申請をしようとする者又は申請者の求めに応じ、申請書の記載及び添付書類に関する事項その他の申請に必要な情報の提供に努めなければならない。」）とあいまって、申請のためにどのような準備をしたらよいかを的確に知ることが可能になる。また、許可の見込みがないときには、早期に申請を断念し、無駄な努力を回避することができるが、このことは、行政庁にとっても、拒否処分が確実な申請を処理する労力から解放されることを意味する。

さらに、審査基準を公にすることは、審査基準の作成自体が慎重かつ合理的になされることを促すとともに、理由の提示の規定（八条）とあいまって、申請に対する処分を慎重にし、不服申立ての便宜をはかることにつながる。審査基準は行政規則の性格を持つとはいえ、合理的理由なくそれから乖離することは、処分の違法事由となると解されるからである。逆に審査基準の硬直的適用が、違法とされる余地もある（東京地判昭和四二・一二・二〇判時五〇六号二〇頁）。

なお、ここで注意を要するのは、「公にしておかなければならない」ということの意味である。行政手続法は、「公にする」という表現と「公表する」という表現を意識的に使い分けている。前者は、五条三項のほか、六条、八条一項、一二条一項で使われており、後者は、三六条で使用されている（第三次行革審要綱案では、いずれも公表という用語を使用していた）。前者は、秘密扱いをしないという趣旨であり、積極的な周知義務までは含意されていない。したがって、審査基準については、官報、公報に掲載することは必ずしも必要ではなく、申請をしようとする者の要求を受けて開示するという運用も否定されているわけではない（総務省行政管理局編・逐条解説行政手続法〔改正行審法対応版〕〔行政管理研究センター〕一三六頁参照）。

しかし、申請をしようとする者が審査基準の存在自体を知らない場合には、開示要求もなしえないことになり、五条三項の意義が没却されるおそれがある。したがって、行政庁としては、審査基準自体を公表したり、少なくとも、審査基準の存在については、対外的に周知する努力をすることが望ましいといえよう。総務省行政評価局の「行政手続法の施行及び運用に関する行政評価・監視結果に基づく勧告」（平成一六年一二月）においては、審査基準を公にする方法について、インターネット・ホームページへの掲載等による適切な公表を推進することが求められている（同勧告の全体については、宇賀克也・行政手続と行政情報化三一頁以下参照）。

また、「公にしておく」ということは、単に一回きりの公表にとどまらず、常時閲覧可能な状態にしておくという積極的意味も含まれている（仲正・行政手続法のすべて三一頁参照）。「公表する」と「公にする」の使い分けに関しては、後者の右のような積極的意味を重視した運用がなされるべきであろう。なお、公にする方法を一義的に定めている例として、上田市行政手続条例四条がある。

東京高判平成一三・六・一四判時一七五七号五一頁は、審査基準を公にしておくことは、行政手続法の規定する重要な手続であり、それを履践しないで行われた処分は、当該申請が不適当なものであることが一見して明白であるなどの特段の事情のある場合を除き、行政手続法に違反した違法な処分として取消しを免れないと判示しており、注目に値する。

審査基準を定め公にする義務を課されているのは行政庁であるが、ここでいう行政庁は、処分庁を念頭に置いている。第一号法定受託事務につき、都道府県知事が処分庁となるような場合、各大臣が処理基準（地方自治法二四五条の九第一項）を定めている場合であっても、処分庁たる都道府県知事が審査基準作成義務者であることに変わりはない。平成一七年の行政手続法改正により、審査基準は行政庁が作成するものに限定されなくなったため（改正前の五条一項と改正後の二条八項ロを比較されたい）、当該処理基準も審査基準としての性格を持つことになる。しかし、都道府県知事は、処分庁として、自らの審査基準を作成し、これを公にする義務を負うことになる。

なお、申請後、審査基準が申請人の不利益に変更されても、特段の定めのない限り、処分時の審査基準に従って申請の諾否を決すべきというのが名古屋高金沢支判昭和五七・一二・二二判時一一〇四号五七頁の立場であるが、この説に与するとしても、旧基準のもとでは許可されるべきであった申請が、その処理が違法に遅延したために、新基準が適用され不許可になったときは、国家賠償請求が認められる余地がある。また、そもそも、右のような前提のもとでは、新基準を適用して不許可処分とすること自体が許されないと解する余地もないわけではない。法改正の事案であるが、原則としてそのような立場をとったものとして、大阪高判平成二・一〇・三一判時一三九六号四二頁がある（宇賀克也・判例評論三九八号一五頁参照）。

行政庁に審査基準を公にすることを義務づけている以上、それを信頼した私人に不利益を与えることはできるだけ避けるべきである。当該審査基準を私人に不利益に変更する場合、経過規定を設け、すでになされた申請については従前の審査基準によるとすることもひとつの方策ではあるが、それのみでは十分でなく、審査基準変更前に十分な周知期間を置くべきであろう。一九九六年に制定された韓国の行政手続法四条二項は、法令等の解釈または行政庁の慣行が一般的に国民に定着したのちには、原則として、新たな解釈または慣行を国民に不利益に遡及させてはならないと規定しているが、その精神は、わが国の行政手続法の運用に際しても尊重されるべきと思われる。なお、行政手続法の運用通達第二の三3では、国民に定着している審査基準を変更する場合には、単に、事務所に備え付けている関係文書の差し替えといった方法だけでなく、関係者への情報提供などの方法により、国民が知りうるような措置を積極的に講ずることが望ましいとしている。

標準処理期間

行政手続法は、さらに標準処理期間（申請がその事務所に到達してから、当該申請に対する処分をするまでに通常要すべき標準的な期間）を定めるように努めるとともに、これを定めたときは、当該申請の提出先とされている機関の事務所における備付けその他の適当な方法によって公にしておかなければならないと定めている（六条）。「申請がその事務所に到達してから」と書かれているが、形式上の要件に適合しない申請の補正に要する期間は念頭に置かれておらず、適法な申請の処理に要する期間のみを定めれば足りる。

都道府県においても、許認可等事務処理要領により、標準処理期間を定めている例は存在したし〔神奈川県の例につき、兼子仁・行政手続法〔岩波書店〕八七頁、出口裕明・行政手続条例運用の実務〔学陽書房〕一〇頁参照〕、国においても、かかる例がなかったわけではないが、行政手続法により、一般的に、申請についての標準処理期間を定める努力義務が課されることになったことの意義は大きい。作成自体は努力義務にとどまっているが、これは、処分の性質上、標準処理期間の作成が困難なものがあることに配慮したものであり、かかる事情がないにもかかわらず、努力義務であることを奇貨として、標準処理期間の作成を懈怠すべきでない〔大阪市行政手続条例六条のように、処分の性質上その設定が困難なときを除き、標準処理期間の作成を義務づけている例がある。〕。

標準処理期間を作成したときは、それを公にすることが義務づけられることになる〔東京都行政手続条例六条のように、標準処理期間を公にするにとどまらず、公表しなければならないとしている例もある〕。標準処理期間が作成され公にされれば、恣意的な申請の放置の防止に効果を発揮するであろうし、行政庁に申請を迅速に処理するインセンティブを与えると思われる。ちなみに、仙台市行政手続条例四条二項は、標準処理期間内に申請の処理ができない場合、遅延理由を説明する努力義務を行政庁に課している。

なお、申請の迅速な処理へのインセンティブを与える上では、国家行政運営法案九条二項、第一臨調の行政手続法草案一八条のような「みなし認容」の規定を置くことが効果的であることは疑いなく〔「みなし拒否」という立法政策もありうる。〕、標準処理期間を徒過すれば、許可があったものとみなすという立法政策も考えられないわけではない。しかし、もしそうすれば、標準処理期間の作成が進まなかったり、作成されても「みなし認容」を恐れて長めに設定される事態が懸念される。また、処分の多様性を考えると、一律に期間を定めて「みなし認容」制度をとることも躊躇される。当面は、行政手続法六条のような方針をとり、それがどの程度実効性を持つかを見守ることとしたのは、合理的理由があると思われる。

申請をする場合に、経由機関が置かれていることがある。法令によって当該行政庁と異なる機関が、当該申請の提出先とされている場合には、併せて、当該申請が当該提出先とされている機関の事務所に到達してから、当該行政庁の事務所に到達するまでに通常要すべき標準的な期間も定めるように努めることとされている。たとえば市区町村長を経由して、都道府県知事に申請書を提出する場合、経由機関で申請書が長期間留めおかれることが少なくない。かかる事態を防止するためには、経由機関に申請が到達してから、処分庁に到達するまでの標準的な期間、換言すれば、経由機関に当該申請書が存在する期間を定めておくことが有効と思われる。六条かっこ書はこの趣旨のものである。

この標準処理期間が解釈論としてどういう意味を持つのかという点についての明文の定めはない。行政不服審査法三条の不作為についての審査請求や行政事件訴訟法三条五項の不作為の違法確認の訴えとの関連をどう考えるかは、解釈に委ねられている。行政事件訴訟法三条五項との関連でいえば、そこでいう「相当の期間」を経過しても行政庁が処分をしないときに、その不作為の違法を確認することができるわけであるが、行政庁が自己の努力目標として定める標準処理期間が、裁判所が、第三者的立場で判断する「相当の期間」と、常に当然に一致するとまではいえないと思われる。

また、そのように解さないと、行政庁は、不作為の違法確認訴訟を恐れて、標準処理期間を長めに設定することとなり、申請処理の迅速化をはかろうとする六条の趣旨に反する結果を招来することとなろう。「相当の期間」と標準処理期間を一応別のものと解した方が、行政庁に高い努力目標（短い標準処理期間）を設定するインセンティブを与えることになる。しかし、他方において、標準処理期間が、「相当の期間」を判断する際のひとつの重要な参考資料になるということも否定できないであろう。

なお、標準処理期間を過ぎても直ちに「相当の期間」を経過したとは当然にはいえない反面、長すぎる標準処理期間が定められたため、この期間の満了前に「相当の期間」を徒過したと解される場合もありうる。

申請に対する審査、応答

標準処理期間が設定され公にされても、そもそも申請自体を受領しないという運用が恣意的になされうるのでは、標準処理期間に関する定めは、かえって、当該期間の徒過を避けるために、かかる運用を助長するおそれがある。そこで行政手続法は、行政庁は、申請がその事務所に到達したときは遅滞なく当該申請の審査を開始しなければならず、かつ、申請の形式上の要件に適合しない申請については、速やかに申請者に対し相当の期間を定めて補正を求め、または当該申請により求められた許認可等を拒否しなければならないと規定している（七条）。

すなわち、七条は、いわゆる受理という観念を採用していないのである。行政の実務においては、受付と受理とを区別するのが一般であったが、同条では、申請が事務所に到達したときには、遅滞なく審査を開始する義務が発生することとしており、到達しても受理していないから、審査しないという運用は変更を迫られることになる（ドイツ連邦行政手続法二四条三項に類似の規定がある）。「事務所に到達」とは、物理的な到達を意味し、受領印の押印を要件とするものではない。

もっとも、競願の処理のような場合には、一定の期間内に申請をさせ、その間に出された申請を相互に比較して許否を決することになるから、個々の申請がその事務所に到達次第、個別に審査を開始するというわけにはいかない。行政手続法七条は、かかる場合に、申請を一定期間保留して一括審査することまで否定する趣旨ではない（第三次行革審要綱案の解説の２（申請に対する処分）第六・第七（申請の処理）参照）。

なお、申請の形式上の要件に適合しない申請については、補正を求めても、拒否処分をしてもよいことになっており、補正を求めることが義務づけられているわけではない。この点は、行政不服審査法二三条（「審査請求書が第十九条の規定に違反する場合には、審査庁は、相当の期間を定め、その期間内に不備を補正すべきことを命じなければならない。」）と異なるところである。これは、事後手続と比べて事前手続の場合、一般的にいって、行政庁が大量の案件を、かつ、迅速に処理しなければならず、補正を求めることが事務処理上、困難な場合もありうることに配慮したものである。もっとも、行政手続法七条に関しても、容易に補正をなしうる場合にこれをせずに拒否処分をすることが許されるかは、解釈問題として残ることになる。また、補正を求めることの事務処理上の難易とは別に、軽微な瑕疵については補正を求める義務が生ずるかという論点も存在する。東京地判昭和四六・一・二九判時六四〇号三六頁は、当時の実用新案法五五条二項で準用する特許法一七条二項二号（現在は一七条三項二号）は、申請に形式違反があっても、必ず補正を求める趣旨ではないとしながら、申請としての本質的要件を欠いているのでないかぎり、補正を命ずべきと判示している（なお、東京地判昭和三六・三・三行集一二巻三号五二一頁も参照。また、兼子仁・行政手続法〔岩波書店〕七三頁参照）。また、仙台市行政手続条例五条一項は、形式的要件に適合しない申請について、原則として、まず補正を求める義務を行政庁に課している。

もとより、行政手続法は、いわゆる事前指導を一切禁圧しようというものではない。しかし、申請者の意思に反して、申請の取下げまたは内容の変更を求める行政指導を継続することによって当該申請者の権利の行使を妨げることは禁じている（三三条）。したがって、事前指導に従う意思がない者が申請書を提出すれば、到達時点から行政庁の審査義務が発生することが明確になっている。

理由の提示

申請拒否処分に対する理由の提示については、従前の法律の中にも、旅券法一四条（一般旅券を発給しない場合等の通知）のように規定のある例も存在するが、規定がないものも少なくなく、かつ、これまで規定がない場合について、憲法上理由提示が要求されるとする判例法が存在していたわけではなかった。行政手続法八条一項本文が「行政庁は、申請により求められた許認可等を拒否する処分をする場合は、申請者に対し、同時に、当該処分の理由を示さなければならない。」とし、申請拒否処分一般に理由提示を義務づけたことは大きな意義がある。

「許認可等を拒否する処分」の中には、申請を不適法として拒否する場合もあれば、申請自体は適法であるが拒否する場合もある。したがって、たとえば、申請期間を徒過して申請がなされたために拒否処分をする場合であっても、申請期間を過ぎているという理由を提示することが必要になる。また、「許認可等を拒否する処分」は、全部拒否処分に限られず、一部拒否処分が行われる場合も含む（葛飾区行政手続条例八条一項のように、このことを明示している例がある）ので、後者の場合にも、なぜ、一部拒否したかについての理由の提示が必要である（一部拒否処分と附款の区別については議論のあるところであるが、福岡県行政手続条例八条一項は、許認可等に申請者に何らかの負担を伴う条件を付す場合は、当該条件を付した理由を示さなければならないと定めており、注目される）。

ただし、法令に定められた許認可等の要件または公にされた審査基準が数量的指標その他の客観的指標により明確に定められている場合であって、当該申請がこれらに適合しないことが申請書の記載または添付書類その他の申請の内容から明らかであるときは、申請者の求めがあったときにこれを示せば足りることとしている（八条一項ただし書）。平成一四年に「行政手続等における情報通信の技術の利用に関する法律」（令和元年の改正により、元の法律名が「情報通信技術を活用した行政の推進等に関する法律」に変更された）により、八条一項ただし書が改正され、「その他の申請の内容」の部分が付加されている。これは、「申請書の記載又は添付書類」という表現では、オンライン申請の場合を包含できないからである。

なお、従前は、講学上、理由附記という用語が使われることが多かった。しかし、行政手続法は、処分は、必ず書面でしなければならないという立場をとっているわけではなく、口頭で行う処分も、当然あるという前提に立っている。そして、口頭で行う処分については、理由も口頭で示してよいという立場に立っている。以上のことは、八条二項が、「前項本文に規定する処分を書面でするときは、同項の理由は、書面により示さなければならない。」と定めていることから明らかである。したがって、理由を示す場合にも、口頭でなされることもあることになり、その場合には理由附記という言葉は必ずしも適切でないことになる。そのため、理由の提示という表現が用いられている。

なお、八条一項ただし書の処分につき、申請者の求めに応じて理由を示す場合には、当該処分が書面でなされるケースにおいても、理由を書面で示す必要は必ずしもない。八条二項は、八条一項本文に規定する処分を書面でするときに限定して、理由を書面化することを義務づけているからである。

八条一項本文の場合には、理由の提示は、処分と同時になされなければならない。書面で処分を行うときは、通常は、同一の書面に理由を記載することになろうが、必ずしも同一の書面である必要はなく、理由書を別にすることは可能である。しかし、その場合でも、理由書は、処分書と同時に、申請人に交付されなければならない。

ここでは、あくまで拒否処分についてのみ理由の提示が義務づけられており、名あて人にとっては利益であるけれども、第三者にとっては不利益である複効的処分ないし二重効果的処分（宇賀克也・行政法概説Ⅰ〔第七版〕〔有斐閣〕三四八頁以下参照）は対象としていない。第三者にとっては不利益なのであるから、第三者の便宜のために理由を示すべきではないかという考えもありうるが、八条は、そこまで要求しているわけではなく、名あて人に対して拒否処分をする場合に限って理由の提示を義務づけているのである。

旅券申請拒否処分における理由提示の意義について、最判昭和六〇・一・二二民集三九巻一号一頁は、処分庁の判断の慎重と公正妥当を担保してその恣意を抑制するとともに、拒否の理由を申請者に知らせることによって、その不服申立てに便宜を与える趣旨に出たものと判示している。また条例に基づく申請に対する拒否処分の事案において、公文書開示請求拒否処分取消訴訟に関する最判平成四・一二・一〇判時一四五三号一一六頁も、同様の判示を行っている。

理由提示の程度については、前掲最判昭和六〇・一・二二は、拒否処分の根拠規定を示すだけでは、それによって当該規定の適用の基礎となった事実関係をも当然知りうるような場合は別として十分ではなく、いかなる事実関係を認定して申請者が当該根拠規定に該当すると判断したかを具体的に記載することを要すると判示し、前掲最判平成四・

一二・一〇は、被告が示した根拠条文の非開示事由のいずれに該当するのかをその根拠とともに了知しうるものでなければならないと判示している。これらは、それぞれの根拠条文との関連で述べられたものであるが、行政手続法八条の解釈としても、一般的にいって、単に処分の根拠法条を示すのみでは足りず、いかなる事実関係を認定して申請者が当該根拠規定に該当すると判断したかを具体的に記載することが必要であろう（東京地判平成一〇・二・二七判時一六六〇号四四頁）。また、審査基準を定め公にすることを義務づけている以上、拒否処分の理由の提示に際しても、根拠法規を示すのみでは不十分であり、拒否処分の根拠となった審査基準を示すべきであろう（詳しくは、宇賀克也・自治体行政手続の改革〔ぎょうせい〕五二頁以下参照）。裁判例の中にも、このことを肯定したものがある（東京高判平成一三・六・一四判時一七五七号五一頁）。

情報の提供

行政手続法九条は、情報の提供についての規定である。一項で、「行政庁は、申請者の求めに応じ、当該申請に係る審査の進行状況及び当該申請に対する処分の時期の見通しを示すよう努めなければならない。」とし、二項で、「行政庁は、申請をしようとする者又は申請者の求めに応じ、申請書の記載及び添付書類に関する事項その他の申請に必要な情報の提供に努めなければならない。」と定めている（鳥取県行政手続条例九条は、情報の提供を義務としている。）。ここでは、「申請者の求めに応じ」とか、「申請をしようとする者又は申請者の求めに応じ」という表現が使われている（なお、ドイツ連邦行政手続法二五条参照）。したがって、行政庁が、申請者または申請をしようとする者からの求めがなくても、積極的に情報提供するということは、念頭に置かれていない。

児童扶養手当法六条一項は、同手当の支給要件に該当する者は、手当の支給を受けようとするときは、その受給資格および手当の額について、都道府県知事等の認定を受けなければならないという認定請求主義を採用し、同法七条一項は、手当の支給は、受給資格者が前条（同法六条）の規定による認定の請求をした日の属する月の翌月から始めるという非遡及主義をとっている。

京都地判平成三・二・五判時一三八七号四三頁は、かかるシステムのもとでの担当行政庁の周知徹底等の広報義務は、憲法二五条の理念に即した児童扶養手当法一条、七条一項、二項の解釈から導き出されるものであって、社会保障ないし社会福祉制度の実効を確保するための法的義務であり、同制度の周知徹底が不完全、不正確であるために、受給資格者が制度を知りうる程度に達しないときは、国家賠償法上、違法となると判示している。そして、かかる前提に立って、国家賠償請求を認容して注目された。この判決の考えによれば、相手方からの求めがなくても、行政庁の側で積極的に申請が可能なことを周知徹底する法的義務が、個別の法律の解釈として肯定される場合がありうることになるが、行政手続法九条は、そのような場合を念頭に置いたものではない。

なお、控訴審において、大阪高判平成五・一〇・五（判例地方自治一二四号五〇頁）は、児童扶養手当制度の周知徹底は、責務ではあっても、法的義務ではなく、行政庁の裁量の著しい濫用といえる場合は別として、周知徹底が不十分であることが国家賠償法上違法となるわけではないと判示し、一審判決を取り消している（行政手続法九条二項の規定に基づく情報提供ではないが、行政による情報提供の懈怠の違法を理由とする国家賠償請求がなされた事案についての東京高判平成二一・九・三〇判時二〇五九号六八頁参照）。

公聴会の開催等

一〇条では、「行政庁は、申請に対する処分であって、申請者以外の者の利害を考慮すべきことが当該法令において許認可等の要件とされているものを行う場合には、必要に応じ、公聴会の開催その他の適当な方法により当該申請者以外の者の意見を聴く機会を設けるよう努めなければならない。」と定めている。行政手続法は、基本的に処分、行政指導の直接の名あて人の権利利益の保護を目的とするものであるが、直接の名あて人以外の者に対する手続的配慮がまったくなされていないわけではない。一〇条の規定も、そのような配慮の一例である。しかし、それが、努力義務にとどまっている（鳥取県行政手続条例一〇条は、これを法的義務としている。）ことは、行政手続の近代化を主眼とし、現代的要請への本格的対応を将来の課題とした本法の基本的性格の反映とみることもできよう。

ここでいう「申請者以外の者の利害を考慮すべきことが当該法令において許認可等の要件とされているもの」には、明文でその旨が定められている場合に限らず、そのように解釈しうる場合も含む。たとえば、建ぺい率違反の建物の建築確認がなされて、当該建物が建つことによって、火災等の危険にさらされる隣接住民が、この建築確認の取消訴訟を提起した場合、現在、判例（最判平成一四・一・二二民集五六巻一号四六頁）・通説は、根拠規範である建築基準法の建築確認の規定が、その申請人の利益だけでなくて、隣接住民の火災からの安全を単なる事実上の利益としてではなくて、法律上の利益として保護していると解釈し、原告適格を肯定している。したがって、建築主事は、建築確認に際して、申請者以外の隣接住民の利益を考慮すべき義務があることになり、必要に応じ、公聴会（公聴会をめぐる問題については、宇賀克也・行政法概説Ⅰ〔第七版〕〔有斐閣〕四九七頁以下及び都市問題六八巻一〇号所収の諸論稿参照）

の開催その他の適当な方法により、当該建物により被害を受けるおそれがある隣接住民の意見を聴く機会を設けるよう努めなければならないことになる。

また、「当該法令において」という限定が付されているが、これは、新潟空港周辺住民が、定期航空運送事業免許の取消しを求める原告適格を有するとした最判平成元・二・一七民集四三巻二号五六頁を前提としたものであり、申請者以外の者の利益が当該法規において保護されているか否かを判断するに際しては、当該法令と目的を共通にする関連法規の関係規定によって形成される法体系の中において、当該処分の根拠規定が、その者の利益をも保護しようとしているかという観点から判断されることになる。平成一六年の行政事件訴訟法改正により設けられた九条二項の解釈規定は、その趣旨を明文化している（なお、申請があった場合に、申請者以外の利害関係人の意見を聴くために公聴会の開催が個別の法律で義務づけられている例として、自転車競技法四条三項等がある。また、公聴会開催の請求が利害関係人からあった場合に公聴会開催を義務づけている例として、土地収用法二三条一項がある。）。

なお、行政手続法一〇条が念頭に置いているのは、原告適格を有する者に限られているわけでは必ずしもなく、公共料金の認可申請に際しての一般消費者のように、通常、原告適格が否定されている者も含まれうる（第三次行革審要綱案の解説の2（申請に対する処分）第一〇（公聴会の開催等）参照）。すなわち、現在の判例は、取消訴訟の原告適格を基礎づける「法律上の利益」は、一般的公益としての保護では足りず、個々人の個別的利益としても保護されているものでなければならないという立場をとっているが（最判昭和五七・九・九民集三六巻九号一六七九頁）、行政手続法一〇条の「申請者以外の者の利害を考慮すべきことが当該法令において許認可等の要件とされているもの」は、個別的利益としての保護を要件とするものではない。

行政手続法一〇条は訓示規定にとどまるとはいえ、その運用次第では、行政手続の現代的課題にかなりの程度対応しうるといえる。福岡県行政手続条例（平田百合「福岡県行政手続条例」時の法令一五二二号六六頁）一〇条（宮崎宏「福岡県行政手続条例第一〇条について」自治研究七二巻九号一〇三頁）が、公聴会・協議等の積極的活用を意図した規定を設けていることは、この意味で注目に値する。

複数の行政庁が関与する処分

一の申請または同一の申請者からされた相互に関連する複数の申請に対する処分について、複数の行政庁が関与する場合においては、互いに他の行政庁の判断を待って、申請に対する処分が遅延することが珍しくない。そこで、行政手続法一一条一項は、「行政庁は、申請の処理をするに当たり、他の行政庁において同一の申請者からされた関連する申請が審査中であることをもって自らすべき許認可等をするかどうかについての審査又は判断を殊更に遅延させるようなことをしてはならない。」と定めている。たとえば、共管事項であって、同一申請につき、A行政庁とB行政庁の両方の許可が必要であるという場合に、お互いに他方の行政庁が許可するまでは、自分の方は待っているために審査が遅れるというようなことがないわけではない。場合によっては、双方の行政庁が、先に他方の行政庁の許可を得るよう行政指導することとすらある。また、ひとつのプロジェクトについて、多数の行政庁に複数の申請を行わなければならないという場合にも、同様の問題が生ずることがある。とりわけ、当該プロジェクトに対して、反対運動があるようなときは、先に許可をすることによって、反対運動の矢面に立つことを回避するために、他の行政庁が先に許可するのを待ったり、まず他の行政庁から許可を得ることを指導したりすることが珍しくない。行政手続法一一条一項は、かかる運用を戒めるものであるが、同条二項は、「一の申請者からされた相互に関連する複数の申請に対する処分について複数の行政庁が関与する場合においては、当該複数の行政庁は、必要に応じ、相互に連絡をとり、当該申請者からの説明の聴取を共同して行う等により審査の促進に努めるものとする。」と定め、より具体的に、遅延解消策を講ずる努力義務を課している。訓示規定とはいえ、この規定を足掛かりにして、相互の連絡体制の確立に向けてのガイドラインの作成等、より具体的方策を打ち出していくことが望まれよう（その例については、総務庁行政監察局「許認可等行政事務手続の簡素合理化に関する調査結果報告書」参照）。

なお、平成五年一一月二五日に地域開発等プロジェクト関係省庁連絡会議の申し合わせがなされている。そこでは、他の関係機関との連絡調整の緊密化、他の関係機関との書類の共用、流用の促進等、行政手続法一一条の趣旨にも適合する規定がみられ、行政手続法の内容の前倒し実施としての性格も有している。

同一の申請者からされた相互に関連する複数の申請に対する処分について複数の行政庁が関与する場合については、より根本的には、計画策定手続の一環として対応が検討されるべきであろう。第一次研究会要綱案一一二四条は、ドイツ連邦行政手続法の計画確定手続を参考にして、「計画確定がなされると、計画確定に必要な他の許可、認可、承認、同意等は不要となるものとする。」という計画確定の集中効を規定していたが、そこまではいかなくても、窓口の一本化等は検討されるべきであろう。国民との関係においてではないが、共管事項について窓口の一本化を定めたものとして、大阪湾臨海地域開発整備法四条三項がある（なお、この問題については、多賀谷一照「複合申請手続の法理」行政とマルチメディアの法理論〔弘文堂〕四頁以下が有益である）。

なお、地方公共団体においては、首長部局の複数の行政機関が関与することが多く、行政手続条例の中にも、その点に配慮したものがある（鳥取県行政手続条例一一条、横浜市行政手続条例一一条、福岡県行政手続条例一一条）。

請求者識別カードによる申請

一部の領域ではあるが、請求者識別カードによる申請に対する公文書の自動交付が進行していった。たとえば、住民票の写しの交付請求（住民基本台帳法一二条一項）については、旧自治省行政局に設置された「住民票の写し及び印鑑登録証明書の交付事務へのＯＡ機器及びその能力の活用方策研究会」の提言を受け、自治省告示一〇三号（平成二年六月一九日）により、「磁気テープへの記録、その利用並びに磁気テープ及びこれに関連する施設又は設備の管理の方法に関する技術的基準」（昭和六一年自治省告示第一五号）が改正され、また、平成二年六月一九日には、住民基本台帳事務処理要領も改正された。この改正は、請求者識別カードによる請求に基づく交付を正面から認知するものであり、兵庫県伊丹市、大阪府羽曳野市、東京都台東区、千葉県千葉市、千葉県船橋市等が、この制度を先駆的に実施に移した（宇賀克也「公証行政に関する国家賠償（下）」ジュリスト一〇一〇号六六頁参照）。現在では、コンビニでの個人番号カードによる住民票の写し等の交付は、市区町村で一般的に行われるようになっている。

この場合、拒否処分をするに際して、暗証番号が相違しているとか、機械の操作を誤っているなどの理由の提示を自動交付機によって行わないと行政手続法に違反するかという問題が生じうる（住民票の写しの交付は、自治事務であるが、住民基本台帳法という法律に基づく処分であるので、行政手続法三条三項の規定する適用除外の対象とはならない。）。ドイツ連邦行政手続法三九条二項三号には、自動装置によりなされる処分については、理由の提示をしない旨の規定があるが、わが国の行政手続法にはかかる規定はない。しかし、整備法は、住民基本台帳法を改正して、同法により市町村長がする処分については、行政手続法二章の規定を適用しないこととしている（整備法三五九条）ので、この難問は回避されたことになる（印鑑登録証明の申請についても、請求者識別カードによる請求が認められることとなったが、この交付は、条例に基づいて行われるものであり、行政手続法三条三項の規定により適用除外となる。「印鑑登録証明事務処理要領の一部改正について」（平成五年一一月二〇日付け自治振第二〇七号各都道府県総務部長あて自治省行政局振興課長通知）参照）。

4　不利益処分

㈠　総則的規定

処分の基準

行政手続法三章は、不利益処分について定めているが、その一節は、総則的規定を置いている。二条八号ハは、処分基準を「不利益処分をするかどうか又はどのような不利益処分とするかについてその法令の定めに従って判断するために必要とされる基準」と定義し、一二条一項は、「行政庁は、処分基準を定め、かつ、これを公にしておくよう努めなければならない。」と規定している。そして、行政庁は、処分基準を定めるに当たっては、当該不利益処分の性質に照らしてできる限り具体的なものとしなければならないと規定している（一二条二項）。「不利益処分をするかどうか又はどのような不利益処分とするかについて」というと、不利益処分をなしうることを前提として、それをするか否か、する場合にいかなる不利益処分を選択するかという効果裁量の基準のみを念頭に置いているようにも読めるが、そうではなく、不利益処分をする要件を充足しているかという要件裁量の基準も対象としている（要件裁量・効果裁量について、宇賀克也・行政法概説Ⅰ〔第七版〕〔有斐閣〕三五二頁以下参照）。

行政庁が処分基準を定め、かつ、これを公にしておくことは、審査基準の場合と異なり、訓示規定にとどめられている（大阪市行政手続条例一二条のように、処分基準を作成し公にすることを原則として義務にしている例もある）。処分基準の作成が努力義務とされたのは、不利益処分は発動の実績に乏しいものも稀有でなく、事前に基準を作成することが困難であることが少なくない等の主張に配慮したものである。また、処分基準を公にすることが努力義務とされたのは、それを公にすることの弊害が予想される場合もあるからである。たとえば、一回目の違反に対しては口頭で注意し、二回目の違反に対しては、書面で厳重注意し、三回目の違反に対しては、営業停止命令を出すという処分基準を公にした場合、悪質な業者に対しては、二回までの違反は実害がないとして、これを助長する弊害を生じうる。このように処分基準の場合には、これを常に公にすることが好ましいわけではなく、かえってマイナスの効果を生むことも考えられる。しかし、処分基準が作成され公にされている場合には、理由の提示の規定（一四条）とあいまって、処分の慎重合理性を担保し、不服申立ての便宜を与えることになろう。

最判平成二七・三・三民集六九巻二号一四三頁は、行政手続法一二条一項の規定により定められ公にされている処分基準において、先行処分を受けたことを理由として後行処分に係る量定を加重する旨の不利益な取扱いの定めがある場合には、当該先行処分に当たる処分を受けた者は、将来において当該後行処分に当たる処分の対象となりうるときは、当該先行処分の効果が期間の経過によりなくなった後においても、当該処分基準の定めにより前記の不利益な取扱いを受けるべき期間内はなお当該処分の取消しによって回復すべき法律上の利益を有すると判示した。これは、裁量権の行使における公正かつ平等な取扱いの要請や基準の内容にかかる相手方の信頼保護等の観点から、当該処分基準の定めと異なる取扱いをする特段の事情がない限り、処分基準と異なる取扱いは裁量権の逸脱または濫用に当たり、この意味において、当該行政庁の後行処分における裁量権は当該処分基準に従って行使されるべきことが羈束されていることを理由としている。裁量基準の外部効果を明言した最高裁判決として注目される。

不利益処分をしようとする場合の手続

行政手続法は、不利益処分をしようとする場合の手続を二つに分けている。ひとつが聴聞であり、いまひとつが弁明の機会の付与である。前者は、より正式の手続で口頭審理主義をとるのに対して、後者は、より略式の手続で原則として書面審理主義を採用している。かかる二分法は、すでに第一臨調の行政手続法草案においてとられていた。不利益処分をしようとする場合の手続について何段階の類型を設けるかは、ひとつの重要な論点であるが、単一では画一的にすぎ、他方、多すぎては複雑になりすぎ、統一的行政手続法を制定した意義が没却されることになりかねない。

行政手続法は、二段階の類型化をしているが、聴聞よりもより慎重な行政審判手続―司法に準ずる手続で裁判のような対審構造をとり、審理も公開で行われる―については、整備法で適用除外としている。すなわち、行政審判手続、聴聞手続、弁明の機会の付与手続というように不利益処分をしようとする場合の手続を三段階に区分し、前者については、個別法の定めるところに委ね、後二者について、手続の内容を定め、かつ、適用の基準を示したことになる。

手続の統一性の要請と、処分の性質に応じた手続の多様性への配慮の調和という観点からして、行政手続法の採用した二分法は、妥当ではないかと考えられる。もとより、この二類型にそのまま妥当しない手続が望ましいと思われるケースも存在しようが、それについては、個別法で特例を定めることで対応すれば足り、行政手続法自体で多すぎる手続類型を定めると、手続間の選択をめぐる困難等の問題を生ずるおそれが高いと思われるからである。行政手続法が、聴聞と弁明の機会の付与の選択の基準を明確に法定しつつ、行政庁の裁量による聴聞の機会の余地を残したこと（一三条一項一号ニ）、両者の選択をめぐる混乱を回避しながら、柔軟な対応の可能性も残存させる賢明な立法政策であったと考えられる。

なお、第三次行革審要綱案の解説によれば、準司法的な手続により行われる処分の手続に関しては、特定の行政分野について独自の手続体系が形成されていることが、適用除外の理由とされている。

そして、そこでいう準司法的な手続により行われる処分の手続に含まれるものとして、①独禁法に定める審決の手続（なお、平成一七年の法改正により、独禁法の審決の手続は、事前手続ではなく、事後の不服申立手続になった。さらに、平成二五年に独禁法の審決の手続を廃止する改正がなされた。）、②海難審判法に定める審判の手続、③労働組合法二七条（現在は二七条から二七条の一二まで）に定める命令の手続、④破壊活動防止法に定める規制の手続、⑤公害紛争処理法に定める裁定の手続、⑥土地収用法に定める裁決の手続、⑦公共用地の取得に関する特別措置法に定める裁決の手続、があげられている。整備法では、このほか、水産業協同組合からの脱退措置命令の手続（水産業協同組合法九五条の三、九五条の四）、中小企業等協同組合からの脱退措置命令の手続（中小企業等協同組合法一〇七条、一〇八条）も、同様の理由で適用除外となっている。なお、公害紛争処理法に定める裁定の手続については、整備法では明示的に適用除外となっていない。これらの裁定については、そもそも処分であるか否かについて議論のあるところである（詳しくは、綿貫芳源「民事上の紛争に対する行政委員会の裁定の法律的性質」独協法学一八号八五頁、南博方・紛争の行政解決手法（有斐閣）一五七頁参照）が、仮に処分であるとしても、相反する利害を有する者の間の利害の調整を目的として法令の規定に基づいてされるものであるので、行政手続法三条一項一二号により、適用除外となると判断される。なお、鉱業等に係る土地利用の調整手続等に関する法律に基づいて行われる裁定は、行政手続法三条一項一五号（審査請求、再調査の請求その他の不服申立てに対する行政庁の裁決、決定その他の処分）により適用除外となると整理された。

このように、行政審判手続については、個々の分野の特殊性に応じて、一般の場合よりも慎重な手続が定められていることから、整備法で行政手続法の規定の適用が除外されているのであるが、アメリカの連邦行政手続法が、わが国の行政審判手続にほぼ対応する正式裁決手続を中心としたものであることからも窺えるように、行政審判手続についても、個別法の定めるところに委ねるのではなく、その統一的規制を検討する余地はある。しかし、これは、今後の課題である。自由民主党政務調査会・司法制度調査会・経済活動を支える民事・刑事の基本法制に関する小委員会が提言した「21世紀社会にふさわしい準司法手続の確立をめざして」（平成一九年三月二〇日）及び「（緊急提言）準司法改革の成果と今後の指針」（同年一二月一四日）を受けて、「準司法手続の在り方に関する関係省庁等連絡会議」で検討が行われ、平成二〇年一〇月二日に、「いわゆる準司法手続等における手続整備の基本方針について」が申し合わされている。そこにおいては、類型別に手続整備の基本方針が定められている。わが国の行政手続法が対象とする領域は、アメリカ流にいえば、略式手続ということになるが（宇賀克也・アメリカ行政法〔第二版〕（弘文堂）一一八頁参照）、アメリカでも行政作用の九割は、略式手続で行われているといわれており、略式裁決手続についての統一的規制の必要性が指摘されてから久しい。わが国が、手続が相当に整備された行政審判手続についての見直しは、将来の検討課題としながら、不利益処分の大半を占める部分を対象として手続的規制を行ったことは、十分理由のあることであり、この点に関しては、わが国の行政手続法の方が、アメリカの連邦行政手続法よりも、実際的意義が大きいという見方もできなくはない（宇賀克也「日米行政手続法の比較」行政手続法の理論〔東京大学出版会〕一八七頁参照）。

聴聞を行う場合は、まず第一に、「許認可等を取り消す不利益処分をしようとするとき」（一三条一項一号イ）である。ここで「取り消す」という言葉が使われているが、もちろん学問上の「撤回」の場合（許認可等自体には瑕疵がない場合）も含み、実際には撤回に該当する場合の方が多いであろう。許認可等に瑕疵があることを理由とする講学上の取消しの場合にも、本当に瑕疵があったかについては、原則として、行政庁が一方的に認定すべきではなく、聴聞手続で認定すべきであるから、講学上の取消しも念頭に置かれていることはいうまでもない。許認可等を取り消すことは、重大な不利益処分であるから、聴聞という、より正式の手続をとることとしたのである。第二に、「イに規定するもののほか、名あて人の資格又は地位を直接にはく奪する不利益処分をしようとするとき」（一三条一項一号ロ）である。ここで「イに規定するもののほか」とあるのは、帰化によらず取得した国籍のように、許認可等によらずに取得した資格または地位を念頭に置いている。第三に、「名あて人が法人である場合におけるその役員の解任を命ずる不利益処分、名あて人の業務に従事する者の解任を命ずる不利益処分又は名あて人の会員である者の除名を命ずる不利益処分をしようとするとき」（一三条一項一号ハ）も、形式上の名あて人ではないが、実質上の名あて人といえる当該役員、会員にとっては、やはり重大な不利益処分であるので聴聞が義務づけられている。この種の処分に聴聞を義務づける形での立法政策の変更は、行政手続法制定準備室における法案取りまとめ作業の段階でなされている（その経緯について詳しくは、仲正・行政手続法のすべて〔良書普及会〕二三四頁参照)。

かかる場合、実質的に不利益処分を受けるのは、解任すべきこととされている当該法人の役員や除名すべきこととされている当該名あて人の会員である者である。そこで、当該法人・名あて人に対して聴聞の通知があった場合には、当該役員・会員も通知を受けた者とみなし、聴聞手続の当事者として扱うこととしている(二八条一項)。また、聴聞を経て、当該法人に対して解任命令が出されたときに、当該役員がこれに従わないことを理由として、解任処分をする場合には、改めて聴聞を行っても、実質的に同一の聴聞を反復することになるので、聴聞は不要とされている(二八条二項)。なお、金融商品取引法六四条の五第一項の規定に基づく外務員登録の取消し等の処分は、当該外務員の所属する金融商品取引業者等を名あて人として行われ、当該外務員を名あて人とするものではないが、にもかかわらず、同条二項で弁明の機会の付与ではなく、特例として聴聞の手続をとることとしているのは、当該外務員にとっては、外務員登録の取消し等の処分が、実質的にみて、きわめて重大な不利益となるからである。すなわち、外務員の登録を取り消されたり、その職務の停止を命じられれば、再登録がなされたり、職務停止期間が終了するまで、他の金融商品取引業者等においても外務員として活動できず(同法六四条二項)、外務員登録が取り消された場合、五年間は再登録もできない(同法六四条の二第一項二号)。したがって、同法六四条の五第二項の特例聴聞は、行政手続法一三条一項一号ハと同様の考え方に基づくものといえる。したがって、行政手続法二八条の規定を類推適用して、当該外務員を聴聞手続の当事者とみなすべきであると考えられる。東京地判平成二五・二・一九判時二二一一号二六頁は、外務員登録取消処分の名あて人が金融商品取引業者等であって外務員ではないから、外務員に対する聴聞手続は不要としているが疑問である。

取消処分ではなく、停止処分（営業停止処分や運転免許停止処分）は、以上には含まれていないので、弁明の機会の付与で足りることになる。もっとも、改めて許認可等を得ることが比較的容易な場合には、許認可等を取り消すといっても、それほど重大な不利益ではない場合もありうるし、逆に停止処分といっても、たとえば一年間も営業停止命令を出されるとなると、非常に重大な不利益処分となりうる。したがって、取消処分か停止処分かということで区別するのが妥当かどうかという問題は残るが、実質を勘案して適切な線を引くことは困難である。一年以上の停止処分については取消しと同様に扱うといったような立法政策も考えられるが、一年という期間が妥当か否かは、個々の処分によって異なるので、一律の停止期間で線引することも適切でない。そこで、以上のような問題点は認識しながらも、取消しの場合は聴聞、停止にとどまる場合には弁明の機会の付与という形で割り切ったのである。

しかし一三条一項一号のイロハ以外でも、行政庁が相当と認めるときには聴聞を行ってよいのであるから（一三条一項一号ニ）、営業停止命令の場合でも、実質的に考えて、聴聞を行うに値するような場合、行政庁の判断で聴聞を行うことは妨げられない。

聴聞または弁明の機会の付与の例外

それでは、不利益処分をしようとするとき、常に、聴聞または弁明の機会の付与という事前の手続が必要かというと、そうではなくて、いくつかの例外がある。たとえば、緊急に不利益処分をする必要があるために事前に意見を聴くことができない場合や（一三条二項一号）、「法令上必要とされる資格がなかったこと又は失われるに至ったことが判明した場合に必ずすることとされている不利益処分であって、その資格の不存在又は喪失の事実が裁判所の判決書又は決定書、一定の職に就いたことを証する当該任命権者の書類その他の客観的な資料により直接証明されたものをしようとするとき。」（一三条二項二号）には、聴聞も弁明の機会の付与も必要ない。

一三条二項二号の例を、若干あげておくこととしよう。

職業能力開発促進法二九条一項は、「都道府県知事は、職業訓練指導員免許を受けた者が前条第五項第一号又は第二号に該当するに至つたときは、当該職業訓練指導員免許を取り消さなければならない。」と定めており、同法二八条五項二号は、「禁錮以上の刑に処せられた者」をあげている。禁錮以上の刑を受けたということは、判決書をみれば客観的に明らかになり、その事実が確認されれば、都道府県知事は、当該免許の取消しを義務づけられるわけであるから、この場合にも、事前に名あて人に聴聞や弁明の機会の付与の機会を与える実益に乏しい。

また、精神保健及び精神障害者福祉に関する法律一九条の二第一項は、精神保健指定医がその医師免許を取り消され、または期間を定めて医業の停止を命ぜられたときは、厚生労働大臣は、精神保健医としての指定を取り消さなければならないこととしている。この場合にも、「指定医がその医師免許を取り消され、又は期間を定めて医業の停止を命ぜられた」か否かは、客観的資料により確認することができ、その確認がされれば、精神保健医としての指定の取消しが義務づけられるのであるから、一三条二項二号に該当する。一三条二項二号は、「資格がなかったこと又は失われるに至ったことが判明した場合」と規定しているので、行政庁が違法に資格を付与してしまった場合も念頭に置いていることになる。

また、「施設若しくは設備の設置、維持若しくは管理又は物の製造、販売その他の取扱いについて遵守すべき事項が法令において技術的な基準をもって明確にされている場合において、専ら当該基準が充足されていないことを理由として当該基準に従うべきことを命ずる不利益処分であってその不充足の事実が計測、実験その他客観的な認定方法によって確認されたものをしようとするとき。」（一三条二項三号）も、遵守事項が明確であり、不遵守の事実も明確なのであるから、事前に名あて人の意見を聴く実益に乏しいと考えられ、弁明の機会の付与を要しないとされている。

「納付すべき金銭の額を確定し、一定の額の金銭の納付を命じ、又は金銭の給付決定の取消しその他の金銭の給付を制限する不利益処分をしようとするとき。」（一三条二項四号）について弁明の機会の付与が不要とされたのは、金銭に係る処分は、事後的に清算すれば足りることが少なくないこと、大量に行われるものが多いこと、また、金銭の給付に関しては、事前手続の期間中に支給した分を事後に返還させることが困難なこと等が考慮されたからである。「納付すべき金銭の額を確定」するという文言からは、更正・決定という課税処分も含まれうるが、これらについては、整備法で適用除外とされていることは先に述べたとおりである。一定の額の金銭の納付を命じるものとしては、道路法五八条一項の規定に基づく原因者負担金納付命令等がその例である。生活保護給付の停止・廃止については、「金銭の給付決定の取消しその他の金銭の給付を制限する処分」に該当すると割り切ることはできず、そのため、整備法において適用除外とする方針が採られた（整備法一〇三条）。

さらに、「当該不利益処分の性質上、それによって課される義務の内容が著しく軽微なものであるため名あて人となるべき者の意見をあらかじめ聴くことを要しないものとして政令で定める処分をしようとするとき。」（一三条二項五号）も適用除外となっている。課される義務の内容が著しく軽微なものについてまで、事前手続をとる必要がないことは一般に承認されようが、何が「著しく軽微」かについては判断が分かれうるので、政令で定めることにより明確化をはかっている。行政手続法施行令二条では、「法令の規定により行政庁が交付する書類であって交付を受けた者の資格又は地位を証明するもの（以下この号において「証明書類」という。）について、法令の規定に従い、既に交付した証明書類の記載事項の訂正（追加を含む。以下この号において同じ。）をするためにその提出を命ずる処分及び訂正に代えて新たな証明書類の交付をする場合に既に交付した証明書類の返納を命ずる処分」（一号）、「届出をする場合に提出することが義務付けられている書類について、法令の規定に従い、当該書類が法令に定められた要件に適合することとなるようにその訂正を命ずる処分」（二号）を、本法一三条二項五号の政令で定める処分として規定している。

行政手続法一三条二項が定める不利益処分の手続の適用除外は、第三次行革審要綱案第一三を基礎としたものであるが、同要綱案注記三（二）は、第一三の各号に規定されているもののほか、実務上、事前手続を経ることが必要でない、または適切でないと認められる特殊な処分については、必要に応じ、個別法において、行政運営の公正の確保と透明性の向上をはかる観点から必要な規定の見直しを行った上で、特例を設けることを妨げないものとすることとされていた。

これを根拠にして、行政手続法の不利益処分の手続を適用しないこととした例として、消費生活協同組合法九六条があげられる（整備法九五条）。同条一項は、組合員が総組合員の一〇分の一以上の同意を得て、総会の招集手続、議決の方法または選挙が法令、法令に基づいてする行政庁の処分または定款に違反することを理由として、その議決または選挙もしくは当選決定の日から一月以内に、その議決または選挙もしくは当選の取消しを請求した場合において、当該行政庁が、その違反の事実があると認めるときは、その議決または選挙もしくは当選を取り消すことができると定めている。しかし、組合内に紛争が存在するときに、組合を名あて人として弁明の機会を付与しても、組合としての統一した意見表明は期待できないことから、行政手続法三章の規定を適用しないこととしたのであり、適用除外には合理的理由がある。もっとも、行政庁としては、取消しの是非につき判断するに際して、対立する組合員の意見を聴取する必要性があることは否定できないし、それは実際に行われていると思われる。しかし、消費生活協同組合法には、そのための手続について、特段の規定は置かれていない。かかる場合の手続をどう法定するかは、今後の課題として残されている。

第三次行革審要綱案第三2（九）は、社会福祉に関する法令に基づき行われる福祉施設への入退所および当該施設において入所の目的を達成するために行われる行為の手続については、行政手続法の規定を適用しないこととしていたが、これについては、不利益処分に該当する場合には、個別法において所要の改正をした上で行政手続法三章の規定の適用を除外するという方針がとられた。たとえば、児童福祉法二四条（平成一二年法律第一一一号による改正前のもの）に基づく保育所への入所措置の解除については、あらかじめ当該措置の解除の申出があった場合その他厚生省令で定める場合以外は、整備法八七条で、解除措置に係る児童の保護者に対して、当該措置の理由を説明するとともに、その意見を聴かなければならないこととした上で、行政手続法三章（一二条、一四条を除く。）の規定の適用を除外した（児童福祉法三三条の四柱書本文、三三条の五）。なお、平成九年の児童福祉法改正により、保護者の希望を尊重して入所する保育所を決定する「選択利用方式」に制度が変更され、行政解釈では、市区町村と保護者の間で保育所利用契約を締結する方式に変更された（入所決定を行政処分と解する学説もある）。

第三次行革審要綱案注記三（2）は、審議会等において事前手続が行われることとされている不利益処分については、行政手続法と同水準の手続的保障を図る観点から所要の整備を行った上で、個別法において、行政庁が重ねて弁明、聴聞手続を実施することを要しない旨の規定を置くことを妨げないものとすることと規定していたが、これを根拠として個別法で特例を定めた例として、私立学校法六一条（学校法人に対する収益事業の停止命令）がある。

同条二項の規定により準用される同法六〇条二項から八項までは、所轄庁が停止命令をしようとする場合には、行政手続法三〇条の規定による通知において、所轄庁による弁明の機会の付与に代えて私立学校審議会等による弁明の機会の付与を求めることができる旨ならびに当該弁明のために出席すべき私立学校審議会等の日時および場所ならびに弁明書を提出する場合における当該弁明書の提出先および提出期限を通知しなければならないこととし、私立学校審議会等は、当該学校法人が私立学校審議会等による弁明の機会の付与を求めたときは、所轄庁に代わって弁明の機会を付与しなければならないと規定している。そして、当該私立学校審議会等が弁明の機会を付与した場合には、重ねて所轄庁で弁明させる必要性は乏しいので、行政手続法三章の規定を適用しないこととしているのである。

理由の提示

先に、申請に対する拒否処分をするに際して、理由の提示が必要とされていることを述べたが、不利益処分をするに際しても、原則として、理由の提示が義務づけられている。すなわち、「行政庁は、不利益処分をする場合には、その名あて人に対し、同時に、当該不利益処分の理由を示さなければならない。」（一四条一項本文）とされている。従前も個別の法令において、不利益処分をするに際して、理由提示が義務づけられている例はなかったわけではなく、たとえば青色申告者に対しては、更正処分を行う場合にその理由提示が義務づけられている。しかし個別の法律に規定がない場合には、判例は憲法上、理由提示を義務づけることには消極的であり、白色申告については、法律に規定がないので理由提示は必要ないというのが最高裁判所の立場であった（最判昭和四二・九・一二訟月一三巻一一号一四一八頁、最判昭和四三・九・一七訟月一五巻六号七一四頁。なお、平成二六年一月からは、白色申告に係る更正処分等についても理由提示が義務づけられている。国税通則法七四条の一四第一項）。

したがって、原則としてすべての不利益処分に対して理由提示が義務づけられることになったことは、大きな意義を有する。ここで「原則として」と述べたのは、当該理由を示さないで処分をすべき差し迫った必要がある場合は、不利益処分と同時に理由を示す必要はないからである（一四条一項ただし書）。もっとも、この場合においても、当該名あて人の所在が判明しなくなったときその他処分後において理由を示すことが困難な事情があるときを除き、処分後相当の期間内に、理由を示さなければならない（一四条二項）。不利益処分を書面でするときは、理由も書面で示さなければならない（一四条三項）が、口頭で不利益処分を行うときは、理由も口頭で示せば足りる。

不利益処分の理由提示の意義について、最判昭和三八・五・三一民集一七巻四号六一七頁（青色申告についてなされた更正処分および審査決定）、最判昭和三八・一二・二七民集一七巻一二号一八七一頁（青色申告についてなされた更正処分）、最判昭和四七・三・三一民集二六巻二号三一九頁（青色申告についてなされた更正処分および再調査棄却決定）、最判昭和四七・一二・五民集二六巻一〇号一七九五頁（青色申告についてなされた更正処分）、最判昭和四九・四・二五民集二八巻三号四〇五頁（青色申告書提出承認取消処分）、最判昭和五四・四・一九民集三三巻三号三七九頁（青色申告についてなされた更正処分）は、処分庁の判断の慎重・合理性を担保し、その恣意を抑制するということをあげている。すなわち、理由を提示しなければならず、とりわけ、書面に理由を書かなければならないことになると、将来、審査請求や訴訟が提起された場合にそれが審査されることになり、それに耐えるだけの理由を示さなければならないことになる。そうすると、当然、行政庁は処分を行うに際してより慎重になり、恣意的判断が抑制されることになるのである。

最高裁判例があげる理由提示のいまひとつの意義は、処分の理由を知らせて名あて人に不服申立ての便宜を与えることである。すなわち、理由が提示されれば、名あて人は、不服申立てで請求が認容される見込みがあるか、もしあるとすると、どの点につき、いかに主張立証していけばよいかを事前に判断することができることになる。そして、前掲最判昭和三八・五・三一、最判昭和四七・三・三一は、理由が示されていない場合には、処分自体の取消しを免れないと判示している。

不利益処分の理由を提示する場合に、どの程度の理由を示さなければならないのかについては、本法は、特段の定めを置かず、判例・学説に委ねている。前掲最判昭和三八・五・三一は、理由提示が法律上要求されている場合の理由の程度については、当該処分の性質と理由提示を命じた各法律の規定の趣旨・目的を勘案して決定するという立場をとっている。

この判例は、以上の前提に立って、所得税法（昭和三七年法律六七号による改正前のもの）四五条二項の趣旨・目的を検討しているのであるが、行政手続法は、不利益処分一般に理由提示を義務づけているのであるから、行政手続法一四条の規定による理由提示については、当該処分の性質と同条の趣旨・目的に照らして理由提示の程度を決することになろう。同条の理由提示の機能が、処分庁の判断の慎重・合理性を担保し、名あて人に不服申立ての便宜を与えることにある以上、かかる機能を発揮するに足りるだけの理由が提示される必要があり、単に根拠法条を書いただけでは、一般的にいって、不利益処分の理由の提示として不十分であるといえよう。名あて人が、自分がどういう理由で不利益処分を受けたかを、その理由を見て具体的に理解しうるような形で提示しなければならないと思われる。

また、処分基準が公にされている場合には、不利益処分の根拠となる処分基準まで示さなければ、理由提示として十分とはいえないと思われる。行政手続法一二条の処分基準の規定は、本法一四条の理由提示の規定とあいまって、一層その効果を高めることができるのである。最判平成二三・六・七民集六五巻四号二〇八一頁は、行政手続法一四条一項本文の規定に基づいてどの程度の理由を示すべきかは、当該処分の根拠法令の規定内容、当該処分に係る処分基準の存否および内容ならびに公表の有無、当該処分の性質および内容、当該処分の原因となる事実関係の内容等を総合考慮して決定すべきとする。そして、本件では、処分の原因となる事実と、処分の根拠法条が示されているのみで、本件処分基準の適用関係がまったく示されておらず、その複雑な基準のもとでは、名あて人において、処分要件の該当性に係る理由は相応に知りうるとしても、いかなる理由に基づいてどのような処分基準の適用によって免許取消処分が選択されたのかを知ることはできないものといわざるをえないので、行政手続法一四条一項本文の要求する理由提示としては十分でないと判示している。この最高裁判決は、処分基準が公にされている場合、常に行政手続法一四条一項本文の理由提示として、処分基準との関係まで示す必要があるとしているわけではないが、事案によっては、処分基準の適用関係まで示さなければ理由提示の程度として不十分であり、瑕疵があることになることを明確にした点で、大きな意義を有する。

以上の点に照らし、最高裁判所は、理由の追完には慎重な姿勢をみせている。前掲最判昭和四七・三・三一、最判昭和四七・一二・五、最判昭和四九・四・二五も、理由の追完は認めていない。理由の追完とは、原処分、第一次処分をする段階では理由を示さないでおいて、あるいは不十分な理由だけを示しておいて、のちに理由を補充することである。もし初めから理由を提示しないで、あとで理由を提示すればよいということでは、または初めは不十分な理由を示しておいて、争われたらあとで理由を詳しく示せばよいということでは、そもそも第一次処分をする段階での行政庁の判断の慎重・合理性を担保するという機能は果たされないことになるし、また不服申立てとの関係でも、たとえば審査請求をして、その裁決の段階で理由の提示があれば、その後訴訟を提起するときには、その便宜は図られるが、審査請求をする段階での便宜は図られなかったことになる。理由の追完を安易に認めることは、理由提示の意義を没却することになろう。

もっとも、理由の差替えについては、青色申告に対する更正処分においても、最判昭和五六・七・一四民集三五巻五号九〇一頁は、「一般的に青色申告書による申告についてした更正処分の取消訴訟において更正の理由とは異なるいかなる事実をも主張することができると解すべきかどうかはともかく」としながら、当該事案において、被告税務署長が、本件追加主張を提出することは妨げないとした原審の判断は、結論において正当として是認することができると判示している。また、最判平成一一・一一・一九民集五三巻八号一八六二頁は、情報公開条例に基づく不開示決定取消訴訟において、「理由通知の定めが、……一たび通知書に理由を付記した以上、実施機関が当該理由以外の理由を非公開決定処分の取消訴訟において主張することを許さないものとする趣旨をも含むと解すべき根拠はないとみるのが相当である。」と判示している。しかし、聴聞や弁明の機会の付与は、通知に示された「不利益処分の原因となる事実」に対する反論の機会を事前に保障することを目的とするものであるから、これらの手続を経た処分については、理由の差替えは否定されるべきであろう。

(二)　聴　聞

聴聞の通知の方式

行政手続法三章二節は、より正式な不利益処分である聴聞についての規定を置いている。聴聞を行うためには、その前提として、その旨を名あて人に通知をすることが必要になる。一五条は、その通知の方式について定めている。同条一項は、「行政庁は、聴聞を行うに当たっては、聴聞を行うべき期日までに相当な期間をおいて、不利益処分の名あて人となるべき者に対し、次に掲げる事項を書面により通知しなければならない。」とし、①予定される不利益処分の内容および根拠となる法令の条項、②不利益処分の原因となる事実、③聴聞の期日および場所、④聴聞に関する事務を所掌する組織の名称および所在地、の四つを列挙している。①②の通知は、不利益処分をしようとする理由を相手方に認識させ、聴聞における主張立証の準備をさせることを重要な目的にしているから、通知に記載されていない根拠法条・原因事実を行政庁の職員が聴聞の場で持ち出すことは、原則として許されないとみるべきであろう。通知後、聴聞開始前に、行政庁の職員が、根拠法条や原因事実の認識を変えたとき（たとえば、当初の通知では、道路交通法一〇三条一項三号に該当すると考えていたが、そうではなく、同条一項一号イに該当するとして、同条一項の規定に基づく免許取消処分をしようとするとき）は、原則として、改めて通知をしなおすべきであろう。

通知の義務は、不利益処分の名あて人となるべき者に対してのみ存在する。それ以外の利害関係人に対しても通知をすることが望ましいことはいうまでもないが、実際には利害関係人となる者を確定することが困難なことが少なくないと思われること、行政庁が利害関係人の範囲を決定するシステムが妥当か否かについても疑問が提起されたこと等により、不利益処分の名あて人となるべき者以外に対しては通知を義務としなかったのである。もっとも、利害関係人の範囲を確定することが容易な場合もあるし、また、利害関係人が多数にのぼるときにおいても、公示により通知する等の方法も考えられるから、個別の法令において、利害関係人に対しても、聴聞の通知を義務づけることは差し支えないし、むしろ、望ましいといえよう。また、かかる義務づけをしないまでも、運用上、可能な範囲で、利害関係人に対しても通知をする努力をすることは奨励されてしかるべきであろう。

また、一五条一項にいう「相当な期間」は、不利益処分の名あて人となるべき者に聴聞への準備を可能ならしめるに足りると認められる期間でなければならない。

聴聞の通知の書面においては、①聴聞の期日に出頭して意見を述べ、および証拠書類または証拠物（以下「証拠書類等」という。）を提出し、または聴聞の期日への出頭に代えて陳述書および証拠書類等を提出することができること、②聴聞が終結する時までの間、当該不利益処分の原因となる事実を証する資料の閲覧を求めることができることを教示しなければならない（一五条二項）。聴聞の期日における意見陳述権、証拠書類等提出権、聴聞終結時までの文書等閲覧請求権は、不利益処分の名あて人となるべき者が、聴聞の機会を有効に生かして、自己の権利利益を保護するために、きわめて重要な意味を持つが、①②の教示がなされなければ、その意義が十分に理解されず、せっかくの手続保障が形骸化するおそれも少なくない。一五条二項の教示制度は、かかる事態を防止しようとするものである。

聴聞の通知をしようと思っても、相手方の所在が判明しないという場合も考えられる。こうした場合に備えて、個別の法律で公示送達の規定が置かれていることがある。たとえば国税通則法一四条には、その送達を受けるべき者の住所および居所が明らかでない場合または外国においてすべき送達につき困難な事情があると認められる場合の公示送達の規定が置かれており、当該行政機関の掲示場に掲示を始めた日から起算して七日を経過したときは、書類の送達があったものとみなすこととしている。しかし、かかる規定がない場合が多かった。割賦販売法四二条に基づいて聴聞（当時は聴聞という文言が使われていたが、現在は、意見の聴取という用語になっている。）を行おうとしたときにも、相手方の所在が判明しないという事態が生じたことがある。

第三次行革審においても、かかる場合についての一般的な公示送達の規定を設けるべきではないかという議論がなされたが、ドイツでは、行政手続法とは独立に、行政送達法という一般的な法律を制定しているので、わが国においても、行政手続法とは別の行政送達法の問題として処理すべきではないかという意見もあり、結局、第三次行革審要綱案には公示送達の規定は入れられなかった。

しかし、行政手続法一五条三項は、不利益処分の名あて人となるべき者の所在が判明しない場合には、当該行政庁の事務所の掲示場に掲示をし、掲示を始めた日から二週間を経過したときに、当該通知が相手方に到達したものとみなすこととし、聴聞の通知についての一般的な公示送達の規定を置いている。そして、この規定は、同法二二条三項で続行期日の指定について、同法三一条で弁明の機会の付与について準用されている。これによって、不利益処分をしようとするときに、個別法に公示送達の規定がないために聴聞や弁明の機会の付与の通知の送達の方法につき疑義が生じるという事態は解消されることになる。なお、一五条三項による公示送達をする場合には、聴聞の期日は、一五条三項の二週間と一五条一項の「相当な期間」を合算した日以後に設定することになる。

公示送達の規定が設けられても、相手方の所在が判明しない場合とはいかなる場合なのか、換言すれば、行政庁は所在を判明させるためにどの程度の努力をしなければならないのかという解釈問題は残ることになる。この点については、最判昭和五六・三・二七民集三五巻二号四一七頁が参考になる。この事件において、商標法に基づく商標登録をしていた原告は、本店の所在地を移転し、商業登記簿にその旨の登記をしたが、特許庁へは通知をしていなかった。そこで、商標登録取消審判事件において、審判長は、原告の住所が不明であるとして、審判請求書の副本の送達を商標法七七条五項の規定により準用される特許法一九一条の公示送達の方法により行い、特許庁長官は、当該商標登録取消審判事件審決の謄本の送達を同様の公示送達で行った。

原告が、右審決の取消しを求めたところ、前掲最判昭和五六・三・二七は、「商標法七七条五項により準用される特許法一九一条の規定に基づく公示送達は、送達を受けるべき者の住所、居所その他送達をすべき場所が知れないときにこれをすることができるとされているところ、商標法五〇条の規定に基づく商標登録取消の審判事件における被請求人である商標権者が商標登録を受けた後その本店所在地を変更し、これにつき、特許庁に対する届出をしていないが、商業登記手続を了しているような場合には、右商業登記の登記簿ないしその謄本につき調査をすれば、送達を受けるべき者としての右請求人の住所を容易に知ることができるものであって、その住所、居所その他送達をすべき場所が知れないときにあたるとすることはできないから、同人に対し公示送達をするための要件が具備しているということはできない。そうすると、右のような場合に被請求人に対してされた公示送達は、その要件を欠き効力を生じないと解するのが相当である。」と判示している。このように、住所の変更届出が、聴聞を行う行政庁に出されていなくても、他の公の記録等をチェックすることによって、簡単に所在が判明するような場合には、所在不明として公示送達をすることは違法であろう。

個別の法律の中には、相手方の所在を確知できない場合に、官報等で公告を行い、その公告の日から一定期間経過しても相手方から申出がない場合に、不利益処分をすることができると定めているものがある。たとえば、建設業法二九条の二第一項は、建設業者の営業所が確知できないとき、または建設業者の所在を確知できないときは、国土交通大臣または都道府県知事は、官報または当該都道府県の公報でその事実を公告し、その公告の日から三〇日を経過しても当該建設業者から申出がないときは、当該建設業者の許可を取り消すことができると定めている。このような場合については、相手方に聴聞が行われることは予想していないので、同条二項は行政手続法三章の規定の適用を除外している（整備法三二〇条参照）。しかし、三〇日以内に申出があれば、もはや建設業法二九条の二の問題ではなくなり、同法二九条の規定が適用されることになる。そして、その場合には、行政手続法三章の規定に従って、聴聞が行われることになるのである。

なお、一回で聴聞が終結しない場合も考えられるが、その場合には、聴聞主宰者は、新たな期日を定めることができ（二二条一項）、当事者および参加人に対し、あらかじめ、次回の聴聞の期日および場所を書面により通知することになる。ただし、聴聞の期日に出頭した当事者および参加人に対しては、当該聴聞の期日においてこれを告知すれば足りる（二二条二項）。

行政手続法一五条三項により、聴聞の通知が不利益処分の名あて人となるべき者に到達したとみなされ、聴聞期日に当事者が出頭しないときは、行政手続法二三条一項にいう「正当な理由」に基づく欠席とはみなしえないので、期限を定めて陳述書および証拠書類等の提出を求める同条二項の手続をとることなく、同条一項により聴聞を終結することが許されよう。

このようにして聴聞が終結した場合には、聴聞の通知において予定されていた不利益処分（免許の取消し等）がなされることになろうが、不利益処分自体も名あて人に送達しないと効力が生じないことになる。この不利益処分の名あて人への送達については、行政手続法に規定がないので、民法九八条ならびに民事訴訟法一一一条および一一二条の公示送達の規定に従って処理することになろう。

行政手続法一五条三項は、「不利益処分の名あて人となるべき者の所在が判明しない場合」の規定であるので、そもそも、相手方自体が不明の場合はどうすればよいのであろうか。相手方が不明であっても不利益処分をしなければならない場合もある。たとえば、所有者不明の放置物件を早急に除却しなければならないが、廃棄物として認定することもできず（廃棄物として認定できれば、廃棄物の処理及び清掃に関する法律に基づく処理ができる）、遺失物法の適用もできないか（たとえば、車両については登録制をとっていることから遺失物法の適用をしない対応をしている都道府県がある）、その適用では時間がかかりすぎる場合がある。そこで、行政代執行法に基づいて除却をする前提として、除却命令を出す必要が生ずることがありうる。

除却命令の場合には、弁明の機会の付与で足りるが（行政手続法一三条一項二号）、右の場合に弁明の機会の付与が必要であるとすると、不利益処分の名あて人自体が判明しないため、その通知につき、行政手続法一五条三項は準用できず、民法九八条（民法九八条は、相手方の所在を知ることができない場合のみならず、相手方を知ることができない場合も対象としている。）ならびに民事訴訟法一一一条および一一二条の公示送達の手続による以外にないであろう。しかし、このような場合には、公益上、緊急に不利益処分をする必要がある場合として、弁明の機会の付与の手続を省略することができることが多いと思われる（行政手続法一三条二項一号）。

弁明の機会の付与の手続は省略できても、除却命令は送達しておかなければならない。また、代執行を行うために戒告書（行政代執行法三条一項）、代執行令書（同法三条二項）を送付する必要がある（ただし、緊急の必要があるときには、戒告、代執行令書による通知の手続を省略できる。同法三条三項）。これらの送達についても、特段の定めがない限り、民法九八条ならびに民事訴訟法一一一条および一一二条の公示送達の手続によらざるをえないであろう。

実際の例として、和歌山県を流れる一級河川の紀の川の不法係留の事例をみてみよう。同河川では、河川法に基づく占用許可を得ない不法係留の船舶が多数存在し、また、占用許可を得ない桟橋、休憩小屋等の物件が設置され、それらが治水の妨げにもなるし、工事用道路の建設にも支障を及ぼしているため、平成三年一〇月八日、河川法七五条一項の規定に基づく除却命令を出し、従わない場合には代執行をすることとした。

当時は、行政手続法施行前であり、河川法上も事前に相手方に意見陳述の機会を与えることは要求されていなかったが、除却命令、戒告、代執行令書を送達する必要があった。しかし、船舶の所有者が判明しないものがあった（五トン未満の船については、小型船舶検査機構に照会するしかなかったが、当時は、行政機関に対しても、同機構は、守秘義務を理由に所有者名の開示を拒否していた。ちなみに、現在では、公的機関には、所有者名を開示できるように制度が改正されている）。

当時の河川法には公示送達の規定がなかったため、河川管理者は（平成八年改正前の）民事訴訟法一七九条及び一八〇条を参考にして、現場への掲示板の設置、船舶への警告書の貼付、主要五大新聞への掲載をもって、監督処分や代執行の戒告の通知をすることとした（実際には、代執行に至らずに自主的に撤去が行われた。）。もっとも、平成七年法律第六四号による改正により、河川法七五条三項が新設され、同条一項、二項の規定により必要な措置をとることを命じようとする場合において、過失がなくて当該措置を命ずべき者を確知することができないときは、相当の期限を定めて、当該措置を行うべき旨およびその期限までに当該措置を行わないときは、河川管理者またはその命じた者もしくは委任した者が当該措置を行う旨を、あらかじめ公告しなければならないと規定されている。

したがって、聴聞や弁明の機会の付与は不要となり、また、行政代執行法に基づく戒告や代執行令書による通知も不要となる。いわゆる簡易（略式）代執行の規定であり、道路法七一条三項、都市計画法八一条二項等、国土交通省所管の法律には、簡易（略式）代執行の規定が多くみられる（簡易（略式）代執行について、宇賀克也・行政法概説Ⅰ〔第七版〕〔有斐閣〕二五四頁参照）。

代理人

第三次行革審要綱案では、代理人の存在を予定はしていたものの（第一四第二項、第一八参照）、代理人に関する特別の条文を設けてはいなかったが、行政手続法は、一六条で、代理人の権能等に関して規定している。すなわち、聴聞の通知を受けた者は、代理人を選任することができ（一六条一項）、代理人は、各自、当事者のために、聴聞に関する一切の行為をすることができる（一六条二項）。また、代理人の資格は、書面で証明しなければならず（一六条三項）、代理人がその資格を失ったときは、当該代理人を選任した当事者は、書面でその旨を行政庁に届け出なければならない（一六条四項）。アメリカの連邦行政手続法では、代理人となる資格を弁護士または行政庁が許可する者としているが、わが国の行政手続法には、このような代理人の資格制限はない。補佐人の場合と異なり、代理人選任については許可制はとられていないのである。

もっとも、弁護士または弁護士法人でない者が報酬を得る目的で聴聞の代理をすることが弁護士法七二条に違反するかという問題が存在する。行政書士は、行政書士が作成することができる官公署に提出する書類を官公署に提出する手続および当該官公署に提出する書類に係る許認可等に関して行われる聴聞または弁明の機会の付与の手続その他の意見陳述のための手続において当該官公署に対してする行為（弁護士法七二条に規定する法律事件に関する法律事務に該当するものを除く。）について代理することを業務として行うことができる（行政書士法一条の三第一号）。聴聞で争われるのが、行政手続法一五条一項二号の事実の存否のみであれば、事実問題のみについての代理であり、弁護士法七二条違反の問題は生じないことになろう。他方、行政手続法一五条一項二号の事実が、同法一五条一項一号で示されている「根拠となる法令の条項」の要件事実にあたるかという点も聴聞で争点となるとすると、法律問題と全く無関係ではないことになる。また、平成二六年の行政書士法改正により、行政書士が作成した官公署に提出する書類に係る許認可等に関する審査請求、再調査の請求、再審査請求等行政庁に対する不服申立ての手続について代理し、およびその手続について官公署に提出する書類を作成することが、当該業務について日本行政書士会連合会がその会則で定めるところにより実施する研修の課程を修了した特定行政書士に限り、行うことができるようになった（行政書士法一条の三第一項二号、同条二項）。したがって、特定行政書士が、行政書士が作成した官公署に提出する書類に係る許認可等に関する審査請求、再調査の請求、再審査請求等行政庁に対する不服申立ての手続について業務として代理することは、弁護士法七二条に違反しないこととなった。

なお、多数の当事者が存在する手続において、当事者に保障された手続的権利を損なわない範囲で、不必要な遅滞を防止するための多数当事者手続を設けることも考えられる。ドイツ連邦行政手続法においては、大量手続（Massenverfahren）に関する規定が設けられ、同一形式の申請が多数なされた場合や同一の利害関係を有する者が多数いる場合に、行政庁が申請人に対して相当の期間内に共同代理人を指名することを求めたり、行政庁が職権で共同代理人を指名したりすることを認めている（ドイツ連邦行政手続法一七条、一八条）。

わが国においても、第一次研究会要綱案は、これを参考にして、多数当事者手続に関する規定を設けていた（一二〇一条以下）。第二次研究会要綱案も、行政不服審査法一一条の総代の規定を参考にして、総括代表者に関する規定を置いていた（〇二〇五条）。行政手続法は、多数当事者手続については規定を設けなかったため、この問題は、将来の検討課題として残されることとなった。解釈論としても、現実に多数当事者が登場し、聴聞の円滑な進行に支障が生ずる場合、主宰者が聴聞指揮権の行使により総括代表者の選任を命ずることが可能かという問題が生ずる。

なお、当事者または参加人は、主宰者の許可を得て、補佐人とともに出頭することができるが（二〇条三項）、補佐人は代理人ではないから、当事者または参加人に代わって出頭し、手続を行うことができないことはいうまでもない。

参加人

聴聞を主宰する者は、必要があると認めるときは、当事者以外の者であって当該不利益処分の根拠となる法令に照らし当該不利益処分につき利害関係を有するものと認められる者に対し、当該聴聞に関する手続に参加することを許可することができることとしている（一七条一項）。

第三次行革審要綱案第二二第一項では、不利益処分を定める法律において、行政庁が行った不利益処分により自己の利益を害されることとなるものとされている者に限定し（この点に対する批判として、紙野健二＝本多滝夫「行政手続法要綱案に対する対案について」行財政研究一三号二四頁参照）、かつ、その者からの申出があったときに、聴聞への参加を許可することとしていた。これに対し、行政手続法一七条一項では、単に「当該不利益処分につき利害関係を有するものと認められる者」としているので、当該不利益処分により利益を受ける者も含まれうることになる。また、関係人からの申出を要件とはしていないので、申出がなくとも、職権で参加させることも可能である。参加人も代理人を選任することができる（一七条二項）。

立法過程では、「当該不利益処分につき利害関係を有するものと認められる者」＝関係人は、原告適格を有する者と一致すると考えられていたわけでは必ずしもないが、両者の関係をどのようにみるかについては、解釈が分かれうるであろう。

なお、従前、個別の法律において、利害関係人が意見陳述への参加権を保障されていたものについては、参加の申出を聴聞主宰者が許可しなければならないこととする方針が、整備法でとられている（仲正・行政手続法のすべて二三頁）。

文書等の閲覧

行政手続法は、聴聞手続に限定してではあるが、文書等の閲覧に関する規定を設けている。すなわち、当事者および当該不利益処分がされた場合に自己の利益を害されることとなる参加人（一七条一項に基づき参加を許可されたすべての参加人ではなく、当該不利益処分により利益を受ける参加人は除かれている）は、聴聞の通知があった時から聴聞が終結する時までの間、行政庁に対し、当該事案についてした調査の結果に係る調書その他当該不利益処分の原因となる事実を証する資料の閲覧を求めることができるとしている（一八条一項）。

旧行政不服審査法三三条二項は、審査請求人または参加人に文書等の閲覧請求権を保障していたが、行政手続法は、事前手続において、しかも、旧行政不服審査法三三条二項の場合とは異なり、「処分庁から提出された」（審査庁の職員が処分庁に赴き作成した調査メモが旧行政不服審査法三三条二項の「処分庁から提出された書類その他の物件」に該当するか否かについては見解が分かれており、肯定説をとる裁判例（大阪地判昭和四四・六・二六行集二〇巻五＝六号七六九頁）と否定説をとる裁判例（大阪地判昭和四六・五・二四行集二二巻八＝九号一二一七頁）があった。）という限定なしに、文書等閲覧請求権を認めたことになる。

旧行政不服審査法三三条二項のような限定的な請求権は、事前手続において、行政手続法一八条一項により文書等閲覧請求権が行使された場合には、ほとんど有用性を持たないことになろう。平成二六年に全部改正された行政不服審査法三八条一項は、審査請求人または参加人は、審理手続が終結するまでの間、審理員に対し、提出書類等の閲覧（電磁的記録にあっては、記録された事項を審査庁が定める方法により表示したものの閲覧）または当該書面もしくは当該書類の写しもしくは当該電磁的記録に記録された事項を記載した書面の交付を求めることができることとされ、処分庁から提出された書類その他の物件に限らず、処分庁等以外の所持人から物件の提出要求を受けて提出された物件等も含め、閲覧請求の対象を拡大している。

比較法的にみると、欧州の行政手続法の中には、文書等閲覧請求権を保障しているものが少なくないが（オーストリア、ドイツ、スイス、ノルウェー、スウェーデン、スペイン）、この点で立ち後れていたわが国では、行政手続法一八条一項が設けられたことは、手続的防御権の充実という観点からみて画期的と評することができよう。聴聞の機会が与えられても、行政庁がどういう資料に基づいて自分に対して不利益処分をしようとしているのかがわからなければ、聴聞の場で適切な主張、立証ができないおそれがあり、文書等閲覧請求権は、聴聞を実効あるものとする上で重要な意義を有する。また、この規定の存在が、行政庁の文書管理体制の整備を促進する効果を発揮することも期待されよう。

行政手続法制定前に、不利益処分を課す前に文書等閲覧請求権を保障していた稀有な例として、不当廉売関税に関する政令（平成六年一二月二八日政令第四一六号による改正前のもの）八条（現行政令一一条）がある。そこでは、不当廉売関税を課される可能性のある輸入者のみならず、不当廉売関税により実質的被害を受ける輸出者等の利害関係者に、不当廉売関税を課すことを求める者から提出された証拠等の閲覧請求権を保障しており、輸入者等は、この閲覧により、同政令九条（現行政令一二条）の対質を効果的に行うことが可能になる。

この閲覧請求権は、調査の段階で認められているものであるが、当該調査は、不当廉売された貨物の輸入の事実および当該輸入の本邦の産業に与える実質的な損害等の事実についての十分な証拠がある場合において、必要があるときに開始されるのであるから（関税定率法九条五項（平成六年一二月二八日法律第一一八号による改正前のもの。現行法八条五項））、実際上は、この調査手続は、不利益処分を課そうとするときの手続に近い性格を持っているとみることができよう。かかる規定が設けられたのは、関税及び貿易に関する一般協定第六条の実施に関する協定（アンチ・ダンピングコード）（一九九四年改正前のもの。一九九四年の新アンチ・ダンピングコード六条にも同趣旨の規定がある。）六条二項を受けたものであり、国際的ハーモナイゼーションという特殊な背景があったからである。

行政審判手続である独禁法（平成一七年法律第三五号による改正前のもの）上の審判手続においてすら、利害関係人の閲覧請求権の対象は、「事件記録」に限られ、そこでいう「事件記録」は、審判手続そのものについての記録をさし、審判開始前の手続段階における関係書類等は含まれないと解されていた（公正取引委員会の審決取消請求事件に関する、東京高判昭和四六・七・一七行集二二巻七号一〇七〇頁参照）ことに鑑みれば、行政手続法一八条の意義が理解されよう（独禁法の審判記録の閲覧について、宇賀克也・情報公開の理論と実務〔有斐閣〕七八頁以下参照）。なお、平成二五年法律第一〇〇号による独禁法改正により、公正取引委員会による審判制度は廃止されることになった。また、平成二五年の独禁法改正により、排除措置命令、課徴金納付命令、競争回復措置命令の処分前手続として、当事者は、意見聴取の通知を受けた時から意見聴取が終結するまでの間、意見聴取に係る事件について公正取引委員会の認定した事実を立証する証拠の閲覧を求めることができ、また、閲覧の対象となる証拠のうち、自社が提出した物証および自社従業員の供述調書については、謄写を求めることができるようになった（五二条一項、六二条四項、六四条四項）。

行政手続法一八条一項の閲覧請求があったときには、行政庁は、第三者（閲覧請求者以外の当事者、参加人を含む。）の利益を害するおそれがあるときその他正当な理由があるときでなければ、その閲覧を拒むことができない（「その他正当な理由があるとき」の中には、行政上の秘密も含まれる。大阪地判昭和四四・六・二六行集二〇巻五＝六号七六九頁参照）。閲覧を請求された文書等の一部のみに第三者のプライバシーに関する記載があり、その部分を除いた形で閲覧させることが可能な場合には、全面的に請求を拒否すべきではない。

第三者情報につき閲覧を拒否しうるか否か判断が微妙なケースでは、当該第三者に事前告知して意見陳述の機会を与えることが望ましい。情報公開条例においても一般にかかる手続がとられており、「行政機関の保有する情報の公開に関する法律」（以下「行政機関情報公開法」という。）一三条においても同様である。平成二六年に全部改正された行政不服審査法三八条二項においても、審理員は、提出書類等の閲覧をさせ、または写しの交付をしようとするときは、当該閲覧または交付に係る提出書類等の提出人の意見を聴かなければならない（ただし、審理員が、その必要がないと認めるときは、この限りでない。）とされている。それとの均衡上も、聴聞規則等において、第三者情報についての意見聴取手続を定めておくことが適切と思われる。もっとも、その場合、第三者の意見は、行政庁の判断の参考資料となるものの、第三者が閲覧に反対すれば、当然に閲覧を拒否しうるということにはならない。

なお、閲覧のみならず謄写の請求権も保障すべきかはひとつの論点であるが、行政手続法一八条一項は、行政事務の負担を慮って後者は認めなかった。しかし、行政事務に特別の支障がない限り、謄写を認める運用がなされることが望ましいといえよう。神奈川県行政手続条例三九条一項では、同条例に基づく文書等閲覧が認められた資料の写しの交付請求権を認め、同条三項は、行政手続法に基づく文書等閲覧が認められた資料の写しの交付についても、同条一項の規定を準用することとしている。行政不服審査法三八条一項は、提出書類等の写しの交付請求権まで認めており、今後は、行政手続法においても、文書等の写しの交付請求権を認めることが課題となる。

文書等閲覧請求権を弁明の機会の付与の場合にも認めるべきかは、大きな論点であり（ドイツ連邦行政手続法二九条の文書等閲覧請求権の保障は、正式行政手続に限られているわけではない。）、第一次研究会要綱案では、この点につき、聴聞・弁明の機会の付与の双方にこれを認める案、聴聞のみに認める案に見解が分かれていたが、行政手続法は、聴聞に限定してこれを認めることとしている（三一条は、一八条一項を準用していない。）。ただし、弁明の機会の付与の場合であっても、第三者の利益を害するおそれ等がない文書・資料を行政庁が裁量で当事者等に閲覧させることが禁じられるわけではない。大阪府行政手続条例二九条や滋賀県行政手続条例二八条のように、弁明の機会の付与においても文書等閲覧請求権を認めている例がある。

なお、当事者等が期日における審理の進行に応じて必要となった資料の閲覧をさらに求めることは妨げられない（一八条二項）。また、行政庁は、閲覧について日時および場所を指定することができる（一八条三項）。

情報公開との関係

次に、行政手続法一八条一項の文書等閲覧請求権と行政機関情報公開法ないし情報公開条例との関係について検討することとしたい。行政機関情報公開法ないし情報公開条例は、自分個人の権利利益と無関係に、国民一般・住民一般等の資格で、理由を示すことなく開示を請求しうる客観的情報開示請求制度である。ただし、このことは、行政機関情報公開法ないし情報公開条例による開示請求を自己の個人的な権利利益の侵害を防止する目的で利用することを禁ずるものではない（わが国の情報公開条例が、客観法的民主的機能への期待とともに主観法的権利保護機能を果たすことをも期待されていたとするものとして、芝池義一「情報公開制度の権利保護」法律時報六三巻一二号九五頁参照）。

わが国では、すでに行政機関情報公開法が制定されているが、情報公開条例を有している都道府県および市区町村の数は、平成二九年一〇月一日現在で一七八七にのぼる。かかる地方公共団体の行政庁が法律に基づく処分を行う場合には、聴聞の当事者等が、情報公開条例に基づき不利益処分の根拠となる資料の閲覧を請求する可能性がありうる。

かかるケースにおいて、行政手続法一八条一項の閲覧拒否の正当な理由と、情報公開条例の不開示事由とは当然に一致するわけではない（行政機関情報公開法の不開示情報に該当することも、行政手続法一八条一項の閲覧拒否の正当理由の存在を意味するものでは必ずしもない。双方とも私人からの請求を前提にするが、前者は、客観的情報開示請求制度であり、後者は、主観的情報開示請求制度であり、その趣旨を異にするからである。客観的情報開示請求制度、主観的情報開示請求制度の意味については、宇賀克也「情報公開と行政手続法」行政手続法の理論〔東京大学出版会〕一三五頁参照）。行政機関情報公開法または情報公開条例に基づく開示請求では不開示とされた資料が、行政手続法一八条一項の閲覧請求によって開示される可能性は皆無ではない（行政手続法における文書等閲覧請求制度の規定は、行政機関情報公開法一五条が定める「他の法令の規定」には該当しないため、行政機関情報公開法の規定が並行して適用されることになる〔宇賀克也・新・情報公開法の逐条解説〔第八版〕〔有斐閣〕一八二頁参照〕）。

一例をあげれば、行政機関情報公開法または情報公開条例に基づく開示請求においては、個人情報であるとして不開示とされた文書であっても、行政手続法一八条一項においては、請求者本人の情報も個人情報であるという理由で閲覧請求を拒否することはできない。

反対の場合が存在するか否かは定かでないが（アメリカでは、わが国でいう行政手続における文書等の閲覧請求の問題は、裁決手続におけるディスカバリーの問題として論じられている。そして、一般的には、情報自由法（ＦＯＩＡ）の不開示事項（exemption）の範囲は、ディスカバリーにおける秘匿特権（privilege）の範囲よりも広いが、ディスカバリーにおいて秘匿特権の対象となる文書であっても、情報自由法において不開示事項とならないことはありうるとされている。宇賀克也「アメリカの行政手続」行政手続法の理論（東京大学出版会）一八二頁参照）、仮にかかるケースがないとしても、行政機関情報公開法または情報公開条例に基づく開示請求の実質的な決定権者と、聴聞担当部局とが同一でない場合には、聴聞手続において閲覧請求を拒否した文書であるにもかかわらず、情報公開条例によって開示され、当該聴聞手続において当事者等により利用されてしまうという可能性が抽象的には存在する。

事実、アメリカでは、情報公開担当職員（public information officer）が情報自由法の不開示文書を誤って開示してしまった例が存在するし、情報公開担当職員は、通常、情報自由法の趣旨に忠実に可能な限り広く情報を開示しようとする傾向があるため、裁決手続で当事者等と対峙する政府弁護士（government counsel）との間で、開示の範囲について意見が対立することが稀でないといわれている（宇賀克也・行政手続法の理論（東京大学出版会）一七三頁参照）。もっとも、わが国では、一般的にいって、行政機関情報公開法または情報公開条例に基づく開示請求の決定権者は、形式的には各行政機関の長または各実施機関とされており、実質的には当該公文書の所管課長であるので、かかる事態は生じないと思われるが、統一窓口所管課長（情報公開課長）が決定権者と定められている場合には、聴聞担当部局としては開示すべきでないと考える文書等が統一窓口所管課長（情報公開課長）によって開示されるという可能性は絶無とはいえない。

ただし、かかる場合においても、統一窓口所管課長（情報公開課長）は、聴聞担当部局の意向を打診し尊重することになると思われるので、聴聞担当部局の意に反して情報公開条例のルートで文書等が開示されるという事態は、容易には想定されない。

しかし、同一の資料が複数の部局で所有されているような場合には、行政機関情報公開法または情報公開条例に基づいて、聴聞担当部局以外の部局が保持している文書等の開示が請求され、そのため、統一窓口所管課長（情報公開課長）が聴聞担当部局の意見を聴くことなく、当該情報を開示する可能性は皆無とまではいえないと思われる。

アメリカにおいては、行政手続の当事者である私人が情報自由法を利用して係属中の行政手続における攻撃防御のために必要な資料を入手しようとすることに対して行政庁の不満が強く、係属中の行政手続に関連する記録を情報自由法を用いて開示請求することを禁止する法案が提出されたり、アメリカ合衆国行政会議（詳しくは、宇賀克也・アメリカ行政法〔第二版〕〔弘文堂〕二六六頁以下参照）が、行政手続の当事者がディスカバリーの目的で情報自由法を利用する場合には、その請求を行うことを、当該行政手続で行政庁を代表する政府弁護士に告知することを義務づけ、この告知を怠った場合には、行政庁はディスカバリーを拒否できるようにすべきことを勧告したこともあるが（宇賀克也・行政手続法の理論〔東京大学出版会〕一七〇頁参照）、わが国において、かかる措置を検討する必要性は、少なくとも現段階ではないであろう。

聴聞手続の当事者等としては、自分を名あて人として不利益処分を行おうとしている行政庁が文書等の閲覧請求に公正かつ十分に対応したか否かに疑問をいだき、行政機関情報公開法または情報公開条例を用いてこの点を確認したいと考える場合がありうるし、とりわけ、行政手続法一八条一項の場合には、「当該事案についてした調査の結果に係る調書その他の当該不利益処分の原因となる事実を証する資料」という限定がなされているため、この要件が狭く解釈されると、実際には、聴聞手続の当事者等にとって有益な情報であっても、閲覧が認められず、行政機関情報公開法または情報公開条例に基づく開示請求に依存せざるをえないという状況も想定される。したがって、行政手続法の文書等閲覧請求制度と行政機関情報公開法または情報公開条例に基づく開示請求制度の並行利用は許容されるべきと思われる。

もっとも、情報公開条例も存在しない地方公共団体がなお存在する状況において（平成二九年一〇月一日現在、情報公開条例は都道府県ではすべて、市区町村では一七四一団体中、二団体を除き情報公開条例を制定済みであったが、一部事務組合・広域連合では一五七三団体中、情報公開条例を制定していたのは八七八団体であった）、同一の法律の規定に基づく処分につき、情報公開条例を有する地方公共団体の住民のみが、当該行政手続に関連する文書等閲覧請求の目的で情報公開条例を利用しうるとすることには、疑問もあるかもしれないが、行政手続法施行前においても、情報公開条例を有する地方公共団体の住民のみが、行政手続において利用する目的で関連文書の開示を請求する権利を有していたのであり、行政手続法の施行後は、聴聞手続における文書等閲覧請求権の保障により、情報公開条例を有する地方公共団体と有しない地方公共団体の住民間の不利益処分関連情報へのアクセスのギャップは縮小することになるのである（弁明の機会の付与の手続については、行政手続法は文書等閲覧請求権を保障していないが、情報公開条例を有する地方公共団体の住民は、その条例を用いて、不利益処分関連情報の開示を請求しうるのに対して、情報公開条例を有しない地方公共団体の住民にはそれができないので、自己の権利利益を防御するための情報へのアクセスについての情報公開条例所有団体と非所有団体間のギャップは、聴聞の場合よりも弁明の機会の付与の場合の方が一般的にいって大きくなる。）。なお残るアンバランスに関しては、両制度の並行利用を否定することによってではなく、情報公開条例の制定の一層の推進によって解消するよう努力すべきと思われる。

行政手続法の文書等閲覧請求制度の導入により、行政機関情報公開法または情報公開条例に基づく開示請求との並行利用の問題が発生するにとどまらず、個人情報の保護に関する法律に基づく自己情報開示請求との並行利用の問題も生じうる。この自己情報開示請求制度は、主観的情報開示請求制度としての性格を有する（この三者を情報開示制度という観点から考察するものとして、芝池義一「情報管理行政論―情報開示制度を中心として」室井力＝原野翹＝福家俊朗＝浜川清(編)・現代国家の公共性分析〔日本評論社〕一三四頁以下参照）。

以上検討してきたように、行政手続における文書等閲覧請求制度と行政機関情報公開法または情報公開制度とは別個の制度ではあるが、共通の目的で利用されることもあり、相互に密接な関連を有する。

聴聞の主宰

不利益処分に関して、注目に値する規定としては、聴聞主宰者に関するものもあげられよう。なぜならば、わが国では、すでに国家行政運営法案一三条六項、国家行政運営法案要綱（試案）一六において、聴聞を主宰する職員は、聴聞の原因となった処分に関係のない職員をもってあてなければならないと規定されていたにもかかわらず、従前、行政審判手続を除けば、聴聞を主宰する職員の公正性については、ほとんど考慮が払われてこなかったからである。

行政手続法一九条一項は、「聴聞は、行政庁が指名する職員その他政令で定める者が主宰する。」と規定している。第三次行革審要綱案第一七では、「聴聞は、行政庁又はその指名する職員が主宰するものとすること。」と定められていたが、行政手続法一九条一項は、行政庁が指名する職員が聴聞を主宰するのが原則であるということ、換言すれば、処分庁と聴聞主宰者の分離が原則であることを示すため、表現を変えている。しかし、行政庁が自らを指名することを排除する趣旨ではないので、行政庁自身が聴聞を主宰することはありうる。政令で定める者としては、行政手続法施行令三条が、「法令に基づき審議会その他の合議制の機関の答申を受けて行うこととされている処分に係る聴聞にあっては、当該合議制の機関の構成員」（一号）、「保健師助産師看護師法（昭和二十三年法律第二百三号）第十四条第二項の規定による処分に係る聴聞にあっては、准看護師試験委員」（二号）、「歯科衛生士法（昭和二十三年法律第二百四号）第八条第一項の規定による処分に係る聴聞にあっては、歯科衛生士の業務に関する学識経験を有する者」（三号）、「医療法（昭和二十三年法律第二百五号）第二十三条の二、第二十四条第一項、第二十四条の二、第二十八条又は第二十九条第一項若しくは第二項の規定による処分に係る聴聞にあっては、診療に関する学識経験を有する者」（四号）を規定している。

なお、行政手続法一九条一項の「行政庁が指名する」という部分は、「職員」のみならず、「その他政令で定める者」にもかかるのであり、行政手続法施行令三条で規定されている者についても、行政庁の指名を受けて初めて主宰者となりうることに留意が必要である。

同条二項は、第三次行革審要綱案が聴聞規則事項に予定していた聴聞主宰者の除斥事由を法定している。このことは、聴聞主宰者の公正の問題への地味ではあるが、貴重な一歩を進めるものといえよう。なお、当該不利益処分案件について調査した職員をその事案において聴聞主宰者の除斥事由とすることも検討の余地があり、第一二六回国会における行政手続法案の衆議院本会議における趣旨説明に対する質疑においても、この問題が取り上げられている（平成五年六月八日第一二六回国会衆議院会議録第三二号四頁）。かかる職能分離についての注目すべき裁判例がある。公安委員会から店舗型性風俗特殊営業の廃止命令および浴場業の停止命令を受けた原告が、これらの処分の取消訴訟を提起した事案において、当該処分前の聴聞手続を主宰した者が、警察署長として原告に係る捜査を指揮し、当該処分の原因となる事実に関する証拠を収集し、当該処分をすべき旨を上申していたことに鑑み、金沢地判平成二六・九・二九判例自治三九六号六九頁は、当該処分に至る過程で本件に密接に関与していた者は、聴聞主宰者となる資格を有さず、かかる者が聴聞を主宰したことは重大な瑕疵であり、処分の実体的な適否にかかわらず、当該処分は取り消されるべきと判示した。しかし、その控訴審の名古屋高金沢支判平成二七・六・二四判例自治四〇〇号一〇四頁は、行政手続法は、聴聞の審理経過を記載した調書の作成等を義務づけ、文書等閲覧請求権や告知聴聞の手続を保障し、手続的公正を担保しているので、上記のような者が聴聞を主宰しても、法の趣旨を没却するような重大な違法があるとは認められないとして、一審判決を取り消している。（なお、行政審判手続に関するものではあるが、東京高判平成六・二・二五判時一四九三号五四頁は、排除勧告時に審査部長であった者が、当該事件の審決にも加わっていたことを理由として、公正取引委員会の審決を取り消している。同判決は準司法的手続を念頭に置いているが、行政手続法の聴聞についても、憲法上のデュープロセスの要請として、職能分離が要求されると解される余地がないわけではない）。また、特許法一四一条一項、公害紛争処理法四二条の四第一項のように当事者の忌避申立権を保障した規定はないので、当事者からの忌避申立てがあっても、行政庁は、これにつき決定する義務を負わないが、主宰者として指名された職員が、行政庁の許可を得て除斥事由以外の理由により回避することが許されないわけではないと思われる。

なお、福岡県聴聞及び弁明の機会の付与の手続に関する規則三条一項は、「聴聞は、総務部行政経営企画課長又はその指名する同課の職員が主宰する。」と規定しており、聴聞主宰者を処分担当部局から分離し一元化している点が注目される（詳しくは、平田百合「福岡県行政手続条例」時の法令一五二二号六八頁参照）。

口頭による意見陳述権の保障

主宰者は、最初の聴聞の期日の冒頭において、行政庁の職員をして、予定される不利益処分の内容および根拠となる法令の条項ならびにその原因となる事実を聴聞の期日に出頭した者に対し説明させなければならない（二〇条一項）。当事者または参加人は、聴聞の期日に出頭して、意見を述べ、および証拠書類等を提出し、ならびに主宰者の許可を得て行政庁の職員に対し質問を発することができる（二〇条二項）。聴聞と弁明の機会の付与との大きな相違は、後者では基本的に書面主義がとられており、口頭により意見を述べる機会が当事者等に保障されていないのに対して、前者では、口頭による意見陳述権が保障されていることにある。

陳述書等の提出

当事者または参加人は、必ず聴聞の期日に出頭しなければならないわけではなく、出頭に代えて、主宰者に対し、聴聞の期日までに陳述書および証拠書類等を提出することができ（二一条一項）、この場合、主宰者は、聴聞の期日に出頭した者に対し、その求めに応じて、二一条一項の陳述書および証拠書類等を示すことができる。

主宰者の釈明権の行使

主宰者は、聴聞の期日において必要があると認めるときは、当事者もしくは参加人に対し質問を発し、意見の陳述もしくは証拠書類等の提出を促し、または行政庁の職員に対し説明を求めることができる（二〇条四項）。この規定は、主宰者に不利益処分を課すための調査権限を付与しているように読めなくもないが、かかる趣旨でないことは明らかである。すなわち、主宰者は、不利益処分を課そうとする行政庁の職員と不利益処分の名あて人となるべき当事者との間に立って、中立的立場で、双方の言い分を聞き、行政庁がした事実認定が妥当か否かを判断するのであり、不利益処分を課すための調査は、本来、当該行政庁の職員が聴聞開始前に終えているべきものである。もっとも、聴聞開始後も調査を継続することが禁じられるわけでは必ずしもないが、それは調査担当職員が行うことであり、主宰者が行うべきことではない。したがって、二〇条四項により、主宰者が、当事者または参加人に対し、意見の陳述または証拠書類等の提出を促すのは、これらの者に自己に有利な意見、証拠書類等を出すように促すものと解すべきは当然である。

当事者または参加人が不出頭の場合

主宰者は、当事者または参加人の一部が出頭しないときであっても、聴聞の期日における審理を行うことができる（二〇条五項）。もし、当事者の全部もしくは一部が正当な理由なく聴聞の期日に出頭せず、かつ、出頭に代えて陳述書もしくは証拠書類等を提出しない場合、または参加人の全部もしくは一部が聴聞の期日に出頭しない場合には、これらの者に対し改めて意見を述べ、および証拠書類等を提出する機会を与えることなく、聴聞を終結することができる（二三条一項）。

当事者の場合には、正当な理由がないことが要件となっているが、参加人については、そうではない。当事者と参加人は、基本的に同様の手続的権利を保障されているが、この点に関しては、両者の手続的権利保障に差を設けている。

参加人と異なり、当事者については、聴聞の期日に出頭しえないことにつき、正当な理由がある限り、主宰者は、改めて意見を述べ、および証拠書類等を提出する機会を与えることなく、聴聞を終結することはできないのであるが、これらの者の聴聞の期日への出頭が相当期間引き続き見込めないときは、これらの者に対し、期間を定めて陳述書または証拠書類等の提出を求め、当該期限が到来したときに聴聞を終結することができる（二三条二項）。ここでいう期限は、具体の状況に応じて、陳述書または証拠書類等の提出を準備するのに必要な合理的期限でなければならない。かかる期限内に陳述書または証拠書類等が提出されなかったときは、公益上必要とされる不利益処分を過度に遅延させないために、当該期限が到来したときに聴聞を終結させることもやむをえないであろう。

審理非公開原則

聴聞の期日における審理は、行政庁が公開することを相当と認めるときを除き、公開しないこととされている（二〇条六項）。行政審判手続が審理公開を原則としているのに対して、行政手続法の聴聞は、原則非公開としているわけで、この点については、同法一条の行政運営における透明性の向上という目的に照らし、批判もあるところである。

しかし、アメリカの経験に鑑みても、聴聞を非公開とした決定が争われるよりも、公開とした決定が争われる方が多いのであり、当事者の多くは、聴聞の公開によるプライバシー侵害等を懸念している。もし、当事者の意思に反して、聴聞を公開とした場合、当事者は、プライバシー侵害等を回避するために聴聞の機会を放棄して、行政指導に従わざるをえなくなる場合も考えられる。したがって、原則非公開としつつ、行政庁の裁量で公開とするという立法政策は、必ずしも批判されるべきではないと思われる。ただし、当事者から公開要求が出され、第三者のプライバシー侵害等の心配もないときは、行政庁としても広く公開を認める運用をすることが望まれよう。

聴聞調書および報告書

聴聞と弁明の機会の付与との大きな相違点としては、口頭意見陳述権の保障の有無、文書等閲覧請求権の保障の有無のほかに、意見の聴取の記録を尊重した決定の保障の有無があげられる。すなわち、主宰者は、聴聞の審理の経過を記載した調書を作成し、当該調書において、不利益処分の原因となる事実に対する当事者および参加人の陳述の要旨を明らかにしておかなければならず（二四条一項）、また、聴聞の終結後速やかに、不利益処分の原因となる事実に対する当事者等の主張に理由があるかどうかについての意見を記載した報告書を作成し、聴聞調書とともに行政庁に提出しなければならない（二四条三項）。

ここでいう「当事者等」とは、一八条一項で定義されているように、「当事者及び当該不利益処分がされた場合に自己の利益を害されることとなる参加人」のことである。すなわち、当事者が不利益処分を受けることによって利益を受ける参加人は含まれていない。

そして、行政庁は、不利益処分の決定をするときには、この調書の内容および報告書に記載された主宰者の意見を十分に参酌してこれをしなければならないこととされている（二六条）。そして、聴聞の記録を尊重した決定を保障する以上、行政庁は、聴聞の終結後に新たな証拠が発見された場合であっても、聴聞を経ない証拠を基礎として、決定すべきではないことになる。そこで、二五条は、かかる場合には、行政庁は主宰者に対し、聴聞調書および報告書を返戻して聴聞の再開を命ずることができることとしている。聴聞手続をいかに整備しても、行政庁が聴聞主宰者の判断とまったく独立に不利益処分の決定をすることが認められるのであれば、聴聞の意義は大きく損なわれることになる（他方、行政庁が主宰者の判断に拘束されるとすることには、行政組織法理論上疑義があり、「十分に参酌」とは、聴聞調書、報告書にかかる効果まで認める趣旨ではない）。二四条ないし二六条は、かかる事態を防止しようとするもので、聴聞手続の中で、きわめて重要な意義を有している。

このように、重要な意味を持つ聴聞調書と報告書であるから、当事者または参加人は、その閲覧を求めることができる（二四条四項）。そして、意見があれば、申出をして、訂正を促すことができる。もっとも、その申出をいれるか否かは、主宰者の裁量に委ねられており、訂正請求権まで保障されているわけではない（仙台市行政手続条例二二条五項は、訂正請求権を認めている）。なお、このようになんらかの方法で意見を聴取した記録の閲覧請求権を認めている例としては、公害紛争処理法施行令一五条の三（記録の閲覧）がある。

事前手続との関係

事前手続が整備されている場合、行政上の不服申立手続との関連をどのように考えるべきかは、重要な論点である。旧行政手続法二七条二項は、聴聞を経てされた不利益処分については、当事者および参加人は、旧行政不服審査法による異議申立てをすることができないこととしていた。旧行政不服審査法による異議申立ては、処分庁に対する不服申立てであり、不利益処分を行う行政庁と同一の行政庁が判断するのであるから、処分庁が事前に聴聞という慎重な手続をとっている以上、事後に異議申立てをさせても、それが認容される可能性は乏しく、実益がほとんどない手続を行うことによる行政庁の負担を考慮すると、これを認めないこととして差し支えないと考えられたのである。なお、個別法で訴訟提起につき異議申立前置主義がとられているケースについて聴聞が行われている場合には、異議申立前置の規定を削除するという立法政策もありえないわけではなかったが、整備法において、旧行政手続法二七条二項の規定の適用を排除する方針がとられていた。

平成二六年、「行政不服審査法の施行に伴う関係法律の整備等に関する法律」による行政手続法の改正で、この二七条二項の規定は削除されることになった。その理由は、基本的な不服申立類型が審査請求に一元化され、処分庁に対する不服申立ても原則として審査請求になったが（例外的に再調査の請求が認められる場合がある。）、処分庁に対する審査請求であっても、審理員制度および行政不服審査会等への諮問制度の導入により、公正中立性が向上したので、処分庁が事前に聴聞を行ったとしても、処分庁に対する審査請求で結論が変わる可能性は低いとはいえず、行政コストの関係から処分庁に対する審査請求を認めないことには合理的理由があるとはいえないからである（宇賀克也・Q＆A新しい行政不服審査法の解説〔新日本法規〕二五〇頁、同・行政不服審査法の逐条解説〔第二版〕〔有斐閣〕三四二頁、同・解説　行政不服審査法関連三法〔弘文堂〕一九一頁）。

付随的処分についての審査請求制限

聴聞の過程で行われる付随的処分またはその不作為についても、行政不服審査法による審査請求は認められない（行政手続法二七条）。たとえば、ある者が、行政手続法一七条一項にいう関係人であると主張して、参加の許可を求めたところ、不許可決定がされたり、当事者が本法一八条一項に基づき文書等閲覧請求をしたところ、第三者のプライバシーを侵害するという理由で不許可処分がされたりという場合、これらは聴聞の過程でなされる中間的付随的なものであり、それらに対して審査請求を認めなくても、最終的処分を争うことができるのであるから、権利保護がまったくなされないということには必ずしもならない。

審査請求適格や原告適格を有するにもかかわらず、参加が不許可とされた関係人は、不利益処分がされた段階で、当該不利益処分がされたことにより自己の権利利益を害されることを主張して、審査請求をしたり、取消訴訟を提起したりすることができる。逆に、不利益処分により利益を受ける関係人は、参加できなかったとしても、不利益処分がなされたのであるから、参加できなかったことによる実害はなかったことになる。

もっとも、不利益処分を課さないという決定がされたときは、この決定の処分性が否定されると思われるので、不利益処分により利益を受ける関係人としては、この段階で争うことはできず、参加不許可処分を争わせるべきではないかという考えもありうるが、かかる関係人の利益は、不利益処分を課そうとする行政庁によりおおむね代弁されていると思われるので、参加不許可処分に対する不服申立てを認める必要性は必ずしも大きいとはいえないと考えられた（現在では、不利益処分の発動を求める非申請型［直接型］義務付け訴訟を提起することも考えられる。行政事件訴訟法三条六項一号）。また、後述するように、平成二六年の行政手続法改正で設けられた三六条の三の規定に基づき、不利益処分の求めをすることもできる。

また、文書等閲覧請求が拒否された当事者等は、それが違法または不当と考えるときには、不利益処分に対する不服申立てや取消訴訟において、文書等閲覧請求拒否の違法または不当（取消訴訟では違法のみ）を主張することができる。

他方、かかる中間的付随的処分に対しても審査請求を認めうることとした場合、手続の遅延、行政事務負担の増大等のマイナスが生じうる。二七条一項は、中間的付随的処分に審査請求を認めることのメリットとデメリットを比較衡量して、審査請求を否定するという立法政策をとったのであり、それは、妥当と思われる。

なお、かかる中間的付随的処分に対しては取消訴訟も禁ずる趣旨と解すべきであろう。ただし、文書等閲覧請求に対する開示決定がなされた場合、それにより不利益を受ける第三者は、開示決定自体の取消訴訟が認められないと、開示決定の違法を主張する法的ルートが、事後の国家賠償請求以外にないことになる。したがって、この場合には、例外的に、取消訴訟の提起を認めてよいと思われる。それでは、この場合の第三者は、開示決定に対して審査請求をできるのであろうか。行政手続法二七条一項の文理上は、この場合にも、審査請求は認められないように読める。しかし、行政手続法二七条一項の立法趣旨が、中間的付随的処分やその不作為を争わせなくても、最終的処分やその不作為を争わせれば足りるということにある点に照らすと、第三者にとって、開示決定は、中間的付随的処分とはいえず、最終的処分であるから、行政手続法二七条一項の規定は適用されないという解釈も可能である。

㈢　弁明の機会の付与

弁明の機会の付与は、聴聞よりインフォーマルな手続であり、基本的に書面主義がとられている。名あて人は、弁明書や証拠書類等を提出することができるが、口頭による意見陳述権は保障されていない。ただし、行政庁が口頭ですることを認めたときには口頭で意見を述べることができる（二九条）。行政不服審査法三一条一項では、審査請求人または参加人の申立てがあったときは、審理員は、口頭で意見を述べる機会を与えなければならないとされているのに対し、弁明の機会の付与の場合には、口頭による意見陳述を認めるか否かは、行政庁の裁量に委ねられているのである。

行政庁は、弁明書の提出期限（口頭による弁明の機会の付与を行う場合には、その日時）までに相当な期間をおいて、不利益処分の名あて人となるべき者に対し、①予定される不利益処分の内容および根拠となる法令の条項、②不利益処分の原因となる事実、③弁明書の提出先および提出期限（口頭による弁明の機会の付与を行う場合には、その旨ならびに出頭すべき日時および場所）を書面により通知しなければならない（三〇条）。不利益処分の名あて人となるべき者の所在が判明しない場合の公示送達の規定（一五条三項）、代理人に関する規定（一六条）は、弁明の機会の付与に準用されている（三一条）。なお、整備法においては、弁明の機会を付与するに際し、口頭主義を原則とする特例が認められている場合がある（仲正・行政手続法のすべて〔良書普及会〕六五頁）。聴聞と弁明の機会の付与は、不利益の程度の大小を基準として振り分けられているが、不利益の程度の大小と関係人の範囲の有無は必ずしも一致するわけではなく、弁明の機会の付与であっても関係人が存在するというケースは少なくない。行政手続法三一条は一七条の規定を準用していないが、行政庁が職権で関係人から意見を聴取したり、関係人からの意見書を参考にしたりすることは否定されているわけではないし、そのような運用は望ましいといえよう。

弁明の機会の付与の場合には、行政庁は弁明に対して逐一応答する義務はないが、弁明書、証拠書類等に目を通し、これにつき判断を加えることは必要である。行政庁がかかる判断をすることを制度的に担保するものとして考えうるのは理由の提示である。たとえば、アルコール依存症であることが免許停止の要件となる法律があったと仮定し、弁明の機会の付与の通知において、不利益処分の原因となる事実として、アルコール依存症であることと記載されていたとする。これに対し、アルコール依存症ではないという医師の診断書をつけて弁明がなされた場合、行政庁がこの弁明を聞きいれずに免許停止処分をするためには、弁明の機会の付与の通知に記載した「アルコール依存症である」という理由を提示するだけでは不十分と思われる。右のような弁明書、証拠書類等が提出された以上は、名あて人となるべき者が提出した診断書より行政庁側の診断の方が信用できることの理由を提示すべきと思われる。

なお、第一臨調草案においては、弁明手続という表現が用いられていたが、第二次研究会要綱案では、弁明の機会の付与という表現が使われている（〇四〇一条）。「聴聞を行う」というのは、行政庁が名あて人となるべき者の意見を聴くということであり、「弁明を行う」というのは、名あて人となるべき者が行政庁に対して意見を述べるということであるから、両者は反対方向の表現ということになる。聴聞に方向をあわせると弁明の機会の付与という表現になる。したがって、もし名あて人となるべき者を主体として弁明手続という表現を用いる場合には、厳密には、聴聞手続や意見の聴取手続という表現の方もこれに応じて変える必要があると思われる。

5 行政指導

総　説

わが国は、世界で初めて、行政手続法の中で行政指導に関する実体的・手続的規律を正面から行うこととなった。処分手続のみを規制したのでは、かえって、行政指導への逃避を助長するおそれがあり、行政手続法四章は、かかる事態への対応としての意味も持っているといえよう。ちなみに韓国では、行政手続（行政節次）法が制定されたが、同法六章では、行政指導についての規定を設けている（詳しくは、尹龍澤「韓国の行政手続法」ジュリスト一一一四号九五頁以下、同「韓国行政手続法の主要内容と特色について」塩野宏先生古稀記念『行政法の発展と変革・上巻』（有斐閣）六三七頁以下、崔祐溶「現代行政手続と自治体行政手続の法理――日韓行政手続法の比較と自治体行政手続条例の法理を中心に――」早稲田法学七三巻四号一頁以下参照）。また、台湾の行政手続（行政程序）法六章においても、行政指導に関する規定が盛り込まれている（詳しくは、王萱琳「中華民国における行政手続法制定及び行政争訟二法改正㈠」六甲台論集四六巻三号二四五頁以下参照）。わが国の行政手続法は、行政指導をも規律する新しいタイプの行政手続法のひとつのモデルを示したものともいえよう。

実体的規律

四章は、行政指導について六つの条文を置いている。三二条から三四条までは実体的規律であり、法律による行政の原理からすれば、当然ともいえることが書かれているが、行政の実態においては、必ずしもこの原理が貫徹していない現実に鑑み、行政指導の限界を確認したものである。

行政指導の一般原則

三二条一項は、「行政指導にあっては、行政指導に携わる者は、いやしくも当該行政機関の任務又は所掌事務の範囲を逸脱してはならないこと及び行政指導の内容があくまでも相手方の任意の協力によってのみ実現されるものであることに留意しなければならない。」と規定している。このことは、行政指導の定義自身からも明らかである。すなわち、二条六号で定義されているように、行政指導は、行政機関がその任務または所掌事務の範囲内で行うものであるから、その範囲を逸脱すべきでないことは当然であるし、行政指導は「一定の作為又は不作為を求める指導、勧告、助言その他の行為であって処分に該当しないものをいう。」と定義されているのであるから、法的拘束力はなく、相手方の任意の協力によってのみ実現されるものであるということも、自明といえる。

三二条二項は、「行政指導に携わる者は、その相手方が行政指導に従わなかったことを理由として、不利益な取扱いをしてはならない。」と定めている。それでは、行政指導に従わなかったことを公表することは、ここでいう「不利益な取扱い」になるのであろうか。公表が制裁目的のものと理解される場合には、たしかに、行政手続法三二条二項の精神に反することになろう。しかし、情報提供のためのものとして位置づけられる場合には、同条項との正面からの衝突は避けうることになる（制裁目的の公表となると、法律や条例の根拠なしに行うことはできないと考えられる）。もっとも、情報提供のための公表であっても、事実上、制裁機能を有することは否定しがたい。〇－一五七事件において、大阪地判平成一四・三・一五判時一七八三号九七頁も、情提提供を目的とする公表について、相手方に反論の機会を一切与えなかったことは、手続保障の観点から正当性の問題が残ることを指摘している（宇賀克也・情報公開と公文書管理〔有斐閣〕二四〇以下）。行政指導に従わないことを理由とする公表は安易に行われるべきではなく、また、その必要性が肯定される場合にも、制裁を主目的とするような運用は避けるべきであろう。

国民生活安定緊急措置法六条三項は、同条二項の指示に従わなかったときは、その旨を公表することができるとし、同法七条二項は、同条一項の規定による指示に正当な理由なく従わなかったときは、その旨を公表することができるとしている。これらの勧告や指示は、行政指導であるから、それに従わなかったからといって、その旨を公表することは、不利益な取扱いで、行政手続法三二条二項の趣旨と抵触しないかが問題となるが、立法者は、かかる場合の公表は、「不利益な取扱い」にはあたらないという立場をとっている（第三次行革審要綱案の解説4（行政指導）第二六（不当な取扱いの禁止））。

なお、法律に基づいて直ちに不利益処分をなしうる場合に、そうせずに、行政指導というソフトな手段で相手に改善を求め、それに応じなかったため、不利益処分を行うことは、ここでいう「不利益な取扱い」ではない。かかる場合には、直ちに不利益処分を行うことも可能であったのであり、行政指導を介在させる必要はそもそもなかったのである。したがって、相手方が不利益処分を課せられたのは、法令に違反したからとみるべきであり、行政指導に従わなかったことが根本的原因ではない。もし、かかる場合まで、行政手続法三二条二項違反とすれば、法律に基づき直ちに不利益処分をなしうるときには、行政指導により相手方の自発的遵守を促すことができなくなり、かえって国民にとって不利益な結果をもたらすことが多くなるであろう。

また、法律自身が、法令違反に対して直ちに不利益処分を課すこととせずに法定の行政指導を前置させている場合にも、行政指導が遵守されず、不利益処分に移行することが、行政手続法三二条二項に違反しないことは当然である（なお、前述の国民生活安定緊急措置法六条二項、七条一項の指示の場合には、法令違反が前提となっていない点で、法令違反を前提とした行政指導とは異なることになる。）。

行政手続条例の中には、行政指導に従わない場合の公表について定めているものが少なくないが、佐賀県行政手続条例三一条二項のように事前に意見を述べる機会を与えているものとそうでないものがある。また、神奈川県行政手続条例三〇条二項のように、他の条例で定める場合に限って、公表をなしうるとしているものもある。

申請と関連する行政指導

わが国の行政指導は、申請との関連でなされることが多いが、かかる行政指導の中には、申請権を侵害しているという批判がなされるものも存在する。そこで三三条で、「申請の取下げ又は内容の変更を求める行政指導にあっては、行政指導に携わる者は、申請者が当該行政指導に従う意思がない旨を表明したにもかかわらず当該行政指導を継続すること等により当該申請者の権利の行使を妨げるようなことをしてはならない。」と規定している。

これは、最判昭和六〇・七・一六民集三九巻五号九八九頁を基礎としたものである。この事件では、品川区でマンションの建築確認申請がなされたところ、日照、通風等の被害を理由に周辺住民が反対運動を起こしたため、周辺住民との紛争を回避するための行政指導が行われ、その間、建築確認を留保したが、結局、周辺住民と業者との話し合いもつき、建築確認もなされている。しかし、当該業者は、建築確認が遅れたことによって生じた損害の賠償を求める訴訟を提起したのである。前掲最判昭和六〇・七・一六は、このようなケースについて、建築確認の留保が違法となるのはどういう場合かについての一般的な判示を行っている。

右最高裁判決は、地域の生活環境の維持や向上のために、建築主に対して、建築計画の変更等を求める行政指導を行うこと自体は否定していない。また、その行政指導に相手が任意に従っている場合には、行政指導が功を奏することを期待して、社会通念上合理的と認められる期間、建築確認を留保しても、直ちに違法とはいえないとする。しかし相手方が確認処分を留保されたままでの行政指導には従わないという意思を真摯かつ明確に表明した場合には、特段の事情がない限り、当該行政指導を理由に建築確認を留保することは違法となると判示している。本件の場合には、建築主が建築審査会に対して審査請求をしているが、それによって、行政指導にはもはや協力できないとの真摯かつ明確な意思表明があったと最高裁判所は認定している。

ただし、最高裁判所は、かかる意思表明があれば、それ以後の建築確認の留保が常に違法になると述べているわけではなく、一定の留保を付している。すなわち、「当該建築主が受ける不利益と右行政指導の目的とする公益上の必要性とを比較衡量して、右行政指導に対する建築主の不協力が社会通念上正義の観念に反するものといえるような特段の事情が存在しない限り、行政指導が行われているとの理由だけで確認処分を留保することは、違法である。」と判示しているのである。

最高裁判所のかかる立場は、他のケースにおいても、一貫しているとみることもできる。建築確認取得後に建築主と周辺住民との間に紛争が生じたため、中野区長が、建築資材を建築現場に搬入する車両の特殊車両通行認定を留保し、その間、紛争解決のための行政指導を行ったケースで、建築主は、旧行政不服審査法による異議申立てを二回行っているが、一回目は、昭和四八年九月一〇日に提起されている。しかし、最判昭和五七・四・二三民集三六巻四号七二七頁は、それ以後、昭和四九年一〇月一九日に特殊車両通行認定が行われるまでの間、行政指導を継続して特殊車両通行認定を留保したことを違法としていない。

そうすると、この判決と前掲最判昭和六〇・七・一六は、行政指導を継続して許認可等を留保することが違法となる基準について、異なった判断をしているようにもみえるが、前掲最判昭和六〇・七・一六も、審査請求提起後の建築確認留保が直ちに違法になると判示しているわけではなく、前記のような留保を付しており、当該事案では、かかる特段の事情はないと判断したのである。前掲最判昭和五七・四・二三は、前掲最判昭和六〇・七・一六のような判断基準を明示しているわけではないが、具体の状況下で、前掲最判昭和六〇・七・一六のいう特段の事情が存在していたと認定したとみることもできる。

すなわち、同判決は、特殊車両通行認定を留保しなかったとしたら、周辺住民と建築主の間に実力による衝突の危険があったという区長の判断を是認しているので、前掲最判昭和六〇・七・一六の場合よりも、行政指導の必要性が大きい事案であったとみることができる。そうすると、異議申立て後も、なお実力による衝突の危険が存在したので、認定留保を違法としない特段の事情があり、実力による衝突の危険が回避されて直ちに認定を行ったので、全体として違法でないと判示したとみることもできる。このように解すると、前掲最判昭和五七・四・二三と前掲最判昭和六〇・七・一六の間には、齟齬がないことになる。

また、最判昭和五六・七・一六民集三五巻五号九三〇頁は、豊中市の水道局職員が、給水装置工事申込みの受領を拒絶し、一年半以上の間、給水を拒否したことが水道法一五条一項に違反するとして、市に対する損害賠償請求がなされた事案で、申込書を返戻した措置は、申込みを最終的に拒否する旨の意思表示ではなく、建築基準法違反の状態を是正して建築確認を得た上で申込みをするよう一応の勧告をしたものにすぎないと判示しているが、この判決も、相手方が申請受領前の行政指導には従わないという意思を真摯かつ明確に表明した後においても、行政指導を継続して申請を受け付けないことを認める趣旨ではないと思われる。

このことは、同判決が、水道局職員による申請書の返戻を、建築確認を得た上で出直してくるようにとの行政指導と解した上で、この行政指導を受けた原告が、その後、一年半以上の間、なんらの措置をとらないまま、これを放置していたと認定していることから窺える。すなわち、この判決の認定によれば、原告は、行政指導に従わないとの真摯かつ明確な意思表示はしていないことになる。

この判決の立場に立っても、相手が申請受領前の行政指導には従わないという意思を真摯かつ明確に表明すれば、申請を受け付け、その諾否の応答をすべきことになろう。この事案で問題とされた給水拒否は、処分の留保ではなく、契約締結の留保ではあるが、行政指導を継続している間、かかる留保をすることが違法か否かについては、同様の判断基準を用いているとみることもできると思われる。三三条は、このような判例の趣旨、とりわけ、前掲最判昭和六〇・七・一六に沿ったものである。

三三条は、単に、申請者が当該行政指導に従う意思がない旨を表明した場合に、それ以後、行政指導を継続すること等により当該申請者の権利の行使を妨げるようなことをしてはならないと規定するのみであるが、この規定が、前掲最判昭和六〇・七・一六を変更する趣旨ではないことからすると、そこでいう「当該行政指導に従う意思がない旨」の表明は、真摯かつ明確になされたものであることが必要と解すべきであろう。また、明示されてはいないものの、相手方の不協力が社会通念上正義の観念に反するものといえるような特段の事情が存在する場合についての例外を否定する趣旨ではないと思われる。

行政手続条例の中には、この例外についての判示部分を明文で確認的に規定している例が多い（宇賀克也・自治体行政手続の改革〔ぎょうせい〕一五一頁）。また、神奈川県行政手続条例三五条のように、あわせて苦情の申出について定めている例もある。

許認可等の権限と関連する行政指導

三四条は、「許認可等をする権限又は許認可等に基づく処分をする権限を有する行政機関が、当該権限を行使することができない場合又は行使する意思がない場合においてする行政指導にあっては、行政指導に携わる者は、当該権限を行使し得る旨を殊更に示すことにより相手方に当該行政指導に従うことを余儀なくさせるようなことをしてはならない。」と定めている。「許認可等をする権限」とは、申請に対する処分をする権限である。したがって、申請に対して拒否処分をしえない場合であるにもかかわらず、拒否処分ができるといって、申請者に対して、申請の取下げや内容の変更を求める行政指導をすることは、三四条に違反することになる。「許認可等に基づく処分をする権限」とは、許認可等の取消し、停止等の権限である。したがって、取消事由に該当しないにもかかわらず、取消しをなしうると威嚇して行政指導に従わせようとすることも、三四条違反ということになる。

行政指導の明確化

三二条ないし三四条は、かかる明文の規定がなくても、法律による行政の原理、行政指導の定義、過去の最高裁判決によって当然に認められることを成文化したにすぎないともいえる。重要なのは、これらの規定が遵守されるかであるが、その最終的チェックは、裁判所に委ねざるをえない。アメリカにおいても、法定された行政手続を行政指導により回避しようとする誘因は強く、実際、かかる試みが少なからずなされてきたが、司法審査が、かかる傾向を抑止する上で大きな役割を果たしている。わが国の場合、事後的な国家賠償請求訴訟以外のルートで行政指導の違法を争うことは困難である（ただし、最判平成一七・七・一五民集五九巻六号一六六一頁は、医療法（平成九年法律第一二五号による改正前のもの）三〇条の七の規定に基づき都道府県知事が病院を開設しようとする者に対して行う病院開設中止の勧告の処分性を認めている。平成一六年の行政事件訴訟法改正により確認訴訟が当事者訴訟の一類型として明示されたことにより、行政指導の違法確認訴訟が認められるようになるかについては、今後の判例の動向を見守る必要がある）。そこで、行政手続法三五条一項は、「行政指導に携わる者は、その相手方に対して、当該行政指導の趣旨及び内容並びに責任者を明確に示さなければならない。」と定め、行政指導の不透明さに対する内外からの批判に応えるとともに、間接的に、違法または不当な行政指導を抑制しようとしている。同条の手続的規定は、四章の中心的位置を占めるということができる。

ただし、ここでは、行政指導自体を文書で行うことまでは要求されてはいない。このことは、三五条一項を同条三項と対比すれば明らかである。日米構造問題協議最終報告に対する日本側の措置についての平成二年六月二八日閣議了解においては、「行政指導は、可能な限り文書で行うこととし、それが行われた場合には、例えば、安全保障に係る場合、公表すれば営業秘密の漏洩等から生ずるような損害をもたらし又はそのおそれがある場合等公表しない有力な理由がある場合を除き、一般に知り得るようにする」ことを取り決めていた。

しかし、行政手続法三五条は、行政指導が多様であり、必ずしも書面にしなくても明確なものもあり、書面主義を原則とすることに伴う行政事務の増大にも配慮して、口頭による行政指導も許容することとし、その場合でも、行政指導を明確にすることが必要であることを明記した。もっとも、行政指導の内容を明確にするためには、書面にした方が望ましいことはいうまでもないから、三五条一項は書面主義をとるものではないが、可能な限り、かつ、過度に事務負担を増大させない限り、書面化した方が、三五条一項の趣旨によりよく適合するということはいえると思われる。なお、ここでいう「責任者」は、課の単位で行政指導の指針を定めたケースについては、当該課の課長になる。

平成二六年法律第七〇号の行政手続法改正により、行政指導に携わる者は、当該行政指導をする際に、行政機関が許認可等をする権限または許認可等に基づく処分をする権限を行使しうる旨を示すときは、その相手方に対して、①当該権限を行使しうる根拠となる法令の条項、②当該条項に規定する要件、③当該権限の行使が当該要件に適合する理由を示さなければならないこととされた（三五条二項）。

書面交付請求

三五条三項は、「行政指導が口頭でされた場合において、その相手方から前二項に規定する事項を記載した書面の交付を求められたときは、当該行政指導に携わる者は、行政上特別の支障がない限り、これを交付しなければならない。」と定めている。平成二六年の行政手続法改正により、書面交付請求の対象が広がり、三五条二項に掲げる事項についても対象になった。この規定は、行政指導の相手方に書面交付請求権を付与する趣旨とも解しうる。その場合には、公法上の当事者訴訟または民事訴訟で書面交付を請求できることになるが、不明確な行政指導には従わなければよく、また、行政指導に従わないと不利益処分その他の不利益な措置を受けるおそれがあるときには、処分差止訴訟または不利益な措置を受けない地位の確認訴訟の方がより直截な権利救済手段といえよう。したがって、書面交付請求訴訟が提起される可能性は低く、実際、そのような例は寡聞にして知らない。書面交付請求制度は、同条一項の規定する行政指導の明確化原則を担保する制度であり、また、かかる制度を設けることによって、恣意的行政指導を抑制する効果も期待できよう。行政指導が書面でされた場合においても、当該書面において、明確にされるべき事項のいずれかが不明確な場合には、それを明確にした書面の交付請求ができると解すべきであろう。交付される書面には、特段の形式は要求されておらず、公印が必要なわけではない。また、当該書面を交付するにつき、決裁の手続が不可欠なわけでもない。

問題は、この書面交付請求制度が適切に利用されるかである。行政指導に関する書面交付請求の制度は、わが国が初めて採用したユニークな制度であるが、これにより、違法または不当な行政指導を抑制することが、ある程度可能となると考えられる。もっとも、過去の施行状況調査によると、この制度に基づき書面交付がなされたケースは、きわめて稀である。しかし、書面交付請求がなされたため、問題のある行政指導が撤回される例（宇賀克也・行政手続・情報公開〔弘文堂〕四一頁参照）もあり、また、書面交付請求制度の存在自体が違法な行政指導を抑止している面もあると思われるので、書面交付の実例が稀であることから、この制度がほとんど機能していないという結論を直ちに導くことには慎重でなければならないといえよう。また、書面交付請求制度の活用のためには、行政手続法の趣旨内容の周知徹底を図り、公務員のみならず、国民の側の意識も変化することが期待される。

なお、三五条三項の「行政上特別の支障がない限り」は、「正当な理由がない限り」よりも交付拒否事由を制限する趣旨で選択された用語であり、例外を安易に認めないという趣旨である。

三五条四項は、①相手方に対してその場において完了する行為を求める行政指導、②すでに文書（同条三項の書面を含む。）または電磁的記録（電子的方式、磁気的方式その他人の知覚によっては認識することができない方式で作られる記録であって、電子計算機による情報処理の用に供されるものをいう。）によりその相手方に通知されている事項と同一の内容を求める行政指導については、同条三項の規定は適用しないこととしている。平成一四年一二月に成立した「行政手続等における情報通信の技術の利用に関する法律」（令和元年の改正により、法律名が「情報通信技術を活用した行政の推進等に関する法律」に変更された）により、行政指導の通知をオンラインで行うための法律上の制約が除去されたため、同法の施行に伴う整備法で行政手続法が改正され、「電磁的記録」に関する記述が追加された。

修正申告の慫慂

第三次行革審要綱案注記四においては、行政指導の方式に関する規定の適用に関しては、書面交付が当該業務全体の遂行上真に支障となる特別の事情が存すると認められる業務については、個別法において特例を設けることを妨げないものとすることと述べられている。これは、租税の賦課徴収に関する行政指導、とりわけ、修正申告の慫慂を念頭に置いたものであった。すなわち、第三次行革審要綱案第三3（五）では、「租税の賦課徴収に関する処分の手続」につき、二章、三章の規定の適用を除外するのみであるので、租税の賦課徴収に関する行政指導については、四章の規定が適用されるようにみえる。事実、平成三年七月の第一次部会案では、そのような方針がとられていた。しかし、修正申告の慫慂という行政指導につき書面交付請求に応じることは、税務行政の執行に支障を及ぼすという懸念が示され、再検討の結果、第三次行革審要綱案注記四で、これについては、書面交付を免除することとしたのである。

これを受けて、整備法六四条は、国税通則法七四条の一四第二項において、国税に関する法律に基づく納税義務の実現を図るために行われる行政指導については、原則として、行政手続法三五条三項の規定の適用を排除している（行政手続法三六条の規定も適用しないこととしている）。しかし、これらの行政指導についても、行政手続法三二条、三三条、三四条、三五条一項の規定は適用されることになる。三五条一項は、行政指導自体を書面で行うことを義務づけるものではないが、口頭で行政指導を行う場合であっても、この規定の明確原則は適用されるし、可能な限り文書で行政指導を行うことが、明確原則の趣旨に適合するといえよう。

複数の者を対象とする行政指導

本法二条八号ニは、「同一の行政目的を実現するため一定の条件に該当する複数の者に対し行政指導をしようとするときにこれらの行政指導に共通してその内容となるべき事項」を行政指導指針ということとし、三六条は、「同一の行政目的を実現するため一定の条件に該当する複数の者に対し行政指導をしようとするときは、行政機関は、あらかじめ、事案に応じ、行政指導指針を定め、かつ、行政上特別の支障がない限り、これを公表しなければならない。」と定めている。これは、単に行政指導の明確性に資するのみならず、「一定の条件に該当する複数の者」に対し、公平に行政指導がなされることをも担保することになる。

それにとどまらず、行政指導指針が公表されることによって、行政指導の相手方以外の第三者も、当該指針を知りうることになるので、第三者との関係でも、行政指導の透明性を確保することにつながる。この点は、行政機関と相手方の二極関係を念頭に置いた三五条を超える効果といえよう。たとえば、ある業界団体を通じて、傘下の企業に対して行政指導を行うとき、その指導の前提となる指針を定めて公表することが、原則として、三六条により義務づけられることになるが、これによって、一般消費者も当該行政指導指針を知る機会を得て、消費者の立場から、業界擁護のための競争制限的行政指導を批判するといったようなことも可能になる。

行政指導の中止等の求め

平成二六年法律第七〇号による行政手続法改正により、行政指導の中止等の求めに関する規定が新設された。すなわち、法令に違反する行為の是正を求める行政指導（その根拠となる規定が法律に置かれているものに限る。）の相手方は、当該行政指導が当該法律に規定する要件に適合しないと思料するときは、当該行政指導をした行政機関に対し、その旨を申し出て、当該行政指導の中止その他必要な措置をとることを求めることができるとされたのである。ただし、当該行政指導がその相手方について弁明その他意見陳述のための手続を経てされたものであるときは、事前に意見を述べる機会が付与されているので、この求めを行うことはできないこととされている（三六条の二第一項）。

　この申出は、①申出をする者の氏名または名称および住所または居所、②当該行政指導の内容、③当該行政指導がその根拠とする法律の条項、④当該条項に規定する要件、⑤当該行政指導が当該要件に適合しないと思料する理由、⑥その他参考となる事項を記載した申出書を提出してしなければならない（同条二項）。当該行政機関は、この申出があったときは、必要な調査を行い、当該行政指導が当該法律に規定する要件に適合しないと認めるときは、当該行政指導の中止その他必要な措置をとらなければならない（同条三項）。

6　処分等の求め

平成二六年法律第七〇号による行政手続法改正により、新たに第四章の二が設けられた。同章には、処分等の求めに関する一つの条文（三六条の三）のみが置かれている。この規定は、何人も、法令に違反する事実がある場合において、その是正のためにされるべき処分または行政指導（その根拠となる規定が法律に置かれているものに限る。）がされていないと思料するときは、当該処分をする権限を有する行政庁または当該行政指導をする権限を有する行政機関に対し、その旨を申し出て、当該処分または行政指導をすることを求めることができることを定めたものである（同条一項）。この申出は、①申出をする者の氏名または名称および住所または居所、②法令に違反する事実の内容、③当該処分または行政指導の内容、④当該処分または行政指導の根拠となる法令の条項、⑤当該処分または行政指導がされるべきであると思料する理由、⑥その他参考となる事項を記載した申出書を提出してしなければならない（同条二項）。当該行政庁または行政機関は、この申出があったときは、必要な調査を行い、その結果に基づき必要があると認めるときは、当該処分または行政指導をしなければならない（同条三項）。

7　届　出

行政手続法五章には、届出に関するひとつの条文しかない。第三次行革審要綱案の五章は、「その他の手続」という見出しになっており、第一の目的に関する規定等においても、「行政に関するその他の行為の手続」という表現が用いられていたが、そこで、具体的に念頭に置かれていたのは、届出手続のみであった。にもかかわらず、第三次行革審が五章で、「その他の手続」という見出しにしたのは、ひとつには、届出手続が申請に対する処分、不利益処分、行政指導の手続とは異なり、行政庁・行政機関が行う手続ではないからであり、いまひとつには、将来、行政立法手続や計画策定手続等、本法で取り扱わなかった手続が、この章に取り入れられるということをも考えたからであった。しかし、行政手続法では、本法五章で具体的に念頭に置かれているのが届出のみである以上、同章の表題も、端的に届出とすべきという立場をとった。

三七条は、「届出が届出書の記載事項に不備がないこと、届出書に必要な書類が添付されていることその他の法令に定められた届出の形式上の要件に適合している場合は、当該届出が法令により当該届出の提出先とされている機関の事務所に到達したときに、当該届出をすべき手続上の義務が履行されたものとする。」と定めている。届出が届出先の事務所に到達したときに届出としての手続上の効力が生ずるというのは、当然のことともいえる。しかし、実際には、届出の受領を届出者の意思に反して拒否し、届出を許認可等の申請と同様に取り扱うことが稀ではない行政の実態に鑑み、その是正を期待して、この規定が設けられている。

「当該届出が法令により当該届出の提出先とされている機関の事務所に到達したとき」とは、受理や受付という観念を否定する趣旨である。したがって、到達しているにもかかわらず、受理印や受付印が押されていないということを理由として、届出がなされていないものとして扱うことはできない。

ここでいう「届出をすべき手続上の義務」とは、所定の期日内に所定の事項を通知すべき義務のことであり、この義務が履行された以上、届出がなかったものとして扱ってはいけないということを意味している。したがって、正しい内容の届出をすべき実体上の義務は、「届出をすべき手続上の義務」には含まれない。「届出をすべき手続上の義務」が履行されたとしても、虚偽の届出に対して罰則の定めがあれば、それに従って罰則を科すことが妨げられるわけではない。また、届出の内容が正しくなければ、それに応じた実体的効果が生じないことを法律が定めている場合には、「届出をすべき手続上の義務」の履行がなされても、右の実体的効果は発生しないことになる。このように、三七条は、実体的側面にはかかわらず、もっぱら手続的側面に着眼した規定である。

わが国の行政手続法は、規制緩和政策の一環としての位置づけもなされることがあるが、許可制から届出制に規制緩和がなされても、実際の運用において、届出を受け取らないことにより、許可制と同様の効果を持っているものが少なくなかった。許可制を採用していた百貨店法の後身である「大規模小売店舗における小売業の事業活動の調整に関する法律」（大規模小売店舗立地法（平成一〇年法律第九一号）附則二条により廃止）が、届出制をとりながら、実際の運用において、百貨店法の時代以上に厳格な出店規制がなされ、日米構造問題協議等で批判を受けたが（宇賀克也

「規制緩和の事例分析――大店法と貨物自動車運送事業法――」規制緩和の影響評価及び評価手法に関する調査研究報告書（総務庁）所収参照）、行政手続法三七条は、制度本来の趣旨から離れた届出制の運用に対する内外の批判に応えたものであり、規制緩和への運用面での対応という側面をも有している。

なお、届出につき、経由機関が法定されている場合、「法令により当該届出の提出先とされている機関」が、経由機関か、最終的提出先の機関かという問題が生ずるが、経由機関が進達を懈怠していることにより届出をすべき手続上の義務の不履行状態が継続していると解するのは妥当でない。したがって、経由機関に提出されたときに、届出をすべき手続上の義務が履行されたと解すべきであろう。

なお、所得税法一〇条三項は、障害者等が非課税貯蓄申告書を預貯金等の預入等をする金融機関の営業所等を経由し、その個人の住所地の所轄税務署長に提出した場合には、同法一〇条六項により、当該金融機関の営業所等においてその受理がなされた日に当該税務署長への提出があったものとみなされることになるが、これはあくまでも、実際に所轄税務署長に提出がなされたときに、届出の効果を当該金融機関の営業所等においてその受理がなされた日に遡及させるものであって、所轄税務署長への提出前であっても経由機関到達時点で届出としての効果を発生させようとするものではない。これは、非課税枠の限度管理は税務署においてしかなしえないという考えによるものである。行政手続法三七条の規定が適用されると、この場合にも、当該金融機関の営業所等に到達した時点で届出としての効果が発生することになるが、国税通則法七四条の一四第三項は、国税に関する法律に基づき国の機関以外の者が提出先とされている届出については、行政手続法三七条の規定を適用しないと規定している。贈与税に係る障害者非課税信託申告書の届出についても、受託者の営業所等に到達したときに所轄税務署長に到達したことにはならないが、同申告書が、所轄税務署長に提出されたときは、受託者の営業所等において受理した日にその提出がされたものとみなすこととしている（相続税法施行令四条の一〇第三項参照）。

もっとも、給与所得者の扶養控除等申告書、従たる給与についての扶養控除等申告書、給与所得者の配偶者特別控除申告書、給与所得者の保険料控除申告書については、国税通則法七四条の一四第三項の規定が適用されるが、所得税法一九八条一項は、これらの申告書がその提出の際に経由すべき給与等の支払者に受理されたときは、その申告書は、その受理された日に税務署長に提出されたものとみなすとしているので、結局、経由機関到達時に、最終的提出先に到達したことになる。

なお、届出についても、申請と同様、添付書類等の情報の提供が行われることが望ましい。神奈川県行政手続条例三七条二項、福岡県行政手続条例三五条二項のように、この点について明文の規定を置いている例がある。

また、行政庁は、届出の形式上の要件が欠けていると判断しても、届出者は、手続上の義務を履行ずみと考えて、事前届出が必要な行為を行ってしまうということもまったく考えられないわけではない。そこで、行政手続条例の中には、かかる場合、補正を求めなければならないとしているものがある（横浜市行政手続条例三八条二項）。また、かかる規定を置いていない行政手続条例のもとにおいても、補正を求める運用はかなり広くみられる。

8 意見公募手続等

命令等を定める場合の一般原則

命令等を定める機関（命令等制定機関）は、命令等を定めるに当たっては、当該命令等がこれを定める根拠となる法令の趣旨に適合するものとなるようにしなければならないという一般原則が明記された（三八条一項）。命令等の中には、政令のように、閣議の決定により定められるものもある。この場合には、命令等制定機関は内閣ではなく、当該政令の立案をする各大臣である。ここでいう「法令」については、二条一号に定義されている。「法令の趣旨に適合する」とは、法令の文言のみならず、国会での答弁内容等に適合することも含む。委任命令が委任した法律の趣旨に反して違法であるとした最高裁判例として、①最判昭和四六・一・二〇民集二五巻一号一頁、②最判平成三・七・九民集四五巻六号一〇四九頁、③最判平成一四・一・三一民集五六巻一号二四六頁、④最決平成一五・一二・二五民集五七巻一一号二五六二頁、⑤最判平成二一・一一・一八民集六三巻九号二〇三三頁、⑥最判平成二五・一・一一判時二一七七号三五頁、⑦最判令和二・六・三〇民集七四巻四号八〇〇頁等がある。①は、農地法施行令一六条四号（当時）が、買収農地であって農地法八〇条一項（当時）の認定の対象となる土地を、買収後新たに生じた公用等の目的に供する緊急の必要があり、かつ、その用に供されることが確実なものに制限し、それ以外で農地法八〇条一項（当時）が売払いを義務づけている場合を除外したことが違法であるとしたものである。②は、監獄法五〇条（当時）（「接見ノ立会、信書ノ検閲其他接見及ヒ信書ニ関スル制限ハ命令ヲ以テ之ヲ定ム」）の委任を受けた監獄法施行規則一二〇条（当時）・一二四条（当時）が、一四歳未満の者には在監者との接見を原則禁止したことは法律の趣旨を逸脱しているとしたものである。③は、児童扶養手当法四条一項五号（当時）の委任に基づき児童扶養手当の支給対象児童を定める児童扶養手当法施行令一条の二第三号（当時）のうち、「母が婚姻（婚姻の届出をしていないが事実上婚姻関係と同様の事情にある場合を含む。）によらないで懐胎した児童」から「父から認知された児童」を除外しているかっこ書部分は、同法の委任の範囲を逸脱したものと判示している。④は、子の名に用いることのできる常用平易な文字の範囲を戸籍法五〇条二項の委任を受けて定めた戸籍法施行規則六〇条（当時）が、社会通念上、常用平易であることが明らかな「曽」という文字を定めなかったことが法による委任の範囲を逸脱しているとしたものである。⑤は、公務員が公職の候補者となることを禁じた公職選挙法の規定を地方自治法施行令が解職請求代表者の資格についても準用しているのは、委任の範囲を超えており、資格制限が解職請求手続まで及ぼされる限りで違法であり無効と判示している。⑥は、薬事法施行規則（当時）のうち、店舗販売業者に対し、一般用医薬品のうち第一類医薬品及び第二類医薬品について、(i)当該店舗において対面で販売させ、または授与させなければならないものとし、(ii)当該店舗内の情報提供を行う場所において情報の提供を対面により行わせなければならないものとし、(iii)郵便等販売をしてはならないものとした各規定は、いずれも前記各医薬品に係る郵便等販売を一律に禁止する限度において、薬事法（当時）の趣旨に適合するものではなく、薬事法の委任の範囲を逸脱した違法なものとして無効と判示した。⑦は、ふるさと納税制度に係る平成三一年総務省告示第一七九号二条三号の規定のうち、地方税法三七条の二および三一四条の七を改正する平成三一年法律第二号の規定の施行前における寄附金の募集および受領について定める部分は、同規定による改正後の地方税法三七条の二第二項および三一四条の七第二項の委任の範囲を逸脱し違法無効と判示したものである。

本法三八条二項は、「命令等制定機関は、命令等を定めた後においても、当該命令等の規定の実施状況、社会経済情勢の変化等を勘案し、必要に応じ、当該命令等の内容について検討を加え、その適正を確保するよう努めなければならない。」と定めている。ひとたび命令等を定めても、それが時代にそぐわないものになる可能性は常に存在するのであるから、たえず見直しをすることが求められ、このような一般原則が法定されたことの意義は大きい。最判平成一六・四・二七民集五八巻四号一〇三二頁（筑豊じん肺訴訟）は、遅くとも、じん肺法成立のときまでに、保安規制の権限（省令改正権限等）が適切に行使されていれば、それ以降の炭鉱労働者のじん肺の被害拡大を相当程度防ぐことができたのに、それを懈怠したことは、国家賠償法一条一項の規定の適用上違法というべきであると判示しており、省令を適時に改正しないと国家賠償責任を負うことになりうるとしている点に留意する必要がある。泉南アスベスト事件における最判平成二六・一〇・九民集六八巻八号七九九頁、建設アスベスト事件における最判令和三・五・一七民集七五巻五号一三五九頁も、省令改正の懈怠を国家賠償責任を肯定する理由としている。

本法三八条が定める一般原則は、六章に置かれているので、六章の規定の適用除外となっているもの（三条二項・三項、四条四項）には適用されないが、意見公募手続の適用除外のみを定める三九条四項に規定するものには適用されることに留意が必要である。

意見公募手続

命令等制定機関は、命令等を定めようとする場合には、当該命令等の案およびこれに関連する資料をあらかじめ公示し、意見（情報を含む。）の提出先および意見の提出のための期間を定めて広く一般の意見を求めなければならない（本法三九条一項）。これが意見公募手続である。閣議決定されたパブリック・コメント手続は、「意見提出手続」と称されており、国民が意見を提出する側面を重視した表現になっていたが、行政手続法においては、「意見公募手続」という表現になり、命令等制定機関が意見を募集する側面を重視した表現になっている。これは、同法において、聴聞・弁明の機会の付与のような意見聴取手続が行政機関を主体とした表現になっていることとの平仄を合わせたためである。意見公募にあたって命令等制定機関が連絡のために氏名・住所の記載を求めることは妨げられないが、匿名の意見提出も禁じられているわけではない。

公示される命令等の案とは、命令等で定めようとする内容を示すものをいう。「規制の設定又は改廃に係る意見提出手続」（平成一一年三月二三日閣議決定。平成一八年四月一日廃止）２（１）においては、「本手続を経て策定する意思表示を行う行政機関は、最終的な意思決定を行う前に、その案等を公表する。」と定めていたが、公表される「案等」は、意思表示の案そのものに限らず、その内容を明確に示すもので差し支えないという考え方が示されていた。行政手続法三九条一項は、法律自体において、公示される命令等の案は、内容を示すものと定義しているので、条文形式で示す必要はない。ただし、公示される命令等の案は、具体的かつ明確な内容のものであって、かつ、当該命令等の題名および当該命令等を定める根拠となる法令の条項が明示されたものでなければならない（行政手続法三九条二項)。「規制の設定又は改廃に係る意見提出手続」の場合には、公示される案の具体性までは求められていなかったので、「A法B条に基づいて政令で指定される項目として何が望ましいと思いますか。」というような抽象的な聞き方も許容されたが、行政手続法の意見公募手続では、かかる聞き方は許されないことになる。公示される案が具体的かつ明確な内容のものでなければならないから、意見公募手続が実施されるのは、議論が相当進んだ段階になる。すなわち、抽象的な案に対して意見を求めるよりも、相当程度具体化された案に対して意見を求める方が生産的であるという判断によっているのである。もっとも、案が具体的になるほど、その修正が困難になる傾向があるので、提出された意見を十分に考慮して、柔軟に対処する運用が期待される。命令等の案の公示にあたっては、関連する資料も公示しなければならないが、関連する資料とは、たとえば、当該事項に関して作成した説明資料・政策評価結果資料等である。国民一般が理解しやすいように配慮した資料を公示するよう配慮すべきである。

意見提出期間をどのように定めるかは、命令等制定の迅速性の要請と意見提出者の便宜の要請の調和に配慮して定められるものであるが、閣議決定されたパブリック・コメント手続では、意見提出期間は「一か月程度を一つの目安」とすることとされていた。しかし、行政手続法は、意見提出期間は、公示の日から起算して三〇日以上でなければならないとしている(三九条三項)。閣議決定に基づく「規制の設定又は改廃に係る意見提出手続」においても約半数のパブリック・コメント手続では、三〇日以上の意見提出期間が設定されていたこと(平成一六年度施行状況調査によると、三〇日以上の意見提出期間を設定したものが四三・五パーセントであった。)、実際には三〇日以上の意見提出期間を設定することが困難な場合はありうるが、かかる場合には、その理由を説明させて、三〇日未満の意見提出期間を認めることとする方が望ましいことから、行政手続法三九条三項では、原則三〇日以上とすることを明記している。

行政の事務事業の種類を問わず、意見公募手続をとることが困難であったり、かかる手続をとる意義に乏しいと考えられる場合がある。そこで、本法三九条四項は、意見公募手続を義務づけない場合を列記している。第一は、公益上、緊急に命令等を定める必要があるため、意見公募手続を実施することが困難であるときである。災害対策基本法一〇九条一項に基づいて緊急に制定される政令がその例といえよう。第二は、納付すべき金銭について定める法律の制定または改正により必要となる当該金銭の額の算定の基礎となるべき金額および率ならびに算定方法についての命令等その他当該法律の施行に関し必要な事項を定める命令等を定めようとするときである。納付すべき金銭とは、税・社会保険料・手数料等であるが、法律の制定または改正により必要となる命令等に限り適用除外にしている点に留意する必要がある。第三に、予算の定めるところにより金銭の給付決定を行うために必要となる当該金銭の額の算定の基礎となるべき金額および率ならびに算定方法その他の事項を定める命令等を定めようとするときである。これは補助金要綱等を念頭に置いている。行政機関は、予算の内容を速やかに執行しなければならず、補助金要綱の場合、一般に年度当初に決定する必要があり、時間的にも意見公募手続を実施することは困難な場合が多いと思われる。予算は国会の議決を経て定められるものであるため、第二の場合と同様、第三の場合も、国会の意思を重視する姿勢が現れている。第四に、法律の規定により、委員会等の議を経て定めることとされている命令等であって、相反する利害を有する者の間の利害の調整を目的として、法律または政令の規定により、これらの者および公益をそれぞれ代表する委員をもって組織される委員会等において審議を行うこととされているものとして政令で定める命令等を定めようとするときである。たとえば、使用者代表委員、労働者代表委員、公益委員の三者構成でなる委員会で、これら三者間で利害調整をして意思決定をすることを法律が求めている場合には、そうした利害調整を経てなされた意思決定を意見公募手続の結果を踏まえて変更することは適切でないことから、意見公募手続の規定の適用を除外しているのである（行政手続法施行令四条）。第五は、他の行政機関が意見公募手続を実施して定めた命令等と実質的に同一の命令等を定めようとするときであり、重複して意見を公募する意義に乏しい場合である。たとえば、本省で意見公募手続を経て定めた通達に基づいて、地方支分部局の長が同一の内容の審査基準を定めようとするときである。その他、軽微な内容であるため、意見公募手続が不要と考えられる場合が三つ列記されている。すなわち、法律の規定に基づき法令の規定の適用または準用について必要な技術的読替えを定める命令等を定めようとするとき、命令等を定める根拠となる法令の規定の削除に伴い当然必要とされる当該命令等の廃止をしようとするとき、他の法令の制定または改廃に伴い当然必要とされる規定の整理その他の意見公募手続を実施することを要しない軽微な変更として政令で定めるものを内容とする命令等を定めようとするときである。たとえば、単に条・項等がずれるにとどまる場合、文言の整理にとどまるような場合が、政令で適用除外とされている（行政手続法施行令四条二項）。

意見公募手続の特例

本法四〇条においては、意見公募手続の特例が定められている。第一は、意見提出期間の特例である（四〇条一項）。本法三九条三項は意見提出期間を三〇日以上とすることを原則としているが、命令等の制定期限が法定されている場合のように、三〇日以上の意見提出期間を設けることが困難な場合がありうる。かかる場合、三〇日以上の期間を確保しえないから意見公募手続をとらないよりは、三〇日を下回る期間であっても、意見公募手続をとることが望ましい。そこで、やむをえない理由があるときは、意見提出期間が三〇日を下回ってもよいこととしている。しかし、この例外規定が恣意的に用いられることを防ぐ必要がある。そこで、意見提出期間が三〇日を下回った場合には、命令等の案の公示の際に、その理由を明らかにすることを義務づけているのである。第二は、委員会等の議を経て命令等を定めようとする場合（三九条四項四号に該当する場合を除く。）において、当該委員会等が意見公募手続に準じた手続を実施したときには、三九条一項の規定にかかわらず、自ら意見公募手続を実施することを要しないとしている（四〇条二項）。命令等の制定過程において、委員会等に諮問がなされ、当該委員会等が意見公募手続に準じた手続をとることが少なくない。意見公募手続は命令等制定機関が行うものであるから（三九条一項）、委員会等がパブリック・コメント手続を行っても、それは意見公募手続ではなく、「意見公募手続に準じた手続」にとどまるが、すでにパブリック・コメント手続がとられている以上、命令等制定機関が改めて意見公募手続をとる必要性は乏しいため、意見公募手続は不要としているのである。委員会等が意見公募手続に準じた手続を実施する場合には、意見公募手続の主要な規定が準用されている（四四条）。

意見公募手続の周知等

意見公募手続を行うとしても、当該手続がとられていること自体を私人が知らなければ、私人は意見を提出することはできない。したがって、意見公募手続がとられていることを広く周知する必要がある。そこで、命令等制定機関は、意見公募手続を実施して命令等を定めるに当たっては、必要に応じ、当該意見公募手続の実施について周知するよう努めるとともに、当該意見公募手続の実施に関連する情報の提供に努めるものとされている（四一条）。インターネットの活用はそのための有効な手段であるが、インターネットを活用できない者も少なくないので、記者発表、各行政機関の文書閲覧室への備付け、新聞・広報誌への掲載等、多様な手段で広報を行うべきであろう。

提出意見の考慮

意見公募手続は、提出された意見を採用する義務を命令等制定機関に課すものではない。しかし、提出された意見を真摯に考慮する義務は存在する。そこで、命令等制定機関は、意見公募手続を実施して命令等を定める場合には、意見提出期間内に当該命令等制定機関に対し提出された当該命令等の案についての意見を十分に考慮しなければならないと明記されている（四二条）。問題は、この義務をいかに担保するかである。提出意見を考慮した結果（意見公募手続を実施した命令等の案と定めた命令等との差異を含む。）およびその理由の公示義務が課されていること（四三条一項四号）により、提出意見の十分な考慮義務がかなりの程度確保されると考えられる。

結果の公示等

命令等制定機関は、意見公募手続を実施して命令等を定めた場合には、当該命令等の公布（公布をしないものにあっては、公にする行為）と同時期に、①命令等の題名、②命令等の案の公示の日、③提出意見（提出意見がなかった場合にあっては、その旨）、④提出意見を考慮した結果（意見公募手続を実施した命令等の案と定めた命令等との差異を含む。）およびその理由を公示しなければならない（四三条一項）。閣議決定のパブリック・コメント手続においては、③④は、命令等の公布前に公示していたが、行政手続法は、それとは異なり、当該命令等の公布と同時期に公示しなければならないこととしている。これは、命令等の公布前に③④を公示すると、一般国民にとって、③④がどの命令等に対応するのかが認識しにくくなることがありうること等が考慮されたためである。

提出意見が多数にのぼる場合、そのすべてを公示することは煩瑣であるし、同種の意見が複数提出された場合には、それらをグルーピングして公示すれば足りるといえよう。そこで、命令等制定機関は、必要に応じて、③の提出意見に代えて、当該提出意見を整理または要約したものを公示することができるとしている。ただし、整理または要約が適切に行われているかをチェックすることが可能であるべきであるので、公示の後遅滞なく当該提出意見を当該命令等制定機関の事務所における備付けその他の適当な方法により公にしなければならないこととしているのである（四三条二項）。命令等制定機関は、提出意見を公示しまたは公にすることにより第三者の利益を害するおそれがあるとき、その他正当な理由があるときは、当該提出意見の全部または一部を除くことができる（四三条三項）。意見公募手続を実施したにもかかわらず命令等を定めないこととする場合がありうるが、かかる場合には、その旨および①②を速やかに公示しなければならない（四三条四項）。命令等を定めないこととした理由を公示することの義務づけも検討する必要があるように思われる。

意見公募手続を実施した結果、命令等制定機関が見落としていた重要な論点の指摘がなされたり、公示した案の前提となっていた事実認定を覆すような情報が提出されたため、公示した案を大幅に変更する必要が生じた場合には、どうすべきかという問題がある。この場合、修正した案が当初の案との同一性が失われる程度にまで達していれば、修正案については意見公募手続をとっていないことになるので、改めて意見公募手続を実施しなければならない。

三九条四項各号のいずれかに該当することにより意見公募手続を実施しないで命令等を定めた場合には、命令等制定機関は、「命令等の題名及び趣旨」「意見公募手続を実施しなかった旨及びその理由」を命令等の公布と同時期に公示しなければならない。これは、三九条四項が安易に用いられることを防ぐためである（四三条五項）。

趣旨の明示

本法四三条五項一号に命令等の趣旨を公示する義務が規定されていることは、目立たないが重要な意味を持つ。行政手続法は、申請に対する処分・不利益処分については、理由の提示を義務づけ（八条・一四条）、行政指導についても趣旨の明示を義務づけている（三五条一項）。行政手続法は、命令等の制定についても、命令等制定機関は、その制定の趣旨について説明責任を負うのであり、趣旨を明示しなければならないという前提に立っている。しかし、意見公募手続がとられる場合には、当該手続を通じて（三九条一項による命令等の案・関連資料の公示および四三条一項の結果の公示）により、この説明責任が果たされるので、意見公募手続が実施されなかった場合について、命令等の趣旨の公示を義務づけているのである。ただし、命令等の趣旨を明らかにしなければならないのは、意見公募手続を実施しなかった場合のすべてではなく、改めて趣旨を明示するまでもない場合（三九条四項五～八号）には、趣旨を明示する義務はない。

公示の方法

命令等の案・関連資料の公示（三九条一項）、意見公募手続の結果、制定した命令等の公示（四三条一項）、意見公募手続を実施したにもかかわらず命令等を定めないこととした旨の公示（四三条四項）、意見公募手続を実施しないで命令等を定めた場合の公示（四三条五項）は、電子政府の推進方針に従い、電子情報処理組織を使用する方法その他の情報通信技術を利用する方法により行うものとされている（四五条一項）。具体的には総務大臣が定めることとされているが（四五条二項）、インターネットのウェブサイトに公示することを基本としている。そして、電子政府の総合窓口（e-Gov）のパブリック・コメントのコーナーに一覧性を持たせた形で掲載することとされている（平成一八年二月三日総務省告示七八号）。

9　地方公共団体への適用

地方公共団体の努力義務

行政手続法二条五号ロは、同法にいう行政機関に地方公共団体の機関（議会を除く。）を含めているが、三条三項において、地方公共団体の機関がする処分（その根拠となる規定が条例または規則に置かれているものに限る。）および行政指導、地方公共団体の機関に対する届出（通知の根拠となる規定が条例または規則に置かれているものに限る。）ならびに地方公共団体の機関が命令等を定める行為については、二章から六章までの規定は適用しないと定めている。

先に述べたように、第一次部会案においては、地方公共団体の機関が行う行政指導であっても、国法に関する法律に基づく処分との関連で行われるものは、行政手続法四章の規定を準用するという方針がとられていたが、地方公共団体の創意による要綱行政については、地方自治への配慮の観点からも、また、国法に基づく処分との関連で行われる行政指導とそうでないものとを截然と区分することがきわめて困難であるという事情からも、行政手続法の規定の適用対象外とすることが妥当であるという見解が有力になり、最終的には、地方公共団体の機関が行う行政指導は、すべて適用除外とすることとなった。

しかし、地方公共団体は、適用除外とされたものにつき、現状に甘んじてよいわけではなく、この法律の規定の趣旨にのっとり、行政運営における公正の確保と透明性の向上を図るため必要な措置を講ずるよう努めなければならない（四六条）。行政機関情報公開法は、対象とする行政機関を国の機関に限定しながら、二五条で、「地方公共団体は、この法律の趣旨にのっとり、その保有する情報の公開に関し必要な施策を策定し、及びこれを実施するよう努めなければならない。」と定め、地方公共団体に努力義務を課しているが、行政手続法四六条も類似の規定といえる。したがって、地方公共団体は既存の行政手続を見直し、行政手続条例の制定等に向けて努力することが要請されている（行政手続法と自治体行政手続との関係については、髙木光＝常岡孝好＝須田守・条解行政手続法〔第二版〕〔弘文堂〕五九二頁、磯部力＝小早川光郎編著・自治体行政手続法〔改訂版〕〔学陽書房〕二八三頁以下、小早川光郎編・行政手続法逐条研究〔有斐閣〕三四七頁、地方自治総合研究所監修＝佐藤英善編著・自治体行政実務：行政手続法〔三省堂〕一七一頁以下〔佐藤英善執筆〕、二〇三頁以下〔鈴木庸夫執筆〕、室井力＝紙野健二編著・地方自治体と行政手続〔新日本法規〕三一頁以下、宇賀克也・行政手続法の理論〔東京大学出版会〕三三頁以下、同・自治体行政手続の改革〔ぎょうせい〕一頁以下参照）。

条例化の問題点

条例化する場合には、法律との関係で、いくつかの解釈問題が発生する。まず、本法三条三項で適用除外とされた分野（行政指導、条例または規則に根拠を有する処分・届出、命令等を定める行為）については、地方公共団体が条例で独自に手続を定めることは可能であり、また、それは、本法四六条に照らして、望ましいことと評価しうるが、その場合に、行政手続法の定める手続よりも厳格な手続を定めることを禁ずる趣旨か否かが一応問題になりうる（事案はまったく異なるが、普通河川管理条例で河川法より厳格な規制をすることを否定した最判昭和五三・一二・二一民集三二巻九号一七二三頁参照）。しかし、行政手続法三条三項は、地方自治の尊重という観点から適用除外を定めたものであり、行政手続法の定める手続についても、それを最大限度とする趣旨とは解されないから、三条三項で適用除外とされた分野につき、条例で、より厳格な規制をすることは妨げられないと思われる。

逆に、地方公共団体の事務処理体制等のために、本法三条三項で適用除外とされた分野につき、行政手続法よりも緩和された手続を採用することも、もとより禁ずるものではない。ひとくちに地方公共団体といっても、都道府県もあれば市町村もあり、市町村の中にも、人口百万人を超す市から人口数百人の村まで多様であることも、三条三項による適用除外の一因であるから、地方公共団体間で画一的な行政手続が定められることは、三条三項や四六条が予想するところではない。しかし、行政運営における公正の確保と透明性の向上を図るという精神で既存の行政手続を見直し、また、新規の行政手続を定めていくことは、四六条が要請するところである。

地方公共団体の機関が法律に基づいて行う処分については、行政手続法の規定の適用があるが、それについても、行政手続条例で規定することができるかという問題も存在する。この分野では、条例で法律が定める手続を緩和することは違法となろう。法律に基づいて行う処分については、国の機関が行うものであると、地方公共団体の機関が行うものであるとを問わず、最低限の手続を定めるというのが行政手続法の趣旨であり、条例による緩和は、行政手続法に抵触するといえよう。

それでは、法律に基づく処分につき、行政手続法の定める手続よりも厳格な手続を条例で定めうるであろうか。自治事務であれ、法定受託事務であれ、条例制定権の対象になるが、条例は法令に違反しない限りにおいて制定しうるので、行政手続法の各手続規定の趣旨、目的、内容、効果を勘案して、条例が行政手続法に矛盾抵触するかを判断する必要がある。

また、行政手続法は、同法がまったく対象外とした計画策定手続等については、条例で規制することを禁ずる趣旨ではないであろう。したがって、たとえば、地方公共団体が計画策定手続を条例で定めることは、既存の法律との抵触の問題が生じない限りなしうると思われる。

行政手続法四六条は、行政運営における公正の確保と透明性の向上を図る法形式について定めているわけではないが、条例によって住民の手続的権利を保障することが望ましいという判断から、行政手続条例の制定が進み、普通地方公共団体における制定率は、ほぼ一〇〇パーセントに達している。しかし、本条が定める「地方公共団体」は、普通地方公共団体に限られず特別地方公共団体も含むから（地方自治法一条の三第一項）、地方公共団体の組合も、行政手続条例の制定に向けて努力すべきである。地方公共団体の組合の行政手続条例の制定状況の調査は行われていないが、今後は、これも含めて施行状況調査を行うよう期待したい（行政手続条例については、髙木光＝常岡孝好＝須田守・条解行政手続法〔第二版〕〔弘文堂〕五九七頁以下、兼子仁・椎名慎太郎編著・行政手続条例制定の手引〔学陽書房〕一〇頁以下、成田頼明監修・行政手続の実務〔第一法規〕三〇一頁以下、行政手続研究会編・明解行政手続の手引〔新日本法規〕五三九頁以下、磯部力＝小早川光郎編著・自治体行政手続法〔改訂版〕〔学陽書房〕三一六頁以下〔出口裕明執筆〕、出口裕明・行政手続条例運用の実務〔学陽書房〕一一九頁以下、行政手続法自治体実務研究会編著・行政手続法実務の手引〔第一法規〕一七四頁以下、地方自治制度研究会編・Q＆A地方行政手続ハンドブック〔ぎょうせい〕一〇七頁以下、宇賀克也・自治体行政手続の改革〔ぎょうせい〕六五頁以下等参照）。

平成一七年の行政立法手続を法制化する行政手続法改正を受けて、地方公共団体は、行政手続条例の改正またはパブリック・コメント手続条例の制定を急ぐ必要がある（宇賀克也編著・改正行政手続法とパブリック・コメント〔第一法規〕四章、鈴木庸夫＝宇賀克也＝津軽石昭彦＝鑓水三千男＝大石貴司〔座談会〕「改正行政手続法が自治体へ与える影響――行政立法手続はどう変わるのか」自治体法務NAVI五号二頁以下参照）。鳥取県のように、平成六年に制定された行政手続条例において、審査基準、標準審理期間、処分基準、行政指導指針、規則の制定または改廃のうち、その内容が審査基準または処分基準の内容となるべき事項に係るものであるときその他知事等が必要と認めるときに県民の意見を聴くよう努めるものとするという規定（三八条）を設けている例もある。行政手続条例の改正により意見公募手続に相当する手続を法定するという方法のほかに、横須賀市市民パブリック・コメント手続条例、杉並区区民等の意見提出手続に関する条例、新座市パブリック・コメント手続条例、神戸市民の意見提出手続に関する条例のように、パブリック・コメント手続に特化した条例を制定する方法もあれば、より広範な住民参加手続に係る条例において、その手法の一つとして、パブリック・コメント手続を法定する例（京都市市民参加推進条例九条二・三項、同条例施行規則四条以下、旭川市市民参加推進条例二条四号、一一条、鹿児島市の市民参画を推進する条例二条四号、六条、一二条、一三条、石狩市行政活動への市民参加の推進に関する条例二条四項、一六～一九条）、自治基本条例においてパブリック・コメント手続を法定する例（ニセコ町まちづくり基本条例三八条）もある。平成二九年一〇月一日現在、都道府県、市区町村一七八八団体中、一〇四一団体が意見公募手続を制度化しているが、制度化率は、都道府県九七・九パーセント、政令指定都市一〇〇・〇パーセント、中核市一〇〇・〇パーセント、特例市（当時）九七・二パーセント、その他の市区町村五四・五パーセントであった。他方、条例化した団体は、都道府県四、政令指定都市九、中核市一一、特例市（当時）二〇、その他の市区町村一九三で合計二三七である。平成一六年四月一日現在では、意見公募手続を条例化していた団体は五にとどまったことに比較すると、一三年半で二三二の団体が意見公募手続を条例化したことになり、着実に条例化が進んだと評することができる。しかし、条例化率は一割強にとどまり、制度化率との間に顕著な差がある。これは、多くの地方公共団体が意見公募手続を条例ではなく要綱で制度化していることを示す。要綱であっても、制度化すること自体は望ましいが、地方公共団体の行政のあり方の基本に関わる問題であるので、やはり条例化を進めるべきであろう。

Ⅳ　行政手続法制定の社会的背景と今後の課題

行政手続法制定の社会的背景

本書のⅡ章2節では、行政手続法制定の経緯を概観したが、ここでは、もう一歩踏み込んで、行政手続法制定を可能にした社会的背景を検討し、併せて、今後の課題を指摘しておくこととしたい。

航空機疑惑問題等防止対策に関する協議会の提言を契機として灯った行政手続法制定への第三の灯も、当初は、「長期的課題として」の検討を促すにとどまっていた。第二臨調の最終答申が、統一的な行政手続法を制定するための専門的調査審議機関の設置を提言したものの、第一次研究会の要綱案に対する各省庁の消極的反応等、逆風も強く、三度目の灯も立ち消えになる可能性も小さくなかった。しかし、第一、第二の灯の場合と異なり、第三の灯は、消えることなく、行政手続法制定が実現することとなった。

これを可能にした社会的背景のひとつとしては、国際化の進展や公的規制緩和への要請の高まりをあげることができる。前者については、平成二年六月二八日の日米構造問題協議最終報告において、行政指導はできるだけ書面で行うこと、特段の事情のない限り行政指導を公表することを日本政府はアメリカ政府に約束していたし、後者については、平成元年一一月二日の第二次行革審公的規制の在り方に関する小委員会報告において、公的規制の緩和等を進めるにあたり、運用面の改善が重要であり、その鍵のひとつは、行政手続制度の整備にあるという認識が示され、手続法制の統一的な整備に向けた検討作業を早期に本格化させることを促している。

第三次行革審も、行政手続法要綱案取りまとめの基本的考え方の中で、「これまで規制緩和の措置が推進されてきており、併せて行政の運用面についても様々な改善が図られてきたところではあるが、なお、我が国の行政運営については、本来の法律に定められた手続に従った申請の処理や処分を行わずに行政指導が多用される傾向があるとの指摘、あるいは処分によっては審査や処理の基準が明確化されていないとの指摘がなされるなど、国内のみならず、国際化の進展に伴い諸外国からも、公正で透明な行政運営の確保を求める声が高まっている。」とし、「審査基準が明確化され、申請の処理における透明性が向上すれば、長期的には許認可等の合理化にも資することになると期待される。」と述べ、国際化の進展や公的規制緩和への対応を強く意識している（行政手続法と規制緩和の関係については、阿部泰隆「行政手続法と規制緩和」ジュリスト一〇四四号四九頁参照）。国際化への対応の必要性の増大も、公的規制緩和への要請の増大も、わが国の産業社会の成熟度の向上に起因するものということができる。

さらに、第一臨調の時期と比べれば、ドイツ、フランス等、他の先進国において、手続法制の整備が進み、わが国においても、行政手続に関する研究は大きく進展してきており、こうした事情も、行政手続法制定を可能にする背景事情として指摘することができるであろう。

しかし、行政手続研究の進展という事情も、わが国の産業社会の成熟度の向上という事情も、それ単独のみでは、行政手続法の制定を可能にできたわけではなく、両者の背景事情が合流し、それに他の多様な要素が組み合わさって、この難事業が達成されたといいうると考えられる（平成五年一〇月の日本公法学会総会では、立法作業の陣頭指揮をとられた旧総務庁の増島事務次官（当時）にご報告をお願いしたが、増島報告によれば、旧総務庁が、行政手続法制定を決断するにあたっては、第二次研究会座長の強い要請が大きな要素になったようである。増島俊之「行政手続法立案実務担当者の制度立法化をめぐる判断」行政改革の視点〔ぎょうせい〕九六頁）。

行政手続法の制定は、学界において長年提唱されてきたものであるが、学界からの提言のみでは、推進力としては必ずしも十分とはいえなかったし、他方、わが国の経済の発展に伴い公的規制緩和の必要性等が強調されるようになったとはいっても、かかる主張と行政手続法の制定を結びつける発想は、一九八〇年代末までは、ほとんど皆無であったといってよいであろう。行政手続法の制定が、国際化への対応や公的規制緩和にも資する側面を有するという認識を浸透させる努力をすることによって、公的規制緩和への要請の増大等の社会情勢の変化を立法化に向けての追い風とすることが可能になり、そのことが、一九八〇年代までは実現がきわめて困難と一般に考えられていた行政手続法の制定を現実にすることに大きく寄与したとみることができるのではないかと思われる。

また、行政手続法案の閣議決定にこぎつけるためには、いうまでもなく、行政手続の整備が国民の権利利益の保護にとり重要であることについての各省庁の理解が重要であるが、昭和五四年に第三の灯が灯って以後、今日に至るまでのこの面での進歩は、相当に大きいといっても過言ではないであろう。航空機疑惑問題等防止対策に関する協議会の提言から一〇年余の立法化に向けての努力は、一面においては、各省庁における行政手続の意義に対する認識を深めるプロセスでもあったといえるのではないかと思われる。行政手続法案が衆議院で審議中の平成五年一〇月二二日に、公衆電話回線を利用した内線電話サービスであるＮＴＴの「メンバーズネット」の認可申請がなされたが、この種の申請は、従前は、事前指導により、関係者間の調整終了前に提出されることはなかった。このときに初めて、申請提出後、より透明な調整が行われることになった。これも、公正・透明な手続の意義についての理解の浸透のひとつの現れとみることもできよう。

今後の課題

行政手続法の制定は、行政運営における公正の確保と透明性の向上に大きな意義を有する。三六〇もの関係法律を整理するという膨大かつ精緻な作業に精力的に取り組まれた行政手続法制定準備室を始めとする関係者の多大のご努力に敬意を表したい。

他方、行政手続法の制定は、わが国における行政手続整備の終着点というわけではもちろんなく、将来の検討課題として残された問題も少なくない。現在の行政手続法は、行政手続の近代化を主眼としたものであるが、この側面に限定しても、一般処分手続、行政調査手続、行政強制手続、行政審判手続、第三者としての裁定手続、行政契約手続（ドイツ連邦行政手続法四章は、公法上の契約手続について定めている。）等適用除外とされた分野の問題があるし、個々の分野の特殊性のゆえに適用除外とされたものについても、必ずしも現状に甘んじてよいわけではなく、所管の各部局において、行政運営における公正の確保と透明性の向上という観点から手続を改善する一層の努力がなされることが期待される。また、不利益処分をしようとする場合の事前手続を緊急の必要がある場合に省略しうるとする規定(行政手続法一三条二項一号)が多用されることを防止する意味においても、道路交通法一〇三条の二が定めるような、仮の不利益処分制度について一般的法規制を検討する余地がある(塩野宏・行政法Ⅰ〔第六版〕〔有斐閣〕三〇八頁、阿部泰隆・行政の法システム(上)〔新版〕〔有斐閣〕一四二頁、宇賀克也・行政法概説Ⅰ〔第七版〕〔有斐閣〕四七三頁参照)。行政送達手続についても、聴聞や弁明の機会の付与の通知についての公示送達に関する規定が設けられはしたが、なお検討すべき論点は少なくない。国会審議の過程でも、しばしば言及された行政立法手続(その整備については、平成三年、第一次部会案に対するコメントの中で、アメリカ政府から要求がなされていたが、平成六年、同政府から、改めて、わが国の行政の透明性を向上させる施策の一環として要求がなされている。)については、平成一七年の行政手続法改正で法制化が実現したが、計画策定手続の整備については、引き続き検討を進めていくことが望まれる(藤原静雄「行政手続法の成果と課題」法学教室一九一号八頁、宇賀克也・行政手続・情報公開〔弘文堂〕四七頁参照)。

それとも密接に関連するが、アメリカの連邦諮問委員会法やフランスの「行政とその利用者との関係に関するデクレ」三章にみられるような諮問手続についての一般的規制も重要な課題であろう。審議会等についてのガイドラインとしては、昭和三八年九月二〇日閣議口頭了解「各種審議会委員等の人選について」、昭和四二年一〇月一一日閣議口頭了解「審議会等の設置及び運営について」のほか、平成三年一二月一一日の情報公開問題に関する連絡会議申合せ「行政情報公開基準について」の中の「審議会等関係文書」の項目があげられるが、日米構造問題協議およびそのフォローアップ会合ならびに日米包括経済協議におけるアメリカ政府の要求を受けて、審議会等ガイドライン策定のための関係省庁連絡会議が設置され、平成六年六月二四日に「審議会及び懇談会等行政運営上の会合の運営等に関する指針」（審議会等ガイドライン策定のための関係省庁連絡会議申合せ）が公表され、その実施状況をフォローアップするために、「審議会及び懇談会等行政運営上の会合に関する各省庁連絡会議」の設置申合せがなされている。また、平成七年九月一二日に与党行政改革プロジェクトチームによる「審議会等の透明化、見直し等（案）」が公表され、これを反映して、同年九月二九日に、「審議会等の透明化、見直し等について」の閣議決定がなされている。さらに、平成一〇年に制定された中央省庁等改革基本法三〇条五号で「会議又は議事録は、公開することを原則とし、運営の透明性を確保すること」と規定され、「審議会等の整理合理化に関する基本的計画」（平成一一年四月二七日閣議決定）にも、同内容が定められた。また、行政手続法制定後は、審査基準や処分基準が行政裁量の司法統制において果たす機能は、一層増大することとなったと思われるが、それらの基準の作成がなされないときに作成を促す制度をどのようにすればよいかも、今後の重要な検討課題である（第一臨調行政手続法草案一四条参照）。同様のことは、行政手続法二条八号ニの定める行政指導指針についてもいえる。

平成一一年三月二三日に閣議決定された「規制の設定又は改廃に係る意見提出手続について」（パブリック・コメント手続）は、行政手続法上の審査基準、処分基準等も対象とするものであったが（文献については宇賀克也・行政手続と行政情報化〔有斐閣〕六九頁注(3)参照）、平成一七年の行政手続法改正で、規制以外の分野にも対象を広げて、パブリック・コメント手続の法制化が実現した。また、横須賀市、神戸市、新座市のように、パブリック・コメント手続を条例化する例がみられるようになった（宇賀克也編著・改正行政手続法とパブリック・コメント〔第一法規〕六六頁以下、出石稔「横須賀市市民パブリック・コメント手続条例」地方自治職員研修二〇〇二年三月号三六頁以下参照）。北海道ニセコ町のニセコ町まちづくり基本条例（木佐茂男＝逢坂誠二編・わたしたちのまちの憲法〔日本経済評論社〕参照）のように、計画策定過程におけるパブリック・コメント手続を規定した例もある。他の地方公共団体においても、パブリック・コメント手続の条例化に迅速に取り組むべきである（北村喜宣「自治体版パブリック・コメントの可能性」地方自治職員研修二〇〇〇年五月号二八頁以下参照。条例化に際しての留意点については、宇賀克也編著・改正行政手続法とパブリック・コメント〔第一法規〕四章参照）。

行政手続法四条二項（独立行政法人、国立大学法人、大学共同利用機関法人、日本司法支援センター、特殊法人、認可法人）、三項（指定検査機関）により同法二章、三章の規定の適用が除外された領域についても、手続の改善の必要がないわけではない。最判平成六・二・八民集四八巻二号一二三頁が、特殊法人である国民金融公庫につき、政府の行政目的の一端を担うものであることを認めながら、国に対する一定の独立性を承認していることからも窺われるように（この判決につき、塩野宏・行政法Ⅲ〔第五版〕〔有斐閣〕一二八頁、宇賀克也・行政法概説Ⅲ〔第五版〕〔有斐閣〕三四二頁参照）、行政代行的性格のゆえに行政手続法の規定の適用になじまないということから、直ちに、国の行政組織内の関係と同一視してよいということにはならないのである。

また、独立行政法人等が、国民に対して行う指導は、これらが、「行政機関」（二条五号）に含まれないことから、「行政指導」（二条六号）ではなく、同法四章の規定の適用を受けないことになるが、行政代行的性格の指導である以上、やはり公正性・透明性が要求されてしかるべきであり（葛飾区では、地方自治法二四四条の二第三項の規定により公の施設の指定管理者が行う指導等も行政指導として、行政手続条例の行政指導の規定を適用している。葛飾区行政手続条例二条一〇号参照）、その手続的規律も、今後の課題として残されているといえよう。

なお、行政手続法の規定の適用が除外された領域においても、憲法上、適正手続の要請が及ぶことはありうるし、行政手続法の規定自体、憲法の適正手続の要請を充足しているか否かという観点からの吟味の必要性がないわけではない（宇賀克也・行政手続と行政情報化〔有斐閣〕三頁参照）。判例・学説の役割は、行政手続法の規定の意味内容の解釈に尽きるわけではないのである。また、行政手続法の実効性を考える場合、司法審査が適切に行われることが重要な意味を持つが、同法は、手続的瑕疵の効果については、判例・学説に委ねている（手続的瑕疵の効果について論じたものは少なくないが、行政手続法との関係で比較的詳細に論じているものとして、高橋滋・行政手続法〔ぎょうせい〕四一九頁以下参照）。したがって、この意味においても、行政手続法の制定が実現しても、判例・学説の果たすべき役割は、なお、きわめて大きいといえる。さらに行政手続法が適切に運用されるためには、行政庁、国民の双方において、この法律の趣旨を正しく理解し、その実現に努める姿勢が不可欠である。その意味でも、総務省等による同法の広報活動が十分になされることを期待したい。また、行政手続法の運用の改善をはかるために、本法の施行状況を定期的にレビューし、その結果を公表していくことも重要である。

旧総務庁および現総務省がこれまで行ってきた施行状況調査によると、審査基準、標準処理期間、処分基準の設定という行政手続法の運用体制の整備については、量的には、相当の線に達していると評価してよいように思われる。問題は、審査基準が十分に具体的であるか、標準処理期間が必要以上に長すぎないか等の質的側面である（宇賀克也・行政手続・情報公開〔弘文堂〕二九頁以下、同・行政手続と行政情報化〔有斐閣〕三六頁以下参照）。これらについては、そもそも、包括的調査は困難と思われるが、今後、行政評価・監視や行政相談のルート等を一層活用して、漸次、改善をはかっていく努力がなされることを期待したい（従前の成果として、総務庁行政監察局『行政手続の公正及び透明性の確保に関する調査結果報告書』、総務省行政評価局『行政手続法の施行及び運用に関する行政評価・監視結果に基づく勧告』、

宇賀克也・行政手続と行政情報化〔有斐閣〕三一一頁以下参照）。

V　デジタル手続法

1　デジタル手続法の内容

㈠　オンライン化を可能とする通則法

平成一四年一二月一三日に公布され、同一五年二月三日に施行された「行政手続等における情報通信の技術の利用に関する法律」は、「行政手続オンライン化法」と呼ばれることが多く、以下、本書でもこの通称を用いることとする。同法は、令和元年の改正により、法律名が「情報通信技術を活用した行政の推進等に関する法律」に変更された。改正後の同法は「デジタル手続法」と略称されることが多く、以下、本書でも、この略称を用いることとする（デジタル手続法については、宇賀克也「デジタル手続法の意義・内容・課題」行政法研究四一号一頁以下参照）。行政情報化が急速に進行し、国が扱う申請・届出手続のかなりの部分がオンライン化可能になる予定である以上、デジタル手続法の理解は非常に重要である。デジタル手続法は、電子政府・電子自治体を構築するための法的基盤整備を行うものということができる。すなわち、個別の法令で書面等で行うことが定められている場合、技術的にはオンライン化が可能であっても、法的制約のためにオンライン化を実現できないことになってしまう。このような法的制約を全体的に除去するためには二つの方法がある。

一つは、書面等で行うことを義務づけている法令を一括して改正する一括法（束ね法）を制定することである。電子商取引のオンライン化を進める上での法的制約を除去するために五〇の法律を一括して改正する「書面の交付等に関する情報通信の技術の利用のための関係法律の整備に関する法律」が平成一二年に制定されたのがその例である。

いま一つは、個別の法令を改正することなく、法令で書面等を意味する文言が用いられていても、オンライン化を可能とする通則法を制定することである。デジタル手続法は、行政手続等のオンライン化可能規定を設ける通則法である。

(二) 目　的

デジタル手続法により、行政手続オンライン化法の目的規定は、全面的に改正された。デジタル手続法が、デジタル社会形成基本法一七条および官民データ活用推進基本法七条の規定に基づく法制上の措置であることが明らかにされ、(i)手続等に係る関係者の利便性の向上、(ii)行政運営の簡素化および効率化、(iii)社会経済活動のさらなる円滑化を図り、もって国民生活の向上および国民経済の健全な発展に寄与することを目的とすることが定められた。(i)については、行政手続オンライン化法では、「国民の利便性の向上」と規定されていたが、利便性が向上するのは国民には限定されないため、「手続等に係る関係者の利便性の向上」という表現に改められている。(ii)については、行政運営の簡素化および効率化により、行政機関等の職員の事務の負担が軽減されるよう配慮するとともに、行政のデジタル化の推進は、真に必要な行政分野にリソースを配分することにより、行政サービスの質の向上を図るものとなるよう十分留意することが、衆参両院の内閣委員会において附帯決議されている。(iii)は、行政手続オンライン化法には規定されていなかったが、デジタル手続法は、民間手続も視野に入れて、社会全体のデジタル化を志向していることに照らし、目的規定に追加されることになった。

本法は、このような手続等のオンライン化を進めることによって、自宅や職場からインターネット等を利用した手続等を可能にし、国民の利便性を向上させることを大きな目的としている。しかし、それにとどまらず、オンライン化に当たって、事務・事業を見直し重複する制度を整理統合したり、行政のペーパーレス化を図ったり、不要な添付書類や押印を廃止したりすることによって、行政運営の簡素化・効率化を図ることも目的としている。

㈢ 基本原則

行政手続オンライン化法には、基本原則は定められていなかったが、「デジタル・ガバメント推進方針」で示されたデジタル三原則、すなわち、(i)原則として、個々の手続・サービスが一貫してデジタルで完結する「デジタルファースト原則」、(ii)一度提出した情報は二度提出することを不要とする「ワンスオンリー原則」、(iii)民間サービスを含め、複数の手続・サービスがどこからでも一か所で実現する「コネクテッド・ワンストップ原則」が、デジタル手続法二条において、基本原則として明記されることになった。

㈣ 定　義

以下、デジタル手続法において用いられている主要な用語の定義について説明することとする。

法　令

「法令」という言葉は、法律および法律に基づく命令の意味で用いられている（三条一号）。行政手続法の「法令」（二条一号）と異なり、法規たる性質を有する告示、条例、地方公共団体の執行機関の規則（規程を含む。）は含まれていない。「法令」に告示を含んでいないのは、デジタル手続法は、国民の権利保護を目的とするものではなく、また、同法の目的である「手続等に係る関係者の利便性の向上」の観点から必要があれば、個別法令の体系の下で、告示について対応することで足りると考えられたためである。さらに、条例および地方公共団体の執行機関の規則（規程を含む。）を法令に含んでいないのは、地方自治を尊重するためである。

行政機関等

「行政機関等」という言葉は、(イ)国のすべての行政機関（内閣、法律の規定に基づき内閣に置かれる機関、人事院、宮内庁、公正取引委員会、国家公安委員会、個人情報保護委員会、カジノ管理委員会、消費者庁、金融庁、各省、各省の外局である委員会・庁、会計検査院、以上の機関に置かれる内部部局・審議会等・施設等機関・特別な機関・地方支分部局）、(ロ)以上に掲げる機関の職員であって法律上独立に権限を行使することを認められたもの、(ハ)地方公共団体またはその機関（議会を除く。）、(ニ)独立行政法人、(ホ)地方独立行政法人、(ヘ)法律により直接に設立された法人、特別の法律により特別の設立行為をもって設立された法人（独立行政法人を除く。）または特別の法律により設立され、かつ、その設立に関し行政庁の認可を要する法人（地方独立行政法人を除く。）のうち、政令で定めるもの、(ト)指定機関、(チ)独立行政法人、地方独立行政法人、法律により直接に設立された法人・特別の法律により特別の設立行為をもって設立された法人（独立行政法人を除く。）または特別の法律により設立され、かつ、その設立に関し行政庁の認可を要する法人（地方独立行政法人を除く。）のうち、政令で定めるもの、指定機関（指定法人である場合に限る。）の長を意味する（三条二号）。国会、裁判所および地方議会は除かれているが、たとえば、国会と内閣との間の手続は、内閣が「行政機関等」に含まれているため、本法の規定の適用を受けることになる。(イ)に内閣が含まれる旨が明記されているのは、国会と内閣の間の手続が、将来、オンライン化される可能性を視野に入れたためである。(イ)に「これらに置かれる機関」が含まれているのは、対外的に独立してその機関の意思を表示する行政庁に当たらない場合であっても、審議会に対する諮問等が、オンライン化される可能性を視野に入れたためである。(ロ)は、行政庁を意味し、大臣のみならず、大臣の権限の委任を受けた地方支分部局の長、海上保安官、植物防疫官、道路監理官、労働基準監督官等を含む。「法律上独立に権限を行使することを認められたもの」とされ、「法令上独立に権限を行使することを認められたもの」とされていないのは、法律の委任なく命令において国民に義務を課したり国民の権利を制限したりすることは認められないからである。(ハ)について、(ロ)のような「法律上独立に権限を行使することを認められたもの」という記述がないのは、地方自治法上、(ロ)に当たるものも、機関概念に含まれるからである。(ニ)については、すべての独立行政法人が、独立行政法人等の保有する情報の公開に関する法律の対象法人であり、少なくとも、同法に基づく開示請求を受け、開示決定等を通知する行政手続を行うので、デジタル手続法の対象法人とされている。(ヘ)は特殊法人等および認可法人を意味する。「政令で定めるもの」(デジタル手続法施行令一条参照)という限定がなされているのは、同法に規定する行政手続等を行わないものを除外するためである。(ト)の指定機関は、委任を受けて行政事務を行うものであるので、同法の対象に含めている。指定機関は、通常は法人(指定法人)であるが、同法三条二号トの定義では、法人であることは要件とされていない。ただし、同号チかっこ書の場合には、指定法人のみが念頭に置かれている。(チ)については、(ニ)から(ト)までに掲げる者(ト)に掲げる者については、当該者が法人である場合に限る。)の長が行うこととされている手続等が存在するため、「行政機関等」に含まれているが、他方において、その他の職員が独立して対外的に権限を行使することは想定しがたいため、長以外の役職員については規定されていない。

国の行政機関等

デジタル手続法三条三号は、行政手続オンライン化法と異なり、「国の行政機関等」について定義している。その理由は、「国の行政機関等」は、同法五条一項の規定に基づき、情報システム整備計画に従って情報システムを整備する義務を負うのに対して、地方公共団体等の「国の行政機関等以外の行政機関等」は、地方自治の尊重の要請や財政的制約等を考慮して、同条四項の規定に基づき、情報システムの整備等を行う努力義務を負うにとどまるので、両者を区別する必要があるからである。

「国の行政機関等」に含まれるのは、上記(イ)(ロ)に加えて、(ニ)および(ヘ)～(チ)に掲げる者のうちから政令で定めるものである。デジタル手続法施行令二条では、特殊法人である日本年金機構が指定された。これは、日本年金機構が、国民一般を対象とし、国の行政機関に優るとも劣らない件数の手続を処理しているからである。

民間事業者

デジタル手続法三条四号は、行政手続オンライン化法と異なり、「民間事業者」について定義している。その理由は、デジタル手続法は、行政機関等に限らず社会全体のデジタル化を推進することを志向しており、民間事業者と行政機関等との連携等（一四条）、民間手続における情報通信技術の活用の促進のための環境整備等（一五条）についても定めているからである。民間事業者は、法人に限られないので、「個人又は法人その他の団体であって、事業を行うもの（行政機関等を除く。）」と定義されている。

書面等

「書面等」とは、文字、図形等人の知覚によって認識することができる情報が記録された紙その他の有体物をいう（三条五号）。電磁的記録を含まない。したがって、法令で書面で行うこととされている場合、オンライン化ができないことになり、この法的制約を除去することが本法制定の主目的である。

署名等

「署名等」とは、自己が作成したことまたは自己の責任を明らかにするために氏名または名称を書面等に記載することを意味する（三条六号）。

電磁的記録

「電磁的記録」という言葉は、「電子的方式、磁気的方式その他人の知覚によっては認識することができない方式で作られた記録」を意味する場合（「行政機関の保有する情報の公開に関する法律」二条二項、「独立行政法人等の保有する情報の公開に関する法律」二条二項）と、この意味の電磁的記録のうち、「電子計算機による情報処理の用に供されるもの」を意味する場合（刑法七条の二、「電子署名及び認証業務に関する法律」二条一項）がある。前者の場合、録音テープ・録画テープも含まれるが、行政手続のオンライン化にとっての法的制約を除去することを主たる目的とする本法では、録音テープ・録画テープを問題にする必要はないので、後者の定義を採用している。

申請等

デジタル手続法三条八号で定義される「申請等」は、諾否の応答が行政処分として行われる行政手続法二条三号の「申請」より広範であり、「申請、届出その他の法令の規定に基づき行政機関等に対して行われる通知」(三条八号)をいう。省令の制定改廃に係る審議会等への諮問、地方公共団体の長から大臣への協議の申入れ、報告命令に基づく報告、意見公募手続における意見書の提出、請願・苦情の申出等も「申請等」に含まれる。ここでいう「通知」とは、ある事実や意思を伝えることであるから、情報ではなく、物を提出する行為自体は含まれない。なお、「訴訟手続その他の裁判所における手続並びに刑事事件及び政令で定める犯則事件に関する法令の規定に基づく手続」(以下「裁判手続等」という。)において行われるものは、「申請等」から除かれている。その理由は、これらが行政手続というよりも司法手続としての性格を有しており、そのオンライン化については、司法制度改革の一環として別途検討されるべきと考えられたからである。「その他の裁判所における手続」としては、家事審判手続、少年審判手続、非訟事件手続、破産手続、民事執行手続等がある。「政令で定める犯則事件」とは、「国税又は地方税の犯則事件」「金融商品取引の犯則事件」「私的独占の禁止及び公正取引の確保に関する法律に基づく犯則事件」である(デジタル手続法施行令三条)。デジタル手続法三条八号の「申請等」の定義は、行政手続オンライン化法二条六号のそれと基本的に同一であるが、前者においては、経由手続に関する規定が設けられている。すなわち、「申請等」を行う者から経由機関を経て、「申請等」を受ける者に通知がなされる場合、「申請等」を行う者から経由機関への通知と経由機関から「申請等」を受ける者への通知を別の「申請等」とみなして、デジタル手続法の規定を適用することとされている。

処分通知等

「処分通知等」とは、処分の通知その他の法令の規定に基づき行政機関等が行う通知のことである。デジタル手続法三条九号で定義される「処分通知等」は、行政処分として行われる行政手続法二条四号の「不利益処分」より広範であり、申請に対する許認可等の処分を通知することなども含まれる。不特定の者に対して行うものおよび裁判手続等において行うものは除かれる（三条九号）。不特定の者に対して行うものを除いているのは、公告、公示、公表等をオンライン化した場合、電子計算機を利用できないものに不利益を与えるというデジタル・デバイドの問題が生ずるからである。そのため、書面等による通知に代替するものとしてオンライン化を認めることは妥当でないと判断された。もとより、官報による公示のような書面による通知を補完するものとしてホームページ等に掲載することは望ましいといえる。「処分通知等」は、事実または意思を伝えること、すなわち情報の伝達であるから、許可処分を行う旨の通知と許可証の交付が一体の手続である場合には、許可証の交付も「処分通知等」に当たるが、許可をしたこととの通知をし、事後に許可証を送付する場合、後者のような物の送付自体は単なる事実行為であり、「処分通知等」に含まれない。デジタル手続法三条九号における「処分通知等」の定義は、行政手続オンライン化法二条七号のそれと基本的に同一であるが、前者においては、経由手続に関する規定が設けられている。すなわち、「処分通知等」を行う者から経由機関を経て、「処分通知等」を受ける者に通知がなされる場合、「処分通知等」を行う者から経由機関への通知と経由機関から「処分通知等」を受ける者への通知を別の「処分通知等」とみなして、デジタル手続法の規定を適用することとされている。

縦覧等

「縦覧等」とは、法令の規定に基づき行政機関等が行う書面等または電磁的記録に記録されている事項を縦覧または閲覧に供することであるが、裁判手続等において行うものは除かれる（三条一〇号）。ここでいう「縦覧又は閲覧」とは、請求を待たずに一般に見せることを意味する。「法律」ではなく「法令」の規定に基づく「縦覧等」を対象としているのは、政省令等の命令において、書面等を「縦覧」または「閲覧」に供する旨が規定されている例が稀でないので、これらについても対象に含めることが適当と考えられたからである。デジタル手続法では、「行政機関等」による「縦覧」または「閲覧」に対象を限定し、「民間事業者」による縦覧または閲覧は対象外にしている。その理由は、同法は、行政機関等が主体となり、または名宛人となる申請等、処分通知等のオンライン化や作成・縦覧の電子化を主眼とするものであるからである。「縦覧」および「閲覧」については、定義規定は設けられておらず、実定法上、「縦覧」または「閲覧」の用語が用いられている場合のみが念頭に置かれている。したがって、実定法上、「公示」、「掲示」、「公表」等の用語が使用されている場合には、同法三条一〇号に該当しない。

作成等

「作成等」とは、法令の規定に基づき行政機関等が書面等または電磁的記録を作成しまたは保存することであるが、裁判手続等において行うものは除かれる（三条一一号）。個別法において、「作成」「保存」の語が使用されていなくても、「作成」「保存」が含意されている場合を含む。たとえば、書面に記載する義務が規定されている場合、書面の「作成」が含意されている。「法律」ではなく「法令」の規定に基づく「作成等」を対象としているのは、政省令等の命令において、「作成」または「保存」について定める旨が規定されている例が稀でないので、これらについても対象に含めることが適当と考えられたからである。デジタル手続法では、「行政機関等」による「作成」または「保存」に対象を限定し、「民間事業者」による作成または保存は対象外にしている。その理由は、デジタル手続法は、行政機関等が主体となり、または名あて人となる申請等、処分通知等のオンライン化や作成・縦覧の電子化を主眼とするものであるからである。「民間事業者」による作成または保存については、別途、「民間事業者等が行う書面の保存等における情報通信技術の利用に関する法律」（e-文章法）（宇賀克也・行政手続と行政情報化〔有斐閣〕三一八頁参照）という通則法に、書面の保存義務が法定された手続を電子的に行うことを可能にする規定が置かれている。

手続等

「手続等」とは、「申請等」「処分通知等」「縦覧等」「作成等」を総称する言葉である（三条一二号）。

主務省令

「主務省令」は、原則として、申請等、処分通知等、縦覧等、作成等の手続等を規定する法令を所管する府省が定める内閣府令または省令である。日本国憲法七四条は、「法律及び政令には、すべて主任の国務大臣が署名し、内閣総理大臣が連署することを必要とする。」と規定しているから、法律または政令を所管する府省について共通の理解が存在しない場合には、署名した大臣の属する府省の所管と判断することになる。複数の府省の共管の法令の場合には、主務省令は共同省令になる。

内閣から独立した会計検査院および内閣の所轄の下にあり内閣から職権行使の独立性が保障された人事院の規則については、それぞれ会計検査院、人事院が所管していることは当然である。公正取引委員会等の合議制の独立行政委員会は規則制定権を有するので、これらの委員会については、規則で手続等について定めることが適当と考えられる。そこで、これらの委員会の規則を「主務省令」として位置づけている。「主務省令」については、新たに制定することも、既存の個別作用法の省令を改正することも、各府省の対象法律を列記した包括的な省令とすることも法制上は可能である。

㈤　情報システム整備計画

行政手続オンライン化法と異なり、デジタル手続法は、情報システム整備計画に関する規定を設けている（行政の情報システムの開発・運用上の課題について、佐藤一郎「技術者の視点からみた行政のデジタル化」ジュリスト一五五六号三八頁以下参照）。すなわち、同法四条一項は、情報通信技術を利用して行われる手続等に係る国の行政機関等の情報システムの整備を総合的かつ計画的に実施するための情報システム整備計画を作成することを政府に義務づけている。これは、官民データ活用推進基本法一〇条一項が、行政手続のオンライン化を原則とするための法制上の措置を講ずることを国に義務づけたことを承けたものである。デジタル手続法四条一項の規定に基づく情報システム整備計画の対象は、同法三条一二号に規定する「手続等」であるから、告示など法令に基づかない手続等は対象外であり、それらについて情報システム整備計画と併せて閣議決定したとしても、同法五条一項の規定に基づく整備義務の対象にはならない。

情報システム整備計画に記載する事項は、(i)計画期間、(ii)情報システムの整備に関する基本的な方針、(iii)申請等および申請等に基づく処分通知等をオンラインにより行うために必要な情報システムの整備に関する事項、(iv)申請等に係る書面等の添付を省略するために必要な情報システムの整備に関する事項、(v)情報システムを利用して迅速に情報の授受を行うために講ずべきデータの標準化、外部連携機能の整備および当該外部連携機能に係る仕様に関する情報の提供、(vi)行政機関等による情報システムの共用の推進に関する事項、(vii)その他情報システムの整備に関する事項である（デジタル手続法四条二項）。

(ii)については、国民の利便性の向上に寄与する手続等を優先すること、費用対効果の精査等が想定されている。(iii)については、申請等に基づかない処分通知等は対象外である。その主たる理由は、申請等に基づかない処分通知等のほとんどは不利益処分であると思われるので、そのオンライン化はデジタル・デバイドの観点からも慎重に検討する必要があるからである。(iii)に縦覧等が含まれていないのは、縦覧等が行われる手続の大部分については、すでにホームページ等による公開が実施されているからである。(iii)に作成等が含まれていないのは、作成・保存が、直接に国民生活等に影響を与えるものではなく、また、申請等および申請等に基づく処分通知等に関しては、そのほとんどにおいて、すでに電磁的記録が作成・保存されているからである。(vi)について、「国の行政機関等による情報システムの共用の推進」ではなく、「行政機関等による情報システムの共用の推進」と規定されているのは、国と地方公共団体に共通する手続等に係る情報システムを国の行政機関等が整備して、地方公共団体も当該システムを共同利用するような場合も念頭に置かれているからである。申請等に基づかない処分通知等ならびに縦覧等および作成等は(iii)の対象外であるので、記載するとすれば(vii)として記載することになる。

情報システムの整備が縦割りで行われてきた結果、非効率となったことへの反省の上に立って、内閣総理大臣が、情報システム整備計画の案を作成し、閣議決定を求めることとされており（デジタル手続法四条三項）、内閣総理大臣は、閣議決定があったときは、遅滞なく、情報システム整備計画を公表し（同条四項）、情報システム整備計画の変更についても、同様の手続をとることとされている（同条五項）。

情報システム整備計画の作成に当たり、国民が情報通信技術を利用する方法により申請、届出その他の手続を行うことを促進するため、当該方法による手続に係る手数料の費用効果分析の結果を踏まえた減額、当該方法による手続の処理に際しての優先的取扱いその他の優遇措置を講ずるよう必要な検討を行うことが、衆参両院の内閣委員会で附帯決議されている。

(六)　国の行政機関等に係る情報システムの整備等

国の行政機関等に係る情報システムの整備等について定めるデジタル手続法五条も、行政手続オンライン化法にはなかった規定である。情報システム整備計画には、行政手続のオンライン化、添付書類の省略、情報連携等について記載されることが想定されており、したがって、国の行政機関等は、それらの事項について、情報システムを整備（新設に限らず、既存の情報システムの共用、既存の民間サービスの活用を含む。）する義務を負う。情報通信技術を利用する方法による手続を促進するに当たっては、その利便性や留意点、具体的な申請方法等について、国民に丁寧かつ分かりやすい説明・広報を行うよう努めることが、参議院内閣委員会において附帯決議されている。国の行政機関等は、情報システムの整備に当たっては、当該情報システムの安全性および信頼性を確保するために必要な措置を講ずる義務があるので（デジタル手続法五条二項）、プライバシー影響評価（宇賀克也・マイナンバー法と情報セキュリティ〔有斐閣〕五五頁以下、宇賀克也監修＝水町雅子著・完全対応　特定個人情報保護評価のための番号法解説～プライバシー影響評価（ＰＩＡ）のすべて〔第一法規〕参照）による個人情報保護、情報セキュリティ・ポリシー（宇賀克也・マイナンバー法と情報セキュリティ〔有斐閣〕八七頁以下参照）の見直し等による情報セキュリティの確保（行政手続のデジタル化によるセキュリティの向上について、陰山克典「不動産登記・商業登記に関する行政手続のデジタル化と情報連携の実務的課題」ジュリスト一五五六号四九頁以下参照）、バックアップシステム等による業務継続性の確保等のための措置を講ずる必要がある。この点について、衆参両院の内閣委員会では、情報の改ざん、漏えい、不正使用等が行われないよう、技術革新に対応したセキュリティ対策および個人情報の保護その他の個人の権利利益の保護のための措置を講じ、業務の信頼性・安全性の確保を図ることが附帯決議されている。

情報システムの整備等に当たっては、これと併せて、当該システムを利用して行われる手続等およびこれに関連する行政機関等の事務の簡素化または合理化その他の見直しを行う努力義務を負う（デジタル手続法五条三項）。これは、既存の手続等を単にオンライン化するのではなく、当該手続等およびこれに関連するバックオフィス事務のプロセスをデジタル前提のものとして再構築する業務改革（以下「ＢＰＲ」という。）の実施が重要であるという認識に基づくものである。具体的には、記録項目・提出部数・添付書類の削減、経由事務の見直し、申請・届出窓口の一本化、ワンストップサービス化等が考えられる。同項が努力義務規定にとどめられているのは、地方公共団体等が受け付ける申請等に係る情報システムを国の行政機関等が整備する場合もありうるので、かかる場合において、国の行政機関等が、当該地方公共団体等に係る手続等および関連する事務のＢＰＲの実施を義務とすると、地方公共団体等の自主性・自律性を損なうおそれがあるからである。

地方公共団体等の「国の行政機関等以外の行政機関等」は、国の行政機関等が同条一項〜三項の規定に基づき講ずる措置に準じて、情報通信技術を利用して行われる手続等に係る当該行政機関等の情報システムの整備その他の情報通信技術を活用した行政の推進を図るために必要な施策を講ずる努力義務を負う（同条四項）。努力義務にとどめられているのは、地方公共団体の地方自治の尊重や財政的制約への配慮、独立行政法人等の中には手続等の実施がほとんど想定されないものもあることを考慮したからである。同項の対象は、「情報通信技術を利用して行われる手続等に係る当該行政機関等の情報システムの整備その他の情報通信技術を活用した行政の推進を図るために必要な施策」である。「手続等」という言葉は、法令に基づくもののみを指すので、条例・規則・要綱等に基づく手続も含めるため、「その他の情報通信技術を活用した行政の推進を図るために必要な施策」という文言が用いられており、「法令」に基づかず、条例・規則・要綱等に基づく手続に係る地方公共団体の情報システムの整備も努力義務の対象になる。国は、国の行政機関等以外の行政機関等が講ずる同条四項の施策を支援するため、情報の提供その他の必要な措置を講ずる義務を負う（同条五項）。「その他の必要な措置」には、財政的支援が含まれる。

(七) オンライン化可能規定

申請等についてのオンライン化可能規定

デジタル手続法六条一項は、「申請等のうち当該申請等に関する他の法令の規定において書面等により行うことその他のその方法が規定されているものについては、当該法令の規定にかかわらず、主務省令で定めるところにより、主務省令で定める電子情報処理組織……を使用する方法により行うことができる。」と規定している。

デジタル手続法六条は、行政手続オンライン化法三条を一部改正している。デジタル手続法六条一項は、オンライン化可能規定である。書面等による手続を一括して改正する束ね法（一括法ともいう。宇賀克也・行政手続オンライン化3法〔第一法規〕一四六頁参照）ではなく、オンライン化を可能とする通則法の方法が採用されている。同項は、他の法令の規定にかかわらずオンラインで行うことを可能にするにとどまり、申請者等にオンラインで手続を行う権利を付与するものではないし、行政機関等に申請等をオンラインで受け付ける義務を課しているわけでもない。行政手続オンライン化法三条一項においては、「他の法令の規定により書面等により行うこととしているもの」を対象にしていたが、デジタル手続法六条一項は、「他の法令の規定において書面等により行うことその他のその方法が規定されているもの」と定められている。すなわち、「その他の方法が規定されているもの」にまで対象が拡大されている。政省令のレベルで書面等により行うことが規定されていることが少なくないため、「他の法律の規定により」ではなく「他の法令の規定により」と定めている。他の法令の規定により書面またはオンラインにより行うこととされている場合には、当該他の法令ですでにオンラインによることが可能であるから、本項の規定は適用されない。「主務省令で定めるところにより」とされているのは、オンライン申請等を行う場合の手続は多様でありうるため、法律で一律に定めることは適当でないからである。主務省令で規定する事項は、オンライン化の対象とする手続、使用する電子情報処理組織、電子署名の要否と内容等である。主務省令が定められることは、当該申請等をオンラインで行う権利を申請者等に付与することを意味するものではなく、また、当該府省のすべての機関において情報システムの整備が完了しなければ、主務省令を定めることができないわけでもない。たとえば、当該府省の地方支分部局のすべてにおいて情報システムの整備が完了していない場合であっても、主務省令で当該申請等をオンライン化可能なものとして定めておくことは可能である。

「電子情報処理組織」とは、行政機関等の使用に係る電子計算機と申請等をする者の使用に係る電子計算機とを電気通信回線で接続したもの全体を意味する。ここでいう電子計算機には入出力装置を含む。ここでいう電気通信回線は、専用線ではなくインターネットを念頭に置いている。

処分通知等についてのオンライン化可能規定

デジタル手続法七条一項は、「処分通知等のうち当該処分通知等に関する他の法令の規定において書面等により行うことその他のその方法が規定されているものについては、当該法令の規定にかかわらず、主務省令で定めるところにより、主務省令で定める電子情報処理組織を使用する方法により行うことができる。」と規定している。電子情報処理組織による処分通知等の基本的仕組みは、電子情報処理組織による申請等と異ならない。ただし、オンライン化可能規定が適用されるのは、当該処分通知等を受ける者が当該電子情報処理組織を使用する方法により受ける旨の主務省令で定める方式による表示をする場合に限るとしている点（同条一項ただし書）が、電子情報処理組織による申請等と異なる。その理由は、処分通知等を受ける者がオンラインにより受けることを希望しない場合や、そもそもオンラインにより受けることができる環境にない場合に、オンラインによる処分通知等を行うことは適切ではないからである。他方において、私人の側に必ずオンラインで処分通知等を行うことを要求する権利が認められているわけではない。

(八) 到達時期

オンライン申請等の到達時期

申請等の到達時期は、一般に、現実に相手方が了知したときではなく、意思表示が相手方の了知しうる状態に置かれたときと解されている。そこで、オンライン化可能規定（デジタル手続法六条一項）によりオンライン申請等が行われた場合の到達時期については、行政機関等の使用に係る電子計算機に備えられたファイルへの記録がされた時に当該行政機関等に到達したものとみなすこととされている（六条三項）。個別法令に書面等を意味する用語が使用されておらず、オンライン化可能規定を適用するまでもなくオンライン申請等が可能な場合の到達時期については、同法六条三項の規定が類推適用される。

各府省が設ける汎用受付等システムが窓口となる場合には、当該システムのファイルに情報が記録されれば、当該府省の支配圏内に入ったといえるので、当該府省の所管部局の電子計算機に係るファイルに情報が記録されていなくても、到達したといえる。ただし、汎用受付等システムのファイルへの記録の途中でシステムの故障等により記録が中断してしまった場合には、到達したものとはみなされない。韓国の「電子政府実現のための行政事務等の電子化推進に関する法律」(電子政府法)は、所定の期限までに到達すべき文書等を送信者が期限前に電子的方法により送信したが、当該受信者の電子計算機または関連装置の障害によって期限内に到達しない場合には、当該受信者に限り障害が除去された日の翌日に期限が到来したものとみなすと規定している(一九条三項)。

申請等はオンラインで行い、添付書類は後日別送する場合、申請等の到達時期はいつになるかという問題があるが、行政手続法七条は、形式的要件に適合しない申請であっても、その到達時点において、形式的要件の審査義務が発生することとしているから、添付書類が後日別送される場合であっても、オンライン申請等が期限内に到達していれば、期限を徒過したことにはならない。

休祭日等の閉庁日であっても、当該日に行政機関等の電子計算機に備えられたファイルに申請等が記録されるシステムになっている場合には、当該ファイルへの記録時点において到達があったものとみなされ、標準処理期間もその時点から起算される点は、開庁日に到達した場合と異ならない。

オンライン処分通知等の到達時期

デジタル手続法は、オンラインで行われた処分通知等については、当該処分通知等を受ける者の使用に係る電子計算機に備えられたファイルに記録された時に到達したものとみなすこととしている（七条三項）。汎用受付等システムの場合、相手の使用に係る電子計算機に備えられたファイルに確実に記録されることを担保するために、行政庁が、処分通知等が受取可能な状態になっていることを相手方にメールで連絡し、これを受けて、相手方が行政庁の使用に係るシステムのファイルにアクセスし、処分通知等をダウンロードして自分の使用する電子計算機に備えられたファイルに記録することとしている。したがって、この記録が完了した時点において到達したものとみなされることになる。

なお、例外的に発信主義がとられている場合には、発信時点は、汎用受付等システムの場合、処分通知等のダウンロードが開始された時点になるが、個別法において別段の定めをすることは可能である。

(九) 縦覧等・作成等の電子化

縦覧等の電子化

行政情報化を進めるためには、行政機関等による縦覧等の手続も電子化可能とすることが望ましいため、デジタル手続法は、法令で書面等による縦覧等が定められている場合であっても、主務省令で定めるところにより、電磁的記録で行うことを認めている（八条一項）。ただし、そこで定められているのは、行政機関等が縦覧に供する手続であって、私人が縦覧に供する手続は対象としていない。デジタル手続法は、行政情報化を主目的とする法律であるからである。また、ここでいう「縦覧等」には、官報や行政機関等の事務所の掲示板における公示、刊行物等による公表は含まれていない。主務省令においては、電磁的記録により縦覧等を行う手続を具体的に指定し、どのような方法で縦覧等を行うか（行政機関等の事務所に備えられた専用端末の画面に表示する等）も具体的に定める必要がある。

なお、デジタル手続法八条一項は、「申請等に基づくものを除く。」としている。縦覧等に含まれる閲覧の中には、利害関係人等の申請に基づいて行われることとしているものが多いが、この場合、閲覧を申請する行為は、同法三条八号が規定する「申請等」に該当し、同法六条の規定が適用される。また、申請等に基づいて閲覧をさせる行為は、同法三条九号の処分通知等に該当するので、同法七条の規定が適用される。そこで、同法六条・七条と八条の重複適用を避けるため、八条の適用対象は、申請等に基づかずに、縦覧または閲覧に供するものに限定している。

デジタル手続法八条一項は、「当該書面等に係る電磁的記録に記録されている事項又は当該事項を記載した書類により行うことができる。」と規定しているが、「当該書面等に係る電磁的記録に記録されている事項…により行う」には、オンラインで行われる場合も、オフラインで行われる場合も含まれる。前者の例としては、オンラインで私人の保有するパソコンの画面上に表示することによって縦覧等を行うことが考えられる。後者の例としては行政機関等の事務所の専用端末の画面上に表示することが考えられる。「当該事項を記載した書類により行う」とは、電磁的記録をプリントアウトしたものを縦覧等に供することを意味している。

行政手続オンライン化法五条一項においても、電磁的記録による縦覧等について定められていたが、そこにおいては、書面等による縦覧等と同条一項の規定に基づく電磁的記録による縦覧等の双方を行う必要はないことを明確にするため、「書面等の縦覧等に代えて」と規定されていた。しかし、デジタル手続法八条一項では、国民の利便性の観点からは、双方を併用するほうが望ましいといえるので、「書面等の縦覧等に代えて」という部分は定められていない。

作成等の電子化

作成等のうち当該作成等に関する他の法令の規定において書面等により行うこととしているものについては、当該法令の規定にかかわらず、主務省令で定めるところにより、当該書面等に係る電磁的記録の作成等を行うことができる（九条一項）。このように、デジタル手続法九条一項は、書面等による作成等の規定がある場合に、電磁的記録による作成等を可能にする通則的規定である。台帳をすべて磁気ディスクをもって調製する旨が規定されている場合には、当該台帳はそもそも「書面等」には当たらないので、同項の規定の適用を受けない。電磁的記録による作成等を可能にする通則的規定であった行政手続オンライン化法六条一項において「書面等の作成等に代えて」という部分がデジタル手続法九条一項に定められていないのは、同法八条一項において「書面等の縦覧等に代えて」という部分が定められていないのと同じ理由による。「電磁的記録」による作成等としては、磁気ディスクや磁気テープによる調製等が考えられる。

㈩　書面等みなし規定

デジタル手続法六条二項は、同条一項の規定に基づくオンライン申請等も、書面等その他の方法による申請等とみなすことによって、本来の書面等その他の方法による申請等と同じ法的効果が生ずることとするものである。書面等による手続等を懈怠した場合や提出された書面等に虚偽記載がある場合に罰則の定めがあったり、書面等による届出後一定の期日経過後、ある行為を行うことが認められる等、書面等の提出時が他の行為の起算点になる仕組みがとられている場合がある。このような場合、書面等による手続をオンラインで行えることとするのみでは、オンライン申請等をしたにもかかわらず、書面等による提出を懈怠したとして罰則を科されるおそれ、オンライン申請等に虚偽記載をしても書面等への虚偽記載ではないので罰則の適用はないと抗弁されるおそれ、オンライン申請等は書面等による申請等ではないから他の行為の起算点にならないという解釈がされるおそれ等がある。そこで、デジタル手続法六条二項は、「当該申請等に関する他の法令の規定する方法により行われたものとみなして、当該法令その他の当該申請等に関する法令の規定を適用する。」と規定している。

同様に、不正な手段により許可を受けた者に罰則を適用したり、処分通知等を受けた日が期限の起算点になっていたり、縦覧等を怠ったことに対する罰則が定められていたり、縦覧等がこれに対する意見の申出等の起算点になっていたり、作成等の義務違反に対して罰則が定められていたりすることがあり、これらについても、申請等について述べたのと同種の疑義が生ずる可能性がある。そこで、このような疑義が生じないように、オンライン処分通知等、縦覧等の電子化、作成等の電子化についても、当該処分通知等、縦覧等、作成等に関する法令の規定に定めた書面等により行われたものとみなして当該法令等の規定を適用することを明確にしている（七条二項、八条二項、九条二項）。

「当該申請等に関する法令の規定」「当該処分通知等に関する法令の規定」等は、申請等手続、処分通知等の手続等の根拠規定を定める法令とは別の法令である場合も含んでいる。たとえば、A法律に「○○の届出書を国土交通大臣に提出しなければならない。」と規定しており、B法律に「○○の届出があった日から三〇日以内は、△△の行為をしてはならない。」と規定されている場合、当該届出がオンラインで行われたときには、デジタル手続法六条二項の書面等みなし規定により、オンライン届出があってから三〇日以内は、△△の行為をしてはならないことになる。

(十一) 署名等みなし規定

デジタル手続法は、オンライン化可能規定（六条一項）が適用されオンライン申請等が行われる場合において、行政機関等は、当該申請等に関する他の法令の規定により署名等をすることとしているものについては、当該法令の規定にかかわらず、氏名または名称を明らかにする措置であって主務省令で定めるものをもって当該署名等に代えさせることができると規定している（六条四項）。デジタル手続法六条四項は、署名等代替規定であり、行政手続オンライン化法三条四項にも署名等代替規定は存在した。しかし、デジタル手続法六条四項では、電子情報処理組織を使用した個人番号カードの利用を代替措置として例示している点が異なる。これは、個人番号カードを利用した公的個人認証サービスは、同カードに格納された秘密鍵を用いて文書を暗号化し、秘密鍵と対になっている公開鍵を含む電子証明書とともに行政機関等に送付し、行政機関等は、当該電子証明書が本人のものであることを認証局である地方公共団体情報システム機構（Ｊ‐ＬＩＳ）に確認し、公開鍵を用いて暗号化された文書を復号するものであり、なりすましや改ざんを防止することができること、同カードは無償ですべての国民に配布されることに照らし、署名等代替措置の代表的なものとなると想定されるからである（公開鍵暗号方式については、宇賀克也・行政手続と行政情報化〔有斐閣〕二八二頁以下、宇賀克也＝長谷部恭男編・情報法〔有斐閣〕一一九頁以下、宇賀克也・行政手続オンライン化３法〔第一法規〕一〇六頁以下参照)。

この点と関連して、マイナポータルを使用する際に必要な個人番号カードの読取りに対応したＩＣカードリーダライタまたはスマートフォン等の普及に努めるとともに、多くの国民がその利便性を享受できるよう、制度の周知を図ること、国外に転出した者が、円滑に個人番号カードおよび電子証明書を取得し、および利用し続けることができるよう、在外公館において個人番号カードおよび電子証明書の交付および更新の事務を行うことについて検討を行い、関係府省が連携して体制の整備に取り組むことが、衆参両院の内閣委員会において附帯決議されている。また、健康保険証としての活用等により個人番号カードおよび電子証明書が必要となる場面が拡大することを踏まえ、これらの交付および更新を無償で行うとともに、交付および更新が円滑に進むよう地方公共団体等の体制強化や国民に対する十分な周知に関係府省が連携して取り組むことが、参議院内閣委員会において附帯決議されている。オンライン化可能規定(七条一項)が適用されオンライン処分通知等が行われる場合、書面等に代えて電磁的記録を作成した場合についても、個別法令が定める署名等の規定を改正することなく、主務省令で定めるところにより、電子署名等で署名等に代替することを認めている(七条四項、九条三項)。

なお、書面等みなし規定(六条二項、七条二項)は、「前項の電子情報処理組織を使用する方法により行われた申請等については」「前項の電子情報処理組織を使用する方法により行われた処分通知等については」と規定しており、オンライン化可能規定のみを対象とし、署名等代替可能規定(六条四項、七条四項)には適用されない。これは、署名等を懈怠したことのみを理由として罰則を科すこととする法令はないからである。

(十二) 手数料のオンライン等納付規定

オンライン申請等が行われた場合の手数料の納付に関する規定は、行政手続オンライン化法には置かれていなかったが、同法と同時に制定された「行政手続等における情報通信の技術の利用に関する法律の施行に伴う関係法律の整備等に関する法律」（以下「行政手続オンライン化関係整備法」という。同法について詳しくは、宇賀克也・行政手続オンライン化3法〔第一法規〕九五頁以下参照）において、手数料の納付が必要な手続のうち法律により収入印紙による納付を義務づけているものの手数料の納付について特例を定める法改正が行われていた。デジタル手続法六条五項では、このような個別法の改正によることなく、オンライン申請等が行われた場合の手数料の納付をオンライン等で行うことを可能とする通則的規定を設けている。行政手続等オンライン化関係整備法では、法律で収入印紙での納付を義務づける規定を整備したが、デジタル手続法六条五項では、「他の法令の規定において収入印紙をもってすることその他の手数料の納付の方法が規定されているもの」を対象としているので、政省令で収入印紙等による手数料の納付を定めているものも対象としていることになる。同項では、「電子情報処理組織を使用する方法その他の情報通信技術を利用する方法であって主務省令で定めるものをもってすることができる」と規定しているので、「電子情報処理組織を使用する方法」は例示であり、納付に関する情報を磁気媒体に記録してオフラインで提出する方法を主務省令で定めることもありうる。

(十三)　部分オンライン規定

デジタル手続法六条六項には、行政手続オンライン化法にはなかった部分オンライン規定が置かれている。これは、オンライン申請等に当たり添付書類を書面で別送するような場合を念頭に置いた規定である。登記実務においては、申請情報のみをオンラインで送信し、添付書面については法務局に持参する方式が定着していた（陰山克典「不動産登記・商業登記に関する行政手続のデジタル化と情報連携の実務的課題」ジュリスト一五五六号四八頁以下参照）。行政手続オンライン化法の下では、部分的にオンラインで行われる場合の取扱いについては、主務省令に定められることはあったものの、法律上の手当はされなかった。これに対して、デジタル手続法は、「一連の行程が情報通信技術を利用して行われるようにすること」（同法二条一号）と規定されているように、行政手続等を最初から最後までデジタル化することを志向しているので、部分オンラインについても、法律上、その位置づけを明確にしたのである。そして、かかる部分オンラインが認められるのは、「電子情報処理組織を使用する方法により行うことが困難又は著しく不適当と認められる部分がある場合として主務省令で定める場合」に限ることとし、かかる場合の例示として、対面により本人確認をするべき事情がある場合と原本を確認する必要がある場合を明記している。その他の場合としては、大量の図面等のスキャニングを行いオンライン申請等をさせることが、申請等を行う者に過大な負担を課し、「手続等が利用しやすい方法により迅速かつ的確に行われるようにすること」（同法二条一号）という基本原則に反する結果となるような場合等が考えられる。

申請等の一部ではなく全部を書面等で行う必要がある場合には、同法一〇条一号の適用除外に当たることになり、同法六条六項の部分オンライン規定の適用を受けない。同項の規定により主務省令でオンライン申請等の例外が認められた部分については、同条一項の特例規定が適用されないので、個別法令の規定がそのまま適用されることになる。他方、部分オンラインが認められる場合には、同条二項～五項についても、オンライン申請等が認められる部分に限って適用する必要があるので、そのための読替えが行われている。申請本体はオンラインで行われ、添付書類が郵送された場合、オンライン申請等により申請本体が到達した時点で申請があったとして審査義務が生ずるものの、添付書類が未到達の時点では、申請の形式上の要件を満たしていないので、実体審査に入れないということになると思われる。デジタル手続法七条五項には、オンライン処分通知等についての部分オンライン規定が置かれている。

㈣ 適用除外

デジタル手続法一〇条では、オンライン化等が適当でない手続等について、オンライン化等規定の適用除外が定められている。行政手続オンライン化法七条も適用除外の規定であったが、そこでは、適用除外となる手続等を別表に列記する方法がとられていたため、いかなる基準で適用除外とするかを明示する必要はなく、実際に明示されていなかった。他方において、デジタル手続法においては、適用除外とする手続等を政令に委任しているので（デジタル手続法施行令四条参照）、白紙委任は許されず、委任する法律において、いかなる手続等を適用除外にすべきかの基本的方針を法律で示さなければならない。行政手続オンライン化法七条の別表で定められた手続等は、対面によるもの、または現物を備え付けたり提示したりする必要があるものという基準で選択されたものであった。デジタル手続法一〇条一号は、その考え方を踏襲し、「申請等に係る事項に虚偽がないかどうかを対面により確認する必要があること」、「許可証その他の処分通知等に係る書面等を事業所に備え付ける必要があること」を例示している。本人に出頭義務が法定されている場合は前者、許可証の携帯義務が課されている場合は後者の類型に該当する。

行政手続オンライン化法七条においては、同法別表で適用除外とする手続等を列記したため、政令に基づく手続等は対象外とせざるを得なかった。これに対して、デジタル手続法一〇条一号は、政令に基づく手続等も含めてオンライン化等が適当でない手続等について国民が一覧することができるようにすることが望ましいという判断に基づき、適用除外となる手続等を政令で定めることとしている（デジタル手続法施行令四条別表参照）。他方、省令で定める手続等で適用除外にすべきものは、必要に応じ、主務省令で適用除外にすることができる。なお。人事院は、内閣から職権行使の独立性が保障されており、また、会計検査院は内閣から独立しているので、政令ではなく、それぞれの規則で適用除外となる手続等を定めることになる。デジタル手続法一〇条一号は、手続等の全体を適用除外にする規定であり、一部をオンライン等により実施することが可能な手続等は、同号の射程外であり、同法六条六項または七条五項の適用の問題になる。

デジタル手続法一〇条二号は、個別法令で個々の手続等の特性に応じたオンライン化等規定が設けられているため、同法六条～九条の規定を適用する必要がないものを適用除外にしている。この場合において、同法六条～九条の規定を適用すると、個別法令と同法六条～九条の規定のいずれを適用すべきかが不明確になり、また、同法六条～九条の規定が適用されると、個別法令で個々の手続等の特性に応じたオンライン化等規定を設けた意義が損なわれることになる。そこで、同法六条～九条の規定を適用しないことを明確にしている。

デジタル手続法一〇条二号により適用除外になるのは、「手続等のうち当該手続等に関する他の法令の規定において電子情報処理組織を使用する方法その他の情報通信技術を利用する方法により行うことが規定されているもの」である。「電子情報処理組織を使用する方法」は、「情報通信技術を利用する方法」の例示にすぎないので、磁気ディスクの提出等のオフラインによる「申請等」や、行政機関等の事務所に備えられた端末での表示による「縦覧等」、磁気ディスクによる調製の方法での「作成等」も含まれる。他方において、同法六条一項、七条一項、八条一項または九条一項の規定に基づき行うことが規定されているものは、適用除外の対象に含まれない。これは、個別法において、デジタル手続法六条一項の規定に基づく申請等を行う場合の手数料について定めるものなどがあるからである。

㈤ 添付書面等の省略

行政手続オンライン化法自体においては、添付書面等の省略に関する規定は設けられず、必要に応じて、個別法令において、添付書面等の省略に関する規定が置かれるにとどまった。これに対して、デジタル手続法一一条は、添付書面等の省略について定めている。同条の対象になる添付書面等は、「申請等をする者に係る住民票の写し、戸籍又は除かれた戸籍の謄本又は抄本、登記事項証明書その他の政令で定める書面等であって当該申請等に関する他の法令の規定において当該申請等に際し添付することが規定されているもの」であって、「法令」で提出が義務づけられているものに限られる。その理由は、デジタル手続法全体が法令に基づく手続等を対象としていることに加えて、法令に基づかずに行政指導で提出を求めるものについては、提出義務はないからである。省略の対象になる添付書面等を政令で定めることとしているのは（デジタル手続法施行令五条参照）、今後、添付書面等の省略の対象の拡大が予想されるので、法律の改正を要せずに臨機応変に追加できるようにする必要があるからである。

デジタル手続法一一条は、「当該申請等に関する他の法令の規定において当該申請等に際し添付することが規定されているもの」を対象としているので、オンライン申請等の場合に限らず、申請等がオフラインで行われる場合における添付書面等の省略も対象としている。また、「当該申請等をする者が行う電子情報処理組織を使用した個人番号カードの利用その他の措置であって当該書面等の区分に応じ政令で定めるものにより、直接に、又は電子情報処理組織を使用して、当該書面等により確認すべき事項に係る情報を入手し、又は参照することができる場合には、添付することを要しない」と規定されているので、個人番号カード等に記載された情報を直接に提示して本人確認を行うことが可能であったり、電子署名等の認証制度を利用したりする場合や、行政機関等は保有していなくてもインターネット上で公にされている情報や行政機関等がアクセスしうるデータベースに保存されている場合等においても、添付書面等の省略が可能であって、行政機関間のバックオフィス連携による方法に限られているわけではない。「当該書面等により確認すべき事項に係る情報」と規定されているのは、添付書面等に記載された事項とは異なる情報により本人確認ができるような場合も含める趣旨である。

「当該申請等をする者が行う電子情報処理組織を使用した個人番号カードの利用その他の措置であって当該書面等の区分に応じ政令で定めるもの」と規定されているのは、添付書面等を省略できる他の方法は、省略の対象となる添付書面等により異なりうるし、将来、情報システム等が進展することにより、「その他の措置」が変化することが想定されるので、法律で定めることは適当ではないからである。添付書面等の省略のための情報システムの整備については、情報システム整備計画に定められ（同法四条二項四号）、当該計画に従って情報システムを整備することが国の行政機関等に義務づけられている（同法五条一項）。

「直接に…当該書面等により確認すべき事項に係る情報を入手し、又は参照することができる場合」とは、申請者等が個人番号カードを提示することにより、行政機関等が、申請者等の本人確認を直接に行えるような場合を念頭に置いており、「電子情報処理組織を使用して、当該書面等により確認すべき事項に係る事項を入手し、又は参照することができる場合」とは、申請者等が提示した法人番号を使用して、行政機関等が登記情報連携システムを用いて当該法人が実在していることを確認するような場合を念頭に置いている。なお、世帯情報については、行政手続における特定の個人を識別するための番号の利用等に関する法律（以下「マイナンバー法」という。）に基づく情報連携により取得することができるが、マイナンバー法二二条二項は、情報提供ネットワークシステムを使用した特定個人情報の提供があった場合において、他の法令の規定により当該特定個人情報と同一の内容の情報を含む書面の提出が義務づけられているときは、当該書面の提出があったものとみなすと定めているので、デジタル手続法一一条の規定に基づく措置として定める必要はないことになる。

同条には、デジタル手続法六条二項、七条二項、八条二項、九条二項のような書面等みなし規定は置かれていない。その理由は、デジタル手続法一一条は、他の法令に規定された添付書面等の提出を他の方法で代替する旨の規定ではなく、他の方法により添付書面等の提出を不要とする規定であるので、他の方法の効力について定める必要はないからである。

㈩ 情報通信技術の利用のための能力等における格差の是正

デジタル社会形成基本法八条は、「デジタル社会の形成に当たっては、地理的な制約、年齢、障害の有無等の心身の状態、経済的な状況その他の要因に基づく高度情報通信ネットワークの利用及び情報通信技術を用いた情報の活用に係る機会又は必要な能力における格差が、デジタル社会の円滑かつ一体的な形成を著しく阻害するおそれがあることに鑑み、その是正が着実に図られなければならない」と定めている。この規定は、官民双方におけるデジタル社会形成のための基本理念を定めるものであり、国および地方公共団体は、基本理念にのっとり、デジタル社会の形成に関する施策を策定し、および実施する責務を有する（同法一三条、一四条）。デジタル手続法一二条は、この責務を具体化するものとして位置づけることができる。デジタル社会形成基本法八条において、「情報通信技術を用いた情報の活用に係る機会又は必要な能力における格差」と規定されているのに対して、デジタル手続法一二条一項において「情報通信技術の利用のための能力又は利用の機会における格差」と規定されているのは、デジタル社会形成基本法では、官民双方における情報通信技術を用いた情報の活用によりデジタル社会の形成が志向されているのに対して、デジタル手続法一二条では、行政機関等が情報通信技術を活用して提供するデジタルサービスを個人や法人等が利用することによって、情報通信技術の恩恵をすべての者が均霑できるようにすることが志向されているからである。

行政手続オンライン化法には、デジタル手続法一二条に相当する規定は設けられていなかった。その理由は、行政手続オンライン化法は、行政手続等をオンライン化することを可能とする通則法であって、オンラインを原則とするものではなかったので、オンラインで行政手続等を行うに当たってのデジタル・デバイドを是正する施策については、各行政機関等の責任に委ねれば足りると考えられたのである。これに対して、デジタル手続法は、国の行政機関等に情報システムの整備を義務づけ（同法五条一項）、地方公共団体に情報システムを整備する努力義務を課しているので（同条四項）、それに対応するデジタル・デバイド対策についても、具体的な施策を講ずる義務を国に、努力義務を地方公共団体に課す必要があると考えられたのである。地方公共団体には努力義務を課すにとどめたのは、地方自治の尊重の要請に配慮したからである。

同法一二条一項は、「年齢、障害の有無等の心身の状態、地理的な制約、経済的な状況その他の要因に基づく情報通信技術の利用のための能力又は利用の機会における格差の是正を図るために必要な施策」を講ずる義務を国に課している。デジタル・デバイド対策について、衆参両院の内閣委員会では、経済的事情によりパソコン・スマートフォン等の情報通信機器を所有していない者も、情報通信技術の便益を享受できるよう、必要な施策を講ずること、地方公共団体が、情報通信技術の利用のための能力等における格差の是正を図るため、当該能力等が十分でない者が身近に相談、助言その他の援助を求めることができる機会の確保、当該援助を行うために必要な資質を有する者の確保および配置等の施策を講ずることができるよう、必要な支援を行うことを附帯決議している。

(十七) 条例または規則に基づく手続における情報通信技術の利用

デジタル手続法二章二節の「手続等における情報通信技術の利用」、同章三節の「添付書面等の省略」の双方において、対象とされているのは「法令」に基づく手続等に限定されている。行政手続法における処分に係る手続と同じ根拠法規区分主義が採られているのである（根拠法規区分主義について、宇賀克也・行政手続と行政情報化〔有斐閣〕二六頁、六四頁、同・自治体行政手続の改革〔ぎょうせい〕七頁以下参照）。行政手続オンライン化法も根拠法規区分主義を採用しており、デジタル手続法もその方針を踏襲している（行政手続オンライン化法の根拠法規区分主義について、宇賀克也・行政手続と行政情報化〔有斐閣〕三〇〇頁、同・行政手続オンライン化3法〔第一法規〕四二頁参照）。したがって、地方公共団体の条例または規則に基づく手続は対象外である。そこで、同法一三条一項は、地方公共団体に対して、条例または規則に基づく手続について、法令に基づく手続等に準じて電子情報処理組織を使用する方法その他の情報通信技術を利用する方法により行うことができるようにするため、必要な施策を講ずる努力義務を課している。具体的には、デジタル手続条例の制定が想定されるが、すでに行政手続オンライン化条例を制定している地方公共団体においては、その改正を検討することになる。法令に基づく手続等に準じて必要な施策を講ずることが求められているので、基本的には、デジタル手続法と同内容のものが想定されるが、同法の趣旨に反しない範囲で、各地方公共団体独自の創意工夫を行う余地は否定されていない（条例制定に当たっての留意点等については、宇賀克也・行政手続と行政情報化〔有斐閣〕三〇〇頁以下参照）。

国は、地方公共団体が講ずる同項の施策を支援するため、情報の提供その他の必要な措置を講ずる努力義務を負う（同条二項）。総務省の「自治体デジタル・トランスフォーメーション（DX）推進計画」（二〇二〇年一二月二五日）においては、デジタル活用支援員による支援や、地域デジタル社会推進費（仮称）の計上が定められている。この点について衆議院の内閣委員会では、地方公共団体が、行政のデジタル化の推進を図るため、条例または規則に基づく手続のほか、当該地方公共団体が行う施策の実施に関する指針、基準その他これらに類するものに基づく手続についても情報通信技術を利用する方法により行うことができるようにするための施策を講ずるに当たり、必要な情報の提供その他の援助を行うことが附帯決議されている。また、地方公共団体の業務において窓口における対面業務が市民と接する上で重要な機能を有していることに鑑み、このような機能が損なわれることがないよう配慮することも、衆参両院の内閣委員会において附帯決議されている。

㈩ 民間事業者と行政機関等との連携等

デジタル手続法二条三号にコネクテッド・ワンストップ原則が定められたことを承けて、同法一四条に民間事業者と行政機関等との連携等に関する規定が設けられた。すなわち、行政手続の機会にそれと密接に関連して行われる民間手続を取り扱う民間事業者に対して、当該民間手続を電子情報処理組織を使用する方法その他の情報通信技術を利用する方法により行うとともに、当該手続等に係る行政機関等との連携を確保する努力義務を課しているのである（一四条一項）。具体的には、引っ越しの際には、転出届・転入届や運転免許証の住所変更という行政手続に加えて、引っ越しポータルサイト等から電気、ガス、インターネットの民間事業者との使用契約の解除・新規開始契約の締結、携帯電話、銀行、保険等の民間事業者に対する住所変更届等がワンストップで行えるようにすること等が念頭に置かれている。

「手続等密接関連業務」から「申請等又は処分通知等として行うものを除く」としているのは、「契約の申込み又は承諾その他の通知」には、行政機関等に対する申請等または行政機関等による処分通知等も含まれてしまうからである。当該手続等に係る行政機関等との連携を確保する努力義務も民間事業者に課されているのは、行政手続と同一の機会に行われる民間手続のワンストップサービスを行うための情報システムの整備に当たっては、行政機関等とのＡＰＩによる情報連携が不可欠になるからである。

国は、同条一項の連携のため、同項の民間事業者に対し、必要な情報の提供、助言その他の援助を行うものとされている（同条二項）。この国の義務は、同条一項の連携のためとされているので、民間手続のオンライン化ではなく、ワンストップ化のための官民の情報連携の援助に係るものに限定される。

㈩九　民間手続における情報通信技術の活用の促進のための環境整備等

デジタル手続法一五条一項において、国は、民間手続における情報通信技術の活用の促進を図るため、契約の締結に際しての民間事業者による情報提供の適正化、取引における情報通信技術の適正な利用に関する啓発活動の実施その他の民間事業者とその民間手続の相手方との間の取引に関する情報通信技術の安全かつ適正な利用を図るために必要な施策を講ずるものとすると定められている。同条は、官民データ活用推進基本法一〇条二項において、国は、民間事業者等が行う契約の申込みその他の手続に関し、電子情報処理組織を使用する方法その他の情報通信技術を利用する方法により行うことを促進するよう、必要な措置を講ずるものとすると定められたことを承けたものである。

民間手続においては、民間事業者と消費者の間の情報の非対称性を是正するために書面交付が民間事業者に義務づけられることが多いが、オンライン化によって、その趣旨が損なわれないように、「契約の締結に際しての民間事業者による情報提供の適正化」のために必要な施策を講ずる義務が国に課されているのである。また、消費者自身がオンライン取引に関するリスクを十分に認識して注意を払うことができるように、「取引における情報通信技術の適正な活用に関する啓発活動の実施」も、国に義務づけている。

デジタル手続法一五条二項において、国は、同条一項の施策の実施状況を踏まえ、民間事業者とその民間手続の相手方との間の取引における情報通信技術の安全かつ適正な利用に支障がないと認めるときは、民間手続が電子情報処理組織を使用する方法その他の情報通信技術を利用する方法により行われることが可能となるよう、法制上の措置その他の必要な措置を講ずるものとされている。この規定が設けられた理由は、民間手続において書面等による旨の規制が設けられているのは、消費者保護のためであることが一般的であるので、民間手続のデジタル化により消費者保護に支障が生じないよう、同条一項の規定に基づく施策の実施状況を踏まえ、情報通信技術の安全かつ適正な利用に支障がないと確認された場合に限り、書面等による旨の規制を解除するための法制上の措置を講ずることが適切であるからである。同条二項の「民間手続」が「当該民間手続に関する法令の規定において書面等により行うことその他のその方法が規定されているものに限る」とされているのは、かかる法令上の制約がない場合には、法制上の措置を講じなくても、デジタル化が可能であるからである。

㈢ 情報通信技術を活用した行政の推進に関する状況の公表

デジタル手続法は、情報システム整備計画の公表を義務づけている（同法四条四項）。したがって、情報システムの整備に関する基本方針（同条二項二号）、申請等および申請等に係る処分通知等のうち、情報システムの整備により電子情報処理組織を使用する方法により行うことができるようにするものの範囲（同項三号イ）等は公表されることになる。しかし、同計画では、今後、オンライン化等を実施する手続等やその実施時期を確認することができるものの、オンライン申請等やオンライン処分通知等が可能になっている手続等を一覧することはできないという限界がある。そこで、国の行政機関等は、電子情報処理組織を使用する方法により行うことができる当該国の行政機関等に係る申請等および処分通知等その他同法の規定による情報通信技術を活用した行政の推進に関する状況について、インターネットの利用その他の方法により随時公表することを義務づけられている（同法一六条一項）。行政手続オンライン化法一〇条一項にも同様の規定があったが、そこでは、少なくとも毎年度一回公表するものとされていた。その理由は、同条二項の規定により、総務大臣が、同条一項の規定により公表された事項をとりまとめ、その概要について、少なくとも毎年度一回公表するものとされていたため、総務省の作業期間を考慮する必要があったからである。しかし、今日においては、ICTの進展により、かかる事務作業に要する労力は小さくなっており、デジタル手続法一六条二項では、内閣総理大臣も、同条一項の規定により公表された事項を取りまとめ、その概要について、随時公表するとされている。国の行政機関等についても、内閣官房による取りまとめの作業を考慮する必要はなく、随時公表することとされた。内閣総理大臣が公表するのは「概要」であるから、国民に分かりやすい公表が求められる。

　必ず公表しなければならないのは、「当該国の行政機関等に係る申請等及び処分通知等」である。その理由は、これらは個人や法人等に直接に影響を与えるからである。これに対し、縦覧等は行政機関等が申請等に基づかずに広く国民に周知するものであり、それが電磁的記録により可能なものを公表する必要性は高いとはいえず、作成等は、国民に与える影響が直接的ではないことに鑑み、公表を義務づけることはせず、「その他この法律の規定による情報通信技術を活用した行政の推進に関する状況」として公表するか否かは、国の行政機関等の裁量に委ねている。公表が必須となる「当該国の行政機関等に係る申請等及び処分通知等」は、「電子情報処理組織を使用する方法により行うことができる」ものであるから、同法の規定に基づきオンライン化されるものに限定されていない。個別法令に書面等により行うこと等が規定されておらず、法令上の制約なしにオンライン化を実施したものや、個別法令において独自のオンライン化措置を講じたものも含まれることになる。

「その他この法律の規定による情報通信技術を活用した行政の推進に関する状況」としては、添付書面等の省略が可能となる申請等、申請等および処分通知等のオンライン化時期、オンライン化されていない手続等も考えられる。また、各府省が、所管の法人や所管の法律を実施する地方公共団体に対して行うオンライン化推進方策等も公表することが望ましいといえよう。

国の行政機関等以外の行政機関等も、同様の公表義務を負うが、公表の時期については法定されていない（同法一七条）。その理由は、地方公共団体については、地方自治の尊重の要請に照らし、公表時期まで法定することは適当でないと考えられたこと、地方公共団体以外の行政機関等については、個人や法人等に多大な影響を与える手続等を実施しているとはいえないことを考慮したためである。

(三) 政令への委任

デジタル手続法は、委任命令への委任規定を設けているが、同法一九条では、執行（実施）命令への概括的委任を行っている。執行（実施）命令については法律の委任は不要であるとする説や憲法七三条六号、内閣府設置法七条三項、国家行政組織法一二条一項という一般的授権で足りるとする説によれば、デジタル手続法一九条のような規定は不要ということになるが、近年は、執行（実施）命令について、このような概括的委任規定を設けるのが一般的になっている。

2　デジタル手続法の施行に伴う整備法

(一)　基本的な方針

行政手続オンライン化法は、書面等による手続等について、原則としてすべてオンラインによる手続等でも行えるようにするために、オンライン化に当たっての法的制約を除去することを目的としていた。そして、行政手続オンライン化法による措置では十分でない事項については、行政手続オンライン化法の適用を除外して独自にオンライン化等を行うための措置を行政手続オンライン化関係整備法で講ずるという方針がとられた。他方、デジタル手続法は、個別法に独自のオンライン等に係る規定が置かれていない手続等のみを対象にしているので、同法の適用を除外して独自にオンライン化等を行うための規定を個別法に設ける必要はないことになる。また、デジタル手続法は、行政手続オンライン化法には存在しなかった手数料のオンライン納付規定、添付書面等の省略規定、部分オンラインの位置づけの明確化規定を設けている。そこで、デジタル手続法の施行に伴う関係法律の整備については、個別法に設けられている行政手続オンライン化法の適用除外規定を削除し、デジタル手続法の修正が必要な場合には、同法を適用した上で、個別法で追加するという方針がとられた。具体的には、以下のような整備がなされている。

㈡　個別法における行政手続オンライン化法の適用除外規定を削除したもの

デジタル手続法は、個別法に独自のオンライン化等規定がある手続等には適用されないので、行政手続オンライン化法の適用除外規定を削除したもの（財政法旧四六条の二等）と手続等をオンライン等で行うことができないために行政手続オンライン化法の適用を除外していた規定が、デジタル手続法一〇条一号の適用除外規定があるために不要となり削除されたもの（戸籍法一三〇条旧三項）がある。

㈢　個別法に独自のオンライン化等規定が置かれておらず、デジタル手続法が適用されるが、その特例を定めたもの

①　デジタル手続法の適用に当たり、個別法で追加的措置を規定するもの

この類型に属するものの中には、税の印紙納付に代えてオンライン納税を可能とするもの（地方税法一七七条の一二等）、オンライン化等の実施方法について条例で定めることができるようにするもの（特定非営利活動促進法七四条）、申請等の提出先を行政機関等以外のものにするもの（電子情報処理組織による輸出入等関連業務の処理等に関する法律三条一項）、オンライン申請等の場合に経由機関の経由を不要とするもの（政治資金規正法三二条の二）、オンライ

ンによる手続の場合には書面等に記載しなければならない事項の一部を省略できるとするもの（古物営業法一九条二項等）、オンライン申請等の場合に通関士の押印に代えて、通関士に入力内容の審査義務を課すもの（電子情報処理組織による輸出入等関連業務の処理等に関する法律五条）、オンライン申請等を行う努力義務を課すもの（政治資金規正法一九条の一五）、オンライン申請等を行う場合における申請等を行う場所を省令で定める場所とするもの（戸籍法一三〇条一項）、オンライン申請等を行った者が死亡した後も受理を義務づけるもの（戸籍法一三〇条二項）、オンライン申請等が行われた旨の証明書の交付について定めるもの（租税特別措置法九七条）、オンライン申請等を行った者が所定の期間内に手数料を納付しない場合に申請等を却下できる旨を定めるもの（道路運送車両法一〇二条六項）、オンラインによる処分通知等が行われたときの到達みなし規定の適用を除外するもの（古物営業法一九条五項）、オンライン申請等を行う場合における封に代替する措置について定めるもの（国税徴収法一〇一条一項）、他の手続におけるオンラインによる情報の提供がされた場合に、手続に必要な書面等が提出されたものとみなすもの（地方税法七二条の二五第一五項・一六項、七二条の二六第一〇項・一一項）等がある。

② デジタル手続法の適用に当たり、個別法における追加的措置に係る規定を削除したもの

この類型に属するものの中には、オンライン申請等が行われた場合には、正副二通の書面等が提出されたものとみなす規定を削除したもの（電波法八三条旧二項）、オンライン申請等が行われた場合における手数料納付規定を削除したもの（港湾法五六条の二の二〇第二項旧ただし書等）、オンライン処分通知等における相手方の同意を要件とする規定を削除したもの（私的独占の禁止及び公正取引の確保に関する法律七〇条の九旧第一項）、オンライン申請時における出頭

義務解除規定およびオンラインによる提出ができない書類の郵送等を認める規定を削除したもの（旅券法三条旧五項）等がある。

㈣ その他

その他、行政手続オンライン化法の用語を引用している規定について、デジタル手続法の条項に改めたもの（相続税法五九条一項等）、関係法律の規定の整備に伴ういわゆる孫ハネ改正をしたもの（特別会計に関する法律一一三条二項一号ロ等）、オンライン申請が行われた場合における旅券交付時における本人確認を定める規定が、オンライン申請の停止により不要となり削除したもの（旅券法八条旧二項）、個別法のオンライン規定の適用範囲の明確化を図ったもの（政党助成法四〇条の二第一項・二項）、他の法律による行政手続オンライン化法の一部改正規定のうち未施行のものについて、同法の廃止に伴い規定を整理したもの（地方自治法の一部を改正する法律〔平成二九年法律第五四号〕附則一一条等）、他の法律改正とデジタル手続法の施行日との先後関係により、デジタル手続法の改正対象となる規定が変化するものについて必要な調整を行ったもの（地方税法七四七条の二第一項等）、申請等に係る手数料納付ではないものについてもオンライン納付を可能にしたもの（中小企業退職金共済法四四条五項）、転居先市町村から転居元市町村への電子的照会を可能にしたもの（母子保健法一九条の二第一項・二項）、民間事業者が消費者に交付する書面および民間事業者と行政機関の間で相互に交付する書面について、相手方の承諾を得たうえでオンライン化を可能にしたもの（液化石油ガスの保安の確保及び取引の適正化に関する法律一四条三項・一八条二項）がある。

3　デジタル手続法の施行に伴う関係政令の整備

㈠　基本的な方針

デジタル手続法に基づくオンライン化を行うに当たって追加的措置が必要であると認められるものの、同法に基づいては対応できないものについては、行政手続オンライン化法の下で個別政令に設けられていた追加的措置は継続することとされた。他方、デジタル手続法に基づくオンライン化を行うに当たって追加的措置が必要であると認められ、かつ、デジタル手続法に基づき対応可能なものについては、個別政令の追加的措置に係る規定を削除することとされた。デジタル手続法の適用対象とならないことに伴い、独自のオンライン化規定に基づいてオンライン化を行うに当たり追加的措置が必要である場合には、当該追加的措置を新たに規定することとされた。

㈡　デジタル手続法の適用に当たり、追加的措置を継続することとされたもの

この類型には、オンライン申請等の場合には費用納付義務を免除するもの（動産・債権譲渡登記令一七条等）、書面等による手続等における記載事項の一部をオンライン手続等において省略するもの（ダム使用権登録令三六条二項）、対象手続等の前提として行われる手続等においてオンラインによる情報の提供が行われた場合には、対象手続等において書面等の添付義務を免除するもの（国土調査法施行令一六条二項ただし書）がある。

㈢　デジタル手続法の適用に当たり、追加的措置を削除したもの

この類型には、オンライン申請等における正副二通の書面等の提出義務を免除する規定を削除したもの（行政不服審査法施行令四条旧四項・六条旧二項等）、オンライン申請等が行われた場合における書面等みなし規定を削除したもの（行政不服審査法施行令五条旧二項・六条旧四項・七条旧四項等）、オンライン申請等を行う場合における現金による手数料納付を可能にする規定を削除したもの（行政不服審査法施行令一二条二項旧三号、行政機関の保有する情報の公開に関する法律施行令一三条三項旧三号等）、オンライン申請等を行う場合において出頭義務を免除する規定を削除したもの（自動車登録令一〇条旧ただし書）がある。

㈣ 独自のオンライン規定の適用に当たり追加的規定を設けたもの

この類型には、独自のオンライン申請について書面等みなし規定を設けたもの（租税特別措置法施行令五四条五項）等がある。

㈤ その他

その他、行政手続オンライン化法の用語を引用している規定について、デジタル手続法の条項に改めたもの（行政機関の保有する情報の公開に関する法律施行令九条二項柱書・同項一号柱書、同号ニ、一三条一項一号、行政不服審査法施行令一一条三号、電子署名及び認証業務に関する法律施行令三条二項）、デジタル手続法による改正前の関係法律（行政手続オンライン化法以外のもの）の規定を引用しているものについて、改正後のものに改めたもの（租税特別措置法施行令五四条二項柱書・五項等）、改元に伴い元号を改正したもの（保険業法施行令附則八条の五第一号〜三号等）、表現の適正化の観点から改正を行ったもの（行政機関の保有する情報の公開に関する法律施行令一三条三項柱書等）がある。

4　経過措置

㈠　申請等および処分通知等に係る経過措置

オンラインによる申請等または処分通知等は、それが行政手続オンライン化法の下で発信されたのであれば、その法効果についても、行政手続オンライン化法に従って生ずると考えるのが妥当である。そこで、デジタル手続法施行前に行われたオンラインによる申請等または処分通知等については、なお従前の例によることとし、同法施行後に行われたオンラインによる申請等または処分通知等には、同法の規定を適用することとされた（令和元年法律第一六号附則二条一項）。

㈡ 縦覧等および作成等に係る経過措置

他方、縦覧等は、一定期間継続して行われるものである。また、作成等は、作成のみならず保存も含むので、同様に、一定期間継続して行われるものである。そこで、縦覧等または作成等がデジタル手続法の施行前に行われた場合であっても、当該行為が同法施行の際現に行われている場合には、デジタル手続法の規定により行われたものとみなして、同法の規定を適用することとされた（令和元年法律第一六号附則二条二項）。

5　行政手続等のデジタル化に伴うその他の問題

高度情報通信ネットワーク社会形成基本法（ＩＴ基本法）（令和三年法律第三五号による廃止）三五条の規定に基づき、e-Japan重点計画が決定され、全府省に申請・届出等のオンライン化の見直し等が求められたのは、二〇〇一年三月二九日であった。それから、約二〇年が経過して、デジタル手続法案が可決・成立することになった。この約二〇年間の経験を経て、行政手続等のデジタル化についての取組は、進化してきたといえる。当初は、すべての行政手続等のオンライン化が自己目的化してしまい、利用実績が皆無な手続までオンライン化を行うため、費用対効果が見合わない情報システムを整備し、利用者の利便性の向上にも行政の効率化にもつながらない例もあった。このような反省を踏まえて、デジタル手続法は、利用者の利便性の向上という原点を見失うことなく、ＢＰＲの一環としてのデジタル化としての位置づけを明確にしている。同法の運用も、利用者のユーザエクスペリアンス（ＵＸ）を最大化することを目的として、デジタル化はそのための手段という位置づけを絶えず意識して行われるべきであろう。限られた行政資源を投入して運用される以上、費用対効果を分析し、利用者の多い手続などを優先して、効率的に利用者の利便性の向上を図っていくことが必要である。

行政手続等のデジタル化に伴い、申請者等、行政機関等の認証をどのように行うかの問題が生ずる。申請者等の認証のために、平成一二年に「電子署名及び認証業務に関する法律」（電子署名法）が制定され、同年、商業登記法の改正により、商業登記に基礎を置く電子認証システムが法定されたが、平成一四年、「電子署名に係る地方公共団体の認証業務に関する法律」（公的個人認証法）（平成二五年法律第二八号の「行政手続における特定の個人を識別するための番号の利用等に関する法律の施行に伴う関係法律の整備等に関する法律」による改正で、「電子署名等に係る地方公共団体情報システム機構の認証業務に関する法律」という名称に変更）が制定されている。国の行政機関の認証については、政府認証基盤（ＧＰＫＩ）が構築されており（宇賀克也＝長谷部泰男編・情報法〔有斐閣〕一二二頁）、地方公共団体組織認証基盤（ＬＧＰＫＩ）も構築されている。

また、オンラインにより行政手続が行われるようになると、書面等による行政手続の場合にはない解釈問題が発生することになり、行政手続法制研究にとっても新たな課題が生じている。

実際に少なからず発生すると思われるのが文字化けである。平成一三年に制定された韓国の「電子政府実現のための行政事務等の電子化促進に関する法律」（電子政府法）一九条四項は、行政機関に到達した電磁的記録が判読できない状態で受信された場合においては、当該行政機関は、これを不適法な申請とみなし、相当の期間を定めて補正を求めなければならないとしている。他方、行政機関が送信した電磁的記録が判読できない状態で受信者に到達した場合には、適法に到達したものとはみなさないこととしている。わが国においては、旧総務庁に置かれた共通課題研究会が平成一二年に公表した報告書（「インターネットによる行政手続の実現のために」）（宇賀克也・行政手続と行政情報化〔有斐閣〕二五五頁以下参照）で、「申請が文字化け等により判読できないときであっても、行政機関に到達したときには、その効果として審査義務が発生し、行政機関は相当の期間を定めて補正を求め、補正されない場合には、申請により求められた許認可等を拒否することになると考えられる」、「行政機関の発する結果の通知等については、仮にそれが相手方に到達したとしても、文字化け等により通知等の趣旨が判読できない場合には、形式上の要件に適合しないものとして、到達の効果は発生しないと考えることが適当と考えられる」と述べられている。韓国の電子政府法と基本的に共通の考えによっているといえよう。もっとも、いかなる場合に判読できないといえるかについて、判断が微妙な場合が発生すると思われる。他方、世界知的所有権機関の国際電子出願実施細則においては、文字化け等により判読できない場合には到達していないものとして取り扱われ、行政機関は、可能な場合、速やかに出願人にその旨を通知することとしている。

出願ファイルがウィルスで汚染されていることが検知された場合の対応についても検討する必要がある。オンライン申請・届出等の場合、ウィルスで汚染されていない状態で行われることが形式的要件であると解すれば、ウィルスが検知された申請・届出等は不適法なものとしてウィルスを除去せずに拒否処分をすることが許されよう。もっとも、世界知的所有権機関の国際電子出願細則においては、ウィルスを除去して出願を受領する場合についての定めも置かれている。なお、故意にウィルスで汚染された申請等を行うことは権利濫用であり、当然拒否処分ができよう。オンライン申請システム利用規約上、かかる妨害行為を行う者に対しては、システムの利用を制限することが認められている。また、電子計算機損壊等業務妨害罪（刑法二三四条の二）として告発すべきであろう。

システムの故障が生じた場合の到達時期をいかに考えるかという問題もある。この点で注目に値するのが、韓国の電子政府法一九条三項であり、所定の期限までに到達すべき申請等を申請者がオンラインで送信したが受信者の電子計算機または関連装置の障害により期限内に到達しなかった場合には、当該送信者に限り、障害が除去された日の翌日に期限が到来したものとみなすことによって、責に帰すべき事由のない申請者を保護している。

同一の申請を同一の者が大量に送りつける迷惑（スパム）メール対策も検討する必要がある。このような場合、最初の申請以外に対しては、一事不再理の原則によっても、権利濫用の法理によっても拒否処分をすることができよう。また、長大添付ファイルをオンラインで送信する場合、申請期限・届出期限の最終日に送信しても、全体が行政機関の使用に係る電子計算機のファイルに記録され終わるのが期限の翌日になってしまうことがありうる（「日跨がり問題」）。オンライン申請・届出の場合にこのような問題が発生しうることを周知して、余裕を持って手続を行うことを奨励すべきであろう。

その他にも、運用上も留意しなければならない点が少なくない。オンライン申請システムでは、オンラインで申請者が行政機関と通信中に離席する等により一定時間内に応答しないような場合、システム上の理由で通信がエラーとなり拒否処分がされてしまう場合がある（「タイムアウト問題」）。したがって、申請者に事前にこのような問題が発生しうることを周知しておくことが望ましい。

Ⅵ　マイナンバー（番号）法

1　マイナンバー法の目的

本法の目的（一条）は、第一に、行政運営の効率化である。すなわち、行政機関、地方公共団体その他の行政事務を処理する者が、個人番号および法人番号の有する特定の個人および法人その他の団体を識別する機能を活用し、ならびに当該機能によって異なる分野に属する情報を照合してこれらが同一の者に係るものであるかどうかを確認することができるものとして整備された情報システムを運用して、効率的な情報の管理および利用ならびに他の行政事務を処理する者との間における迅速な情報の授受を行うことができるようにすることにより、行政運営の効率を向上させることである。ここでいう「個人番号」とは、住民票コードを変換して得られる番号であって、当該住民票コードが記載された住民票に係る者を識別するために指定されるものであり（二条五項）、住民票に記載される者全員に付番されるという悉皆性（七条一項、制定附則三条一～三項）、重複がない唯一無二性（八条二項一号）、そして、社員が会社に自己の個人番号を告知し、会社がそれを法定調書に記載して、税務署長に提出する場合のように「民—民—官」で「見える番号」として流通する視認性を特色とする。

第二に、社会保障・税・災害対策の分野で共通の個人番号と紐付けられた符号により、情報提供ネットワークシステムという情報連携基盤を通じてデータマッチングを行い、また、個人番号により名寄せ・突合が効率的に行われることにより、社会保障給付の要件の充足の有無や所得がより正確に確認できるようになり、また、社会保障・税分野の情報共有により、きめ細かな社会保障制度設計が可能になること等により、行政分野におけるより公正な給付と負担を確保することが目的とされている。

第三に、国民の負担の軽減が目的とされている。すなわち、申請、届出等の行政手続を行うに際して所得証明書等の添付書類が不要になる等、手続の簡素化による国民の負担の軽減を企図しているのである。

第四に、本人確認の簡易な手段その他の利便性の向上を国民が享受できるようにすることである。現在、本人確認の手段としては運転免許証が多用されているが、運転免許証を有しない国民も存在する。旅券もすべての国民が有するわけではない。本法の下では、住民基本台帳カードに代わる個人番号カードが本人確認手段としても使用されることが想定されている（ただし、個人番号カードは申請により発行されるので、国民全員が個人番号カードを本人確認手段として取得するとは限らない。）。

第五に、現行の個人情報保護法制の特例を定めることである。個人番号をその内容に含む特定個人情報も、個人情報の一種であるから、現行の個人情報保護法制の適用を受けるが、特定個人情報は、個人番号の悉皆性、唯一無二性のため個人識別性がきわめて高く、また法定された目的の範囲内とはいえ、データマッチングが行われるから、現行の個人情報保護法制による規律のみでは個人情報保護として十分とはいえず、本法により特例を設けて、規制を強化しているのである。

2 個人番号

(一) 生成、指定および通知

本法においては、住民票コードは個人番号や情報提供ネットワークシステムの情報提供用個人識別符号の生成のために用いるものの個人番号としては用いず、住民票コードを変換して得られる新たな番号を個人番号とすることとしている（二条五項、八条二項二号）。個人番号が住民票コードを復元できる規則性を備えたものであれば、個人番号を住民票コードとしないことの意義が没却されるので、個人番号は住民票コードを復元することのできる規則性を備えたものでないことが要件とされており（同項三号）、乱数を用いて変換している。

個人番号の生成は、市区町村長の求めを受けて、地方公共団体情報システム機構が行うこととされている（八条一・二項）。個人番号の指定および個人番号の通知は市区町村長が行う（七条一項）。市区町村長による地方公共団体情報システム機構に対する住民票コードの通知・個人番号の生成の求め（八条一項。制定附則三条四項において準用する場合を含む。）、個人番号の生成・指定・通知（七条一・二項、八条一項、制定附則三条一〜三項）、個人番号カードの交付、記録事項の変更等（一七条一・三項。同条四項において準用する場合を含む。）の事務は、第一号法定受託事務とされている（四四条）。個人番号は、当面は、基本的に社会保障・税・災害対策の分野に限定して用いられるものの、本法三条二項において、「個人番号…の利用に関する施策の推進は、…他の行政分野及び行政分野以外の国民の利便性の向上に資する分野における利用の可能性を考慮して行われなければならない。」と定められ、同条四項においては、「個人番号の利用に関する施策の推進は、…その他の行政分野において、行政機関、地方公共団体その他の行政事務を処理する者が迅速に特定個人情報の授受を行うための手段としての情報提供ネットワークシステムの利用の促進を図る……」と規定されており、さらに、制定附則六条一項において、「政府は、この法律の施行後三年を目途として、この法律の施行の状況等を勘案し、個人番号の利用及び情報提供ネットワークシステムを使用した特定個人情報の提供の範囲を拡大すること並びに特定個人情報以外の情報の提供に情報提供ネットワークシステムを活用することができるようにすることその他この法律の規定について検討を加え、必要があると認めるときは、その結果に基づいて、国民の理解を得つつ、所要の措置を講ずるものとする。」と規定されている。したがって、将来、前記三分野以外の広範な分野で個人番号が用いられるようになる可能性がある。そのため、個人番号の付番事務は、地方分権推進計画で示された法定受託事務のメルクマールのひとつである「国家の統治の基本に密接に関連を有する事務」に該当するものとされた。同様に、個人番号カードの交付等の事務も、広範な分野で個人番号の真正性を確保するための手段として提示されることになる可能性があるため、「国家の統治の基本に密接に関連を有する事務」として第一号法定受託事務に分類された。

なお、本法に基づき地方公共団体が個人番号を利用して行う事務は自治事務であるが（地方自治法二条八項）、法定受託事務か自治事務かを問わず、法令により地方公共団体に事務の処理を義務づける場合には、国はそのために要する経費の財源について必要な措置を講じなければならず（地方自治法二三二条二項）、財政措置のあり方については、国の関与、地方の利害の割合等を総合的に勘案して定められることになる。

地方公共団体情報システム機構は、住民基本台帳ネットワークシステムにおいて指定情報処理機関として都道府県知事の委任を受けて住民票コードの割振りや本人確認情報提供業務を行ってきた財団法人地方自治情報センターを基礎として、地方公共団体情報システム機構法に基づき設立された法人（宇賀克也・行政法概説Ⅲ〔第五版〕（有斐閣）三三〇頁）である。財団法人地方自治情報センターを改組する地方公共団体情報システム機構に個人番号の生成を行わせることとしたのは、地方自治情報センターが個人番号の基礎になる住民票コードの指定について専門性と十分な経験を有するので、マイナンバー制度の効率的かつ安定的な運用のためには、地方自治情報センターが蓄積した知見を活用することが適切と考えられたためである。個人番号の付番自体について、市区町村長が行うこととされたのは、市区町村長が、個人を特定して住民の基本四情報を住民基本台帳に記載する事務を行っていることから、付番を市区町村長の事務とすることが効率的であるからである。個人番号は原則として生涯不変であるが、個人番号が漏えいして不正に用いられるおそれがあると認められるときは、本人の請求または職権により、個人番号を変更しなければならない（七条二項）。本人からの請求がない場合であっても、迅速に個人番号の変更を行わないと対策が遅れてしまうおそれがあるので、職権による変更も可能にしている。個人番号カードを紛失した場合には、個人番号が漏えいして不正に用いられるおそれがあると認められるときに該当する。

(二) 利用

本法は、情報連携による行政効率化と国民の負担軽減を主目的とするが、情報連携が広範に行われれば、個人情報が漏えいしたり、不正使用されたりしたときのプライバシー侵害は深刻になる。そこで、本法は、個人番号の利用を社会保障、税、災害対策の三分野に限定し、利用目的をポジティブリスト方式で定め、その範囲内においてのみ、個人番号の利用を可能にしている。具体的には、別表第一の上欄に掲げる者（法令の規定により同表の下欄に掲げる事務の全部または一部を行うこととされている者がある場合にあっては、その者を含む。）または当該事務の委託、再委託等を受けた者がその下欄に掲げる事務を処理するために必要な限度で個人番号を利用することができるとしている（九条一項、一〇条二項）。また、地方公共団体の長その他の執行機関は、福祉、保健もしくは医療その他の社会保障、地方税または防災に関する事務その他これらに類する事務であって条例で定めるものの処理に関して保有する特定個人情報ファイルにおいて個人番号を利用することができるとしている。当該事務の委託、再委託等を受けた者も同様である（九条二項、一〇条二項）。本法九条三項は、法務大臣が、本法一九条八号または九号の規定による戸籍関係情報の提供に関する事務の処理に関して保有する特定個人情報ファイルにおいて個人情報を効率的に検索し、および管理するために必要な限度で情報提供用個人識別符号を利用することができると規定している。情報提供用個人識別符号は広義の個人番号であり、広義の個人番号を含む個人情報も特定個人情報であり、特定個人情報については、法律で定める場合を除き、その提供、収集、保管が制限されるので（マイナンバー法一九条、二〇条）、法務大臣が情報提供用個人識別符号を利用することの法律上の根拠を明確にするため、同法九条三項が設けられている。さらに、厚生年金保険の適用事業所の事業主が、厚生労働大臣に対し当該事業所において用いられる被保険者の資格の取得および喪失等に関する事項を届け出る場合のように、本人以外であっても、別表第一の上欄に掲げる者または地方公共団体の長その他の執行機関に対し、別表第一の下欄に掲げる事務または前記条例で定める事務に係る申請、届出等の行為を行う者または当該事務の委託、再委託等を受けた者について、個人番号の利用を認めている（九条四項、一〇条二項）。なお、激甚災害が発生したときその他これに準ずる場合として政令で定めるときは、金融機関は税務署長に提出する支払調書に記載する等の目的で保有する個人番号を顧客データベースの検索キーとして用いて、当該顧客が保有する金融資産や契約内容等を迅速かつ正確に把握し、契約に基づく金銭の支払をすることができるようにしている（九条五項）。これは、東日本大震災で預金通帳、キャッシュカード、印鑑、運転免許証等の本人確認書類、保険証書等を紛失し、預金の引出しや保険金の受領等が円滑に行われない例があった経験を踏まえたものである。

個人番号を利用した情報連携は、行政効率化に資するものであるにとどまらず、国民の負担軽減につながるものであるべきであるから、個人番号利用事務実施者は、本人またはその代理人および個人番号関係事務実施者の負担の軽減ならびに行政運営の効率化を図るため、同一の内容の情報が記載された書面の提出を複数の個人番号関係事務において重ねて求めることのないよう、相互に連携して情報の共有およびその適切な活用を図るように努めなければならないとされている（一二条）。

（三）　提供の要求

特定個人情報の本人は、「個人番号利用事務」（行政機関、地方公共団体、独立行政法人等その他の行政事務を処理する者が本法九条一項から三項の規定によりその保有する特定個人情報ファイルにおいて個人情報を効率的に検索し、および管理するために必要な限度で個人番号を利用して処理する事務。二条一〇項）、または「個人番号関係事務」（本法九条四項の規定により「個人番号利用事務」に関して行われる他人の個人番号を必要な限度で利用して行う事務。二条一一項）の実施者（「個人番号利用事務等実施者」。一二条）は、これらの事務を処理するために必要があると認めるときは、本人または他の個人番号利用事務等実施者（九条三項の規定により情報提供用個人識別符号を利用する者を除く。）に対し個人番号の提供を求めることができるとしている（一四条一項）。法務大臣は、狭義の個人番号を利用せずに戸籍関係情報の情報連携を行うので、本人または他の個人番号利用事務等実施者に対して個人番号の提供を求める必要はない。そこで、本法九条三項の規定により情報提供用個人識別符号を利用する者を除いている。本人から直接に個人番号の提供を受ける主たる方法としては、個人番号カードの提示を受け、個人番号カードの券面に記載された個人番号を確認することが想定されている。他の個人番号利用事務等実施者に個人番号の提供を求める場合としては、株式売買に係る源泉徴収義務者である証券会社が投資家から告知を受けた個人番号を当該証券会社が税務署長に提出する法定調書に記載させることによって提供を受ける場合等が念頭に置かれている。また、個人番号利用事務実施者であって政令で定める者は、個人番号利用事務を処理するために必要があるときは、住民基本台帳法三〇条の九から三〇条の一二までの規定により、地方公共団体情報システム機構に対し機構保存確認情報の提供を求めることができる（本法一四条二項）。

(四) 安全管理義務

個人番号利用事務等実施者は、個人番号の漏えい、滅失または毀損の防止その他の個人番号の適切な管理のために必要な措置を講ずる義務を負う（一二条）。個人番号の漏えいは、その本人のプライバシー侵害やなりすましによる財産被害をもたらすおそれがあり、また、個人番号の滅失または毀損は、個人番号を利用することによる添付書類の削減等の行政情報化の恩恵を享受する機会を剥奪することになりうる。そこで、本法は、個人番号利用事務等実施者に個人番号の安全管理義務を課している。個人情報保護法は、個人情報の安全管理義務について定めており、個人番号も個人情報の一種であるが、個人情報保護法における個人情報は死者の情報を含まないのに対し、個人番号は死者の番号を含むので、この点で創設的意味を有する。これは、死者の個人番号が漏えいし検索キーとしてデータマッチングが行われた場合または死者の個人番号を滅失または毀損したために特定個人情報が改ざんされた場合、遺族等の権利利益を侵害するおそれが、一般の個人情報の場合よりも大きいと考えられることを考慮したからである。また、個人情報保護法の対象外の国会、裁判所、地方公共団体の議会についても創設的意義を有する。さらに、本法独自の規制であるため、個人情報保護法五七条の適用除外規定の射程外であり、同条で適用除外となる機関にとっても創設的意義を有する。

㈤　本人確認

個人番号利用事務等実施者が本人から個人番号の提供を受けるときの本人確認はきわめて重要である。アメリカや韓国で共通番号の利用に係るなりすまし犯罪が多発した要因は、番号のみによる本人確認を行ったことにあるといわれており、わが国においても、個人番号のみによる本人確認を行えば、同様の被害が頻発するおそれがある。そこで、本法は、個人番号利用事務等実施者は、個人番号利用事務等を処理するために本人から個人番号の提供を受けるときは、個人番号のみで本人確認することを認めていない。すなわち、かかる場合の本人確認の方法として、(i)個人番号カードの提示を受けること、(ii)その他その者が本人であることを確認するための措置として政令で定める措置をとること、のいずれかの方法をとらなければならない（一六条）。(i)の場合、個人番号カードには氏名、住所（国外転出者にあっては、国外転出者である旨およびその国外転出届に記載された転出の予定年月日）、生年月日、性別等が記載され、顔写真が貼付されるから（二条七項）、これらによる本人確認が可能となる。なお、以上述べた本人確認義務は、個人番号利用事務等実施者が個人番号利用事務等を処理するために必要があるときに本人から個人番号の提供を受ける場合に課されるものであるので、捜査機関が本法違反の刑事事件の捜査において被疑者から個人番号の提供を受ける場合、裁判所が刑事訴訟において被告人または証人から個人番号の提供を受ける場合には刑事訴訟法、国税に関する犯則調査において被調査者から個人番号の提供を受ける場合には国税通則法、会計検査院による検査において被検査者から個人番号の提供を受ける場合には会計検査院法に基づく権限により個人番号の提供が行われることになるので、本法一六条の規定に基づく本人確認義務の射程外になる。

3　個人番号カード

㈠　交付等

市区町村長は、政令で定めるところにより、当該市区町村が備える住民基本台帳（国外転出者にあっては、戸籍の附票）に記録されている者に対し、その者の申請により、その者に係る個人番号カードを交付するものとされている（一七条一項）。市区町村長は、個人番号を通知する事務を行い（七条一項）、また、個人番号カードの交付に当たり厳格な本人確認が必要となるため、住民に身近な基礎自治体である市区町村長が個人番号カードの交付事務も担うこととされたのである。個人番号カードを取得するためには、厳格な本人確認のために市区町村の事務所に出頭することが不可欠と考えられ、個人番号カードの取得を強制することは、市区町村の事務所への出頭を強制することになり、個人番号カードの取得を希望しない者や必要としない者に出頭を強制してまで取得を義務づけることは適切でないと考えられたため、申請により取得することとしている。もっとも、個人番号利用事務等実施者が本人から個人番号の提供を受けるときに本人確認の措置をとることが義務づけられており、個人番号カードを提示することにより、本人確認および個人番号の真正性の確認が可能となるので（一六条）、個人番号カードの普及率は、住民基本台帳カードのそれと比較して、かなり高くなるものと思われる。

個人番号カードの交付を受けている者は、住民基本台帳法二四条の二第一項に規定する最初の転入届をする場合には、当該最初の転入届と同時に、国外転出者にあっては国外転出届と同時に、当該個人番号カードを市区町村長に提出しなければならない（本法一七条二項）。そして、個人番号カードの提出を受けた市区町村長は、当該個人番号カードについて、カード記録事項の変更その他当該個人番号カードの適切な利用を確保するために必要な措置を講じ、これを返還しなければならない（同条三項）。具体的には、ICチップ内の券面事項確認利用領域に記録された住所の書換えが行われる。他の市区町村に転入した場合を除くほか、個人番号カードの交付を受けている者は、カード記録事項に変更があったとき（結婚・離婚・養子縁組・改名等により氏名の変更があった場合、同一市区町村内での転居による住所変更があった場合等）は、その変更があった日から一四日以内に、その旨を住所地市区町村長に届け出るとともに（国外転出者にあっては、カード記録事項に変更があったときは速やかに附票管理市区町村長にその旨を届け出るとともに）、当該個人番号カードを提出しなければならない。一四日以内という期間は、住民基本台帳カードの記載事項の変更があった場合の届出期間、転入の届出期間に合わせて定められたものである。この場合においては、個人番号カードの提出を受けた市区町村長は、当該個人番号カードについて、カード記録事項の変更その他当該個人番号カードの適切な利用を確保するために必要な措置を講じ、これを返還しなければならない（本法一七条四項後段）。

個人番号カードの交付を受けている者は、当該個人番号カードを紛失したときは、なりすまし等による悪用を防止するため、直ちに、その旨を住所地市区町村長（国外転出者にあっては、附票管理市区町村長）に届け出なければならない（同条五項、八項）。また、個人番号カードは、その有効期間が満了した場合その他政令で定める場合には、その効力を失う（同条六項）。その他政令で定める場合としては、個人番号カードの交付を受けている者が死亡したとき、返納を命ぜられた個人番号カードの場合には当該個人番号カードの返納を命ずる旨を通知または公示したとき等が定められている（本法施行令一四条）。個人番号カードが効力を有するということの意味は、個人番号カードの券面表示事項（個人番号、氏名、住所（国外転出者にあっては、国外転出者である旨およびその国外転出届に記載された転出の予定年月日）、性別、生年月日、顔写真）について、発行者である市区町村長が有効期間内はその真正性を証明することである。したがって、有効期間内の個人番号カードを提示させ、提示者と顔写真を照合することにより、本人確認を行うことができ、本人の物と確認された個人番号カードに記載された個人番号を真正なものと確認できることを意味する。また、個人番号カード内に公的個人認証サービスに係る電子証明書が格納されるため、電子証明書の有効期間内は、電子的な本人確認のために用いることができる。さらに、個人番号カードは、住民基本台帳カードの機能を代替するため、住民基本台帳法の転入転出届の特例としての付記転出届（事前に郵送で付記転出届を行うことにより転出証明書の添付を省略して転入手続が行える制度）も、個人番号カードの有効期間中は行うことが可能になる。それに加えて、条例で個人番号カードの独自利用について定めている場合には、当該個人番号カードの有効期間中は、当該独自利用を行うことができることになる。

個人番号カードの交付を受けている者は、当該個人番号カードの有効期間が満了した場合その他政令で定める場合には、政令で定めるところにより、当該個人番号カードを住所地市区町村長（国外転出者にあっては、附票管理市区町村長）に返納しなければならない（本法一七条七項、八項）。有効期間満了前に個人番号カードを返納しなければならない場合としては、個人番号カードの返納を命じられた場合等が定められている（本法施行令一五条）。

以上のほか、個人番号カードの様式、個人番号カードの有効期間および個人番号カードの再交付を受けようとする場合における手続その他個人番号カードに関し必要な事項は、主務省令で定める（本法一七条九項）。個人番号カードにはＩＣチップが格納され、ＩＣチップ内に氏名、住所、生年月日、性別、住民票コード、個人番号が記録され、顔写真も画像データとして記録される。また、マイナポータルへのログインを公的個人認証サービスで行うこととされており、そのための電子証明書もＩＣチップ内に格納される。

個人番号カードに有効期間が設けられるのは、以下の理由による。第一は、個人番号カードに顔写真が貼付されるが、年月の経過とともに容貌も変化し、本人確認のための身分証明書としての有効性が低減せざるをえないため、一定期間経過によりカードを失効させ、できる限り近い時期に撮影された顔写真を貼付したカードに更新する必要があるからである。第二は、なりすまし対策であり、ひとたびなりすましにより個人番号カードが発行されると、本来の個人番号カードの名義人に多大な損害が発生するおそれがあり、一定期間経過によりカードを失効させ、本人確認の機会を設ける必要性が大きいからである。第三は、個人番号カードのセキュリティ措置が新技術の開発により陳腐化し、保護措置の有効性が低下するおそれがあるため、一定期間経過によりカードを失効させ、かかるセキュリティへの脅威に対応した保護措置を講ずる必要があるからである。第四は、個人番号カードへの記録方法についても、日進月歩の技術の進展を反映できるよう、一定期間経過によりカードを失効させ、進歩した記録方法により個人番号カードを作成することを可能にするためである。

(二) 利用

個人番号カードは、本法一六条の規定による本人確認に利用するほか、(i)市区町村の機関が条例で定めるところにより、地域住民の利便性の向上に資するものとして条例で定める事務（本法一八条一号）、(ii)地方公共団体もしくは地方独立行政法人に対し申請、届出その他の手続を行い、または地方公共団体もしくは地方独立行政法人から便益の提供を受ける者の利便性の向上に資するものとして条例で定める事務を処理する地方公共団体の機関または地方独立行政法人、国民の利便性の向上に資するものとして内閣総理大臣および総務大臣が定める事務を処理する行政機関、独立行政法人等または地方公共団体情報システム機構、国民の利便性の向上に資するものとして内閣総理大臣および総務大臣が定める事務を処理する民間事業者（当該事務およびカード記録事項の安全管理を適切に実施することができるものとして内閣総理大臣および総務大臣が定める基準に適合する者に限る）も、ＩＣチップの空き領域を独自利用可能である（本法一八条二号、本法施行令一八条二項）。個人番号カードのこの独自利用は、個人番号カードのカード記録事項が記録された部分と区分された部分に、前記事務を処理するために必要な事項を電磁的方法により記録して行うことになる。この場合において、これらの者は、カード記録事項の漏えい、滅失または毀損の防止その他のカード記録事項の安全管理を図るため必要なものとして総務大臣が定める基準に従って個人番号カードを取り扱わなければならない（本法一八条柱書後段）。

住民基本台帳カードのＩＣチップ内の空き領域を利用した市区町村の執行機関による独自の住民サービスが条例で

定めるところにより認められていた（平成二五年法律第二八号による改正前の住民基本台帳法三〇条の四四第一二項）。すでに、公共施設の予約、自動交付機による証明書の交付、地元商店街のポイントカード、地域通貨の電子マネーカード、図書の貸出し等に住民基本台帳カードを利用している例がある中で、個人番号カード制度の導入に伴い、住民基本台帳カード制度は廃止され、個人番号カードは、住民基本台帳カードの機能を代替することになるので、市区町村が条例で定めるところにより住民基本台帳カードを活用して行ってきた住民サービスは、個人番号カード制度の下でも実現可能にする必要があり、本法一八条一号は、そのために設けられたものである。条例で定めるところによることとされたのは、個人番号カードには個人番号等の個人情報が記載されているので、個人番号カードを本人確認以外の用途に用いることを認める場合には、個人情報保護の観点から、首長の賛同のみならず議会での可決も要件とすることにより、二元代表制の下で、地方公共団体の団体としての意思決定によらしめることが適切と考えられたからである。また、個人番号カードについては、個人番号等の個人情報が記録された領域における個人情報保護に支障が生じないように、市区町村が独自利用する領域は、個人番号等の個人情報が記録された領域と厳格に区分することとしている。

同条二号の利用は、住民基本台帳カードでは認められていなかったもので、個人番号カードの本人確認手段としての利用価値を高め、マイナンバー制度導入に伴う国民生活への利便性を向上させるとともに、個人番号カードの普及を促進させるために規定されたものである。民間事業者による利用の例としては、住宅ローンの契約手続や証券口座開設手続での利用がある。

4 特定個人情報の提供と保護

(一) 特定個人情報の提供の求めの制限

本法は、個人番号を検索キーとして利用したデータマッチングによるプライバシー侵害を防止するため、九条で個人番号の利用範囲を法定し、一九条で特定個人情報の提供を原則的に禁止し、同条一号から一七号までに該当する場合に限り、例外的に禁止を解除している。さらに、一五条は、何人も、一九条各号のいずれかに該当して特定個人情報の提供を受けることができる場合を除き、他人に対し、口頭であれ書面等であれ方法の如何を問わず個人番号の提供を求めることも禁止している。ただし、自己と同一の世帯に属する者に特定個人情報の提供を求めることは禁止されていないが、これは、親が幼児の特定個人情報の提供を求めるような場合を念頭に置いている。この規定の違反に対しては、直罰ではなく、個人情報保護委員会の命令違反(通常は勧告が命令に前置される。)に対する間接罰の仕組みがとられている(直罰と間接罰について、宇賀克也・行政法概説Ⅰ〔第七版〕〔有斐閣〕一一三頁参照)。

(二)　特定個人情報の提供制限

特定個人情報の提供は、提供先において個人番号と個人情報を紐づけて管理することを可能にするため、本法は、正当な理由があるとして法定された場合を除き、特定個人情報の提供を禁止している。特定個人情報に含まれる個人番号に代えて、提供先において当該個人番号を特定可能な番号、記号その他の符号を含む個人情報を提供する場合を含む（二条八項）。かかる提供は、提供先において個人番号と個人情報を紐づけて管理することを可能にすることに変わりはないからである。情報提供ネットワークシステムを使用する場合は、情報連携のキーとして個人番号を使用せず、情報提供用個人識別符号が用いられるが、情報照会者においては、個人番号と提供された個人情報を紐づけて管理できるため、特定個人情報の提供に該当することになる。

本法は、社会保障・税・災害対策の分野で個人番号を用いた情報連携により、社会保障給付の適正化、所得把握の正確性の向上等を実現することを目的としているので、情報提供ネットワークシステムを使用した情報連携による特定個人情報の提供を求められた場合において、内閣総理大臣から特定個人情報の提供の求めがあった旨の通知を受けたときは、情報照会者に対し、当該特定個人情報を提供することが義務づけられている（二二条一項）。

内閣総理大臣は、(i)情報照会者、情報提供者、情報照会者の処理する事務または当該事務を処理するために必要な特定個人情報の項目が別表第二に掲げるものに該当しないとき、(ii)当該特定個人情報が記録されることとなる情報照会者の保有する特定個人情報ファイルまたは特定個人情報が記録されている情報提供者の保有する特定個人情報ファイルについて、特定個人情報保護評価が実施されていないと認めるときは、情報提供者に対し特定個人情報の提供があった旨を通知しないから（本法二一条二項）、内閣総理大臣から特定個人情報の提供の求めがあった旨の通知がなされたということは、情報連携を行うことが適切であることを意味する。そこで、情報提供者に情報照会に応ずることを義務づけているのである。

そして、情報提供ネットワークシステムを使用した特定個人情報の提供があった場合において、他の法令の規定により当該特定個人情報と同一の内容の情報を含む書面の提出が義務づけられているときは、当該書面の提出があったものとみなすこととしている（本法二二条二項）。これは、本法が、添付書類の削減等、「手続の簡素化による負担の軽減」（本法一条）も目的としているため、情報連携により必要な特定個人情報が提供された以上、同内容の書面提出義務は解除すべきであるからである。

(三) 特定個人情報の収集等の制限

本法は、何人に対しても、特定個人情報（他人の個人番号を含むものに限る。）を収集し、または保管する行為を原則として禁止している。ただし、本法一九条各号のいずれかに該当する場合には、特定個人情報の提供が認められており、提供を受ける者が特定個人情報を収集・保管することに正当な理由があると考えられるので、禁止の例外としている（本法二〇条）。本人が自分の特定個人情報を収集・保管することには問題がないため、他人の個人番号を含む特定個人情報に限定して収集等を禁止している。ここでいう「他人」とは、自己と同一の世帯に属する者以外の者をいう（本法一五条）。したがって、親が同居している自分の幼児の特定個人情報を収集・保管することは禁じられていない。

特定個人情報の収集等の制限の対象の典型的な場合として想定されるのは、個人番号利用事務等実施者の職員が、当該事務に必要な範囲を超えて、他人に譲渡する目的で特定個人情報を収集・保管する行為であるが、レンタルビデオ店の店員が、会員登録の際の本人確認のため、個人番号カードを提示された際に、顔写真で本人確認するにとどまらず、個人番号をメモし保管する行為等も想定されるため、何人に対しても禁止することとしている。個人番号カードの裏面に個人番号が記載されているが、本人確認の際、個人番号の記載された裏面をコピーして保存することは、本法二〇条に違反する。

特定個人情報の収集・保管は、提供・盗用の前提となる行為であり、提供・盗用が行われれば、データマッチングによりプライバシーが侵害されるおそれがあるので、これを禁止しているが、一般的には、直罰の対象とはしておらず、個人情報保護委員会による命令（通常は勧告前置）違反に対し刑事罰を科すこととしている。ただし、国の機関、地方公共団体の機関もしくは地方公共団体情報システム機構の職員または独立行政法人等もしくは地方独立行政法人の役員もしくは職員が、その職権を濫用して、専らその職務の用以外の用に供する目的で個人の秘密に属する特定個人情報が記録された文書、図画または電磁的記録を収集したときは、直罰を科すこととしている（本法五二条）。

(四) 特定個人情報ファイルの作成制限

個人番号を取り扱うことに正当な理由がある場合を超えて特定個人情報ファイルが作成された場合には、特定の個人が容易に検索され、プライバシー侵害の危険性が高まるため、本法は、特定個人情報ファイルの作成を制限している。すなわち、個人番号利用事務等実施者その他個人番号利用事務等に従事する者には、原則として、個人番号利用事務等を処理するために必要な範囲を超えて特定個人情報ファイルを作成することが禁止されている（本法二九条）。

個人番号利用事務等実施者その他個人番号利用事務等に従事する者は、本法に基づき個人番号を取り扱うことが認められており、そのことを奇貨として不必要な特定個人情報ファイルを作成することを禁ずるものであり、個人番号利用事務等実施者の職員等であっても、かかる立場にない者の場合、本法二九条の規定の適用を受けないが、特定個人情報の収集、保管を制限する本法二〇条の規定により特定個人情報ファイルの作成を禁止されることになる。個人番号利用事務等に従事する者には、(i)個人番号利用事務等実施者である国の行政機関、独立行政法人等、地方公共団体および地方独立行政法人の役員、職員、(ii)個人番号利用事務等実施者である民間事業者の従業者、(iii)個人番号利用事務等実施者に派遣されている派遣労働者が含まれる。「個人番号利用事務等を処理するために必要な範囲」とは、法定調書提出義務を負う事業者が、税務署長に法定調書を提出するための事務に利用する目的で、従業者の特定個人情報ファイルを作成する場合等であり、この例の場合、仮に、親会社が子会社の従業者についても一体的に人事を管理しているならば、前記事務のために子会社の従業者の特定個人情報ファイルを作成することも認められる。以上の当該個人情報ファイルの作成制限の例外として認められているのが、本法一九条一三号から一七号までに該当する場合であり、かかる場合には、特定個人情報ファイル作成の必要性が認められ、かつ、特定個人情報ファイル作成による個人の権利利益侵害のおそれが認められないからである。本法二九条が規定する特定個人情報ファイルの作成制限に違反しても直罰が科されるわけではないが、個人情報保護委員会の命令（原則として勧告前置）に違反した場合に間接罰が科される仕組みになっている。

(五) 再委託

個人情報の取扱いについては、再委託、再々委託等（以下、再委託以後の委託を総称して「再委託等」という。）が行われることは稀でなく、大量の個人情報が漏えいした宇治市住民基本台帳データ漏えい事件（宇賀克也・個人情報の保護と利用〔有斐閣〕三二九頁以下、宇賀克也編・プライバシーの保護とセキュリティ―その制度・システムと実効性〔地域科学研究会〕二一七頁以下〔木村修二執筆〕参照）は、再々委託先のアルバイトの従業者が住民基本台帳データを不正にコピーして名簿販売業者に販売した事件である。株式会社ベネッセコーポレーションからの大量の個人情報漏えい事件は、再委託先の派遣職員が不正にデータをコピーして名簿業者に販売したものである。個人番号がデータマッチングを可能にすることを考慮すると、再委託等についても事前に慎重な監督を行うべきと考えられる。そこで、本法は、個人番号利用事務等の全部または一部の委託を受けた者は、当該個人番号利用事務等の委託をした者の許諾を得た場合に限り、その全部または一部の再委託をすることができることとしている（一〇条一項）。無許諾で再委託を行った者に対する直罰規定は設けられていないが、個人情報保護委員会は、違反行為の中止その他違反を是正するために必要な措置をとるべき旨を勧告することができ（本法三四条一項）、勧告を受けた者が正当な理由がなくてその勧告に係る措置をとらなかったときは、期限を定めてその勧告に係る措置をとるべきことを命ずることができる（同条二項）。特定個人情報の取扱いに関して法令の規定に違反する行為が行われた場合において、個人の重大な権利利益を害する事実があるため緊急に措置をとる必要があると認めるときは、勧告を経ずに命令をすることができる（同条三項）。これらの命令に違反した者は、二年以下の懲役または五〇万円以下の罰金に処せられる（本法五三条）。

(六) 委託先の監督

個人番号利用事務等の全部または一部を委託する者は、当該委託に係る個人番号利用事務等において取り扱う特定個人情報の安全管理が図られるよう、当該委託を受けた者に対する必要かつ適切な監督を行わなければならない（本法一一条）。同条は、「個人番号利用事務等の全部又は一部を委託する者」の監督義務を定めているから、委託する者が個人情報取扱事業者でない場合の監督義務も包含していることになる。「必要かつ適切な監督」とは、秘密保持義務、事業所内作業原則（特定個人情報の事業所からの持出し禁止）、事業終了後の特定個人情報の返却またはシュレッダー等復元不能の方法による廃棄等を委託契約で受託者に義務づけること、契約内容の遵守状況について定期的に報告を受けたり、不定期に立入検査を行うこと等が考えられる。

委託先を監督する義務に違反したことを理由とする直罰規定は設けられていないが、個人情報保護委員会の命令の対象になり、この命令違反を理由とする間接罰が定められている。

(七) 特定個人情報保護評価

本法は、わが国の法律では初めて、プライバシー影響評価制度（宇賀克也「プライバシー影響評価」マイナンバー法と情報セキュリティ〔有斐閣〕五五頁以下、宇賀克也監修＝水町雅子執筆・完全対応　特定個人情報保護評価のための番号法解説―プライバシー影響評価（ＰＩＡ）のすべて〔第一法規〕）を導入した。これが特定個人情報保護評価制度である。特定個人情報保護評価とは、特定個人情報の適正な取扱いを確保するため、特定個人情報ファイルを保有しようとする者が、特定個人情報の漏えいその他の事態の発生の危険性および影響に関して行う評価である。個人情報保護委員会は、特定個人情報ファイルを保有しようとする者が、特定個人情報保護評価を自ら実施し、特定個人情報の漏えいその他の事態の発生を抑止することその他特定個人情報を適切に管理するために講ずべき措置を定めた指針を作成し、公表するものとされている（本法二七条一項）。個人情報保護委員会は、個人情報保護に関する技術の進歩および国際的動向を踏まえ、少なくとも三年ごとに特定個人情報保護評価に係る前記の指針について再検討を加え、必要があると認めるときは、これを変更するものとされている（同条二項）。プライバシー強化技術（Privacy Enhancing Technologies）は日進月歩であり、他方、ハッカーの技術も同様に急速に進歩することが予測されるから、特定個人情報保護評価指針も最新の技術動向を踏まえたものであるべきである。また、プライバシー影響評価は、先進国において拡大し進化しつつあるから、その動向を踏まえることも重要である。さらに、特定個人情報保護評価の実施状況を踏まえて、ＰＤＣＡサイクルにより特定個人情報保護評価指針の改善を図っていく必要がある。このような観点から、本法は、特定個人情報保護評価指針の定期的見直しを義務づけている。

特定個人情報保護評価を義務づけられるのは、行政機関の長、地方公共団体の機関、独立行政法人等、地方独立行政法人、地方公共団体情報システム機構、本法一九条八号に規定する情報照会者および情報提供者ならびに同条九号に規定する条例事務関係情報照会者および条例事務関係情報提供者である（本法二八条一項、二条一四項）。国、地方公共団体、独立行政法人等、地方独立行政法人は一般に行政主体として位置づけられており、プライバシー保護対策についての説明責任を果たし、国民の信頼を確保すべき主体であるので、特定個人情報保護評価の義務づけが正当化される。地方公共団体情報システム機構は地方公共団体に準ずる公的性格を有し、また、個人番号を生成し市区町村長に通知するという重要な所掌事務に照らし、特定個人情報保護評価の義務づけが正当化される。個人番号利用事務等実施者の中には、個人番号関係事務を行う目的で個人番号を取り扱うものの、事業目的で個人番号を利用するわけではないものが多数を占める。このように事業目的では個人番号を利用しない者にまで特定個人情報保護評価を義務づけることは過度の負担を課すことになり適切ではない。他方、情報提供ネットワークシステムを利用した情報連携を行う情報照会者および情報提供者ならびに条例事務関係情報照会者および条例事務関係情報提供者は、マイナンバー制度の肝の部分に関与することになり、その保有する特定個人情報ファイルが本人に与える影響も大きくなると思料され、かつ、情報照会者および情報提供者ならびに条例事務関係情報照会者および条例事務関係情報提供者としては公的性格が強い事業者が想定されていることにも照らし、特定個人情報保護評価の義務づけが正当化される。

特定個人情報保護評価の対象は、特定個人情報全般ではなく、特定個人情報ファイルである。その理由は、特定個人情報ファイルは、検索可能になるように体系的に構成されているので、その適正な取扱いを確保しないとプライバシー侵害の危険性が大きいのに対し、特定個人情報ファイルに該当しない特定個人情報の場合には、検索が容易でないため、一般的にいって、かかる危険性が必ずしも大きいとはいえないからである。ただし、特定個人情報ファイルであっても、もっぱら当該行政機関の長等の職員または職員であった者の人事、給与または福利厚生に関する事項を記録するものその他の個人情報保護委員会規則で定めるものは特定個人情報保護評価の義務づけ対象から除外されている。これらの特定個人情報ファイルは、使用者・被用者間の内部的な人事管理に関するものであり、その存在、利用目的も職員または職員であった者に周知されていると考えられるため、プライバシーへの影響は大きくないとして、適用除外とされたのである。特定個人情報保護評価の時期は、プライバシーへの影響を事前に評価し、有効な対策を行うという制度の趣旨に照らし、特定個人情報ファイルを保有する前としている。すでに特定個人情報保護評価書を作成している場合であっても、第三者提供の方法が紙媒体から電気通信回線による送信に変更される場合、提供先が追加される場合のように、重要な変更を加えようとするときにおいても、特定個人情報保護評価が必要になる（何が重要な変更に当たるかは、特定個人情報保護評価に関する規則一一条で定められている。すなわち、本人として特定個人情報ファイルに記録される個人の範囲の変更その他特定個人情報の漏えいその他の事態の発生の危険性および影響が大きい変更として特定個人情報保護評価指針で定めるものであり、同指針別表に重要な変更の対象である記載項目が列記されている。）。

特定個人情報保護評価書の記載事項は、(i)特定個人情報ファイルを取り扱う事務に従事する者の数、(ii)特定個人情報ファイルに記録されることとなる特定個人情報の量、(iii)行政機関の長等における過去の個人情報ファイルの取扱いの状況、(iv)特定個人情報ファイルを取り扱う事務の概要、(v)特定個人情報ファイルを取り扱うために使用する電子情報処理組織の仕組みおよび電子計算機処理等の方式、(vi)特定個人情報ファイルに記録された特定個人情報を保護するための措置、(vii)以上に掲げるもののほか、個人情報保護委員会規則で定める事項である。

特定個人情報保護評価においては、評価書を公示して広く国民の意見を求めるものとするとしている(本法二八条一項)。特定個人情報保護評価は専門技術的内容にわたる面があるし、また、セキュリティの観点から公示できない内容もある。さらに、個人情報保護委員会の審査が行われる以上、国民の意見聴取は不要ではないかという疑問も生じうる。しかし、評価実施者や個人情報保護委員会以外の国民の中にも、情報システムについてのすぐれた知見を有する者が少なくなく、重要な論点や事実が国民の意見聴取手続を通じて提出されることは十分にありうると思われる。また、何がプライバシーに当たるかは相対的な面があり、一般にはプライバシー性が低いと考えられている住所がストーカー被害者にとっては生死に関わる情報であることもあり、性同一性障害者にとっては性別が機微性のある情報でありうる。したがって、広く国民の意見を聴き、多様な意見を十分に考慮した上で評価書の見直しを行い、個人情報保護委員会の承認を得ることとしている(同条二項)。特定個人情報ファイルを保有しようとする者の自己評価のみでは評価の客観性、専門性、統一性が十分に確保されるとは必ずしもいえないので、個人情報保護委員会の承認を得ることを義務づけている。個人情報保護評価委員会は内閣府の外局として置かれる委員会であり、分担管理事務として特定個人情報保護評価を行うので、この場合の内閣府は各省と組織法上、対等な関係にあるが、このような関係においても、承認、同意等が行われることがある(宇賀克也・行政法概説Ⅲ〔第五版〕(有斐閣)七五頁以下参照)。個人情報保護委員会は、評価書の内容、本法三五条一項の定める報告および立入検査により得た情報その他の情報から判断して、当該評価書に記載された特定個人情報ファイルの取扱いが特定個人情報保護評価指針に適合していると認められる場合でなければ、承認をしてはならない(二八条三項)。行政機関の長等は、評価書について承認を受けたときは、速やかに当該評価書を公表するものとされている（同条四項）。国民の意見聴取手続において公表した評価書は、国民の意見や個人情報保護委員会の意見を踏まえて修正されることが予定された中間段階の案にとどまるので、個人情報保護委員会の承認を受けて確定した評価書を公表する必要性は否定されないのである。行政機関の長等は、評価書の公表を行っていない特定個人情報ファイルに記録された情報を情報提供ネットワークシステムを使用した情報連携のために提供し、または求めてはならない（同条六項）。これは、個人情報保護委員会の承認が得られていない特定個人情報ファイルは、プライバシー侵害防止の方策が十分に講じられていないものと考えられるので、かかる特定個人情報ファイルが情報提供ネットワークシステムを通じて情報連携されると、適正な取扱いがなされている他の特定個人情報ファイル、他の情報照会者もしくは情報提供者または条例事務関係情報照会者もしくは条例事務関係情報提供者のシステム、さらには情報提供ネットワークシステム全体に負の影響を及ぼすおそれがあるためである。

なお、個人情報保護法に基づく個人情報ファイルの保有等に関する個人情報保護委員会への通知制度と特定個人情報保護評価の関係をいかに整理するかという問題がある。本法は、両者の重複を回避するため、特定個人情報保護評価書の記載事項が個人情報ファイルの記載事項を包摂するようにし、特定個人情報保護評価書が公表された場合には、個人情報保護委員会への通知は不要としている（同条五項）。ただし、個人情報ファイル簿の作成・公表義務に係る個人情報保護法七五条一項の規定の適用除外とはしていない。なぜならば、特定個人情報保護評価書が公表された個人情報ファイルについては個人情報ファイル簿が存在せず、公表していない個人情報ファイルについてのみ個人情報ファイル簿が存在するということになると、個人情報ファイル簿の一覧性が欠如することになるが、このことは、個人情報ファイル簿が、国民による開示請求等の便宜を図る機能を期待されていることに鑑み適切ではないからである。他方、独立行政法人等については、そもそも、個人情報ファイル簿の作成・公表義務はあるものの（個人情報保護法七五条一項）、独立行政法人等の自主性、自律性を尊重して、個人情報保護委員会への事前通知義務は課されていないので、特定個人情報保護評価書の公表と個人情報ファイル簿保有に当たっての個人情報保護法委員会への事前通知との調整の問題は生じない。

本法二八条に規定されている特定個人情報保護評価は、特定個人情報ファイルを保有しようとする場合のすべてにおいて必要になるわけではなく、しきい値判断の結果、特定個人情報保護評価が義務づけられない場合もあり、また、義務づけられる場合にも、基礎項目評価のみで足りる場合、基礎項目評価と重点項目評価が必要な場合、基礎項目評価と全項目評価が必要な場合に応じた手続がとられることになる（特定個人情報保護評価指針第五［特定個人情報保護評価の実施手続］2［しきい値判断］3［特定個人情報保護評価書］参照）。本法が規定している特定個人情報保護評価は、このうちの全項目評価であり、基礎項目評価、重点項目評価については、本法には規定はなく特定個人情報保護評価に関する規則五条、六条で定義されている。最も重要な特定個人情報保護評価である全項目評価という文言は、本法においても特定個人情報保護評価に関する規則においても用いられておらず、特定個人情報保護評価指針第一（定義）4で登場する。

なお、地方公共団体の機関または地方独立行政法人が行う全項目評価に係る特定個人情報保護評価案について個人情報保護委員会の承認を受ける必要はないが、第三者点検が必要である（特定個人情報保護評価に関する規則七条四項）。東京都では、情報公開・個人情報保護審議会に特定個人情報保護評価部会を設け、同部会で第三者点検を行うこととし、二〇一四年一二月に東京都情報公開条例を改正して、東京都情報公開・個人情報保護審議会の所掌事務に特定個人情報保護評価書案の点検を加え、併せて、東京都情報公開・個人情報保護審議会規則を改正し、臨時委員の任命（同規則二条の二）、定足数（同規則四条二項）、議決方法（同条三項）、部会の質問調査権（同規則六条三項）について定めている。他方、神奈川県では、部会を設けず、情報公開・個人情報保護審議会で第三者点検を行っている。

特定個人情報保護評価に関する規則七条では、住民等の意見募集、第三者点検の手続が義務づけられているのは全項目評価のみであるが、それ以外のものについても、これらの手続を任意に行うことが禁じられているわけではないので、たとえば、重点項目評価で足りる場合であっても、これらの手続を行うことを原則とする方針をとるべきか検討することが望ましい。実際、東京都では、全項目評価のみならず重点項目評価であっても、住民等の意見募集、第三者点検の手続をとっている（特定個人情報保護評価実施マニュアル（東京都生活文化局広報広聴部情報公開課、二〇一四年七月）一四頁、三三～三四頁参照）。また、特定個人情報保護評価はプライバシー影響評価の一種であるが、プライバシー影響評価は、元来、共通番号の付された個人情報のみに対象を限定する制度ではなく、諸外国で行われているプライバシー影響評価においては、そのような限定はない。したがって、特定個人情報でなくても、たとえば、機微情報を扱う個人情報ファイルを作成しようとするとき等に、個人情報保護評価を行う等、プライバシー影響評価の対象を拡大する検討も行うことが望ましい（本法に基づく特定個人情報保護評価のみならず、情報保護評価一般についても詳述するものとして、宇賀克也監修＝水町雅子執筆・完全対応　特定個人情報保護評価のための番号法解説―プライバシー影響評価（ＰＩＡ）のすべて〔第一法規〕参照）。

(八) 情報提供ネットワークシステム

情報提供等の記録の保存

マイナンバー制度の下では、社会保障・税分野を中心に多数の個人情報に個人番号が付されることになった。個人番号は悉皆性・唯一無二性を有するため、特定の個人の識別が容易に行えるようになり、本来は、組み合わせた利用が予定されていない特定個人情報を個人番号を検索キーとして名寄せ・突合することが可能になる。そこで、わが国のマイナンバー制度においては、情報提供ネットワークシステムを使用した情報連携の仕組みを採用し、情報連携は情報保有機関別の情報提供用個人識別符号を用いて行うこととすることにより、個人情報保護に配慮しているが、不正な情報連携が行われるおそれが皆無とまではいい切れない。ひとたび、不正な情報連携が行われれば、流出した情報を完全に回収することは多くの場合、非常に困難であり、また、情報提供ネットワークシステムは、大量の特定個人情報がシステム上、ほぼ自動的に授受されるものであり、不正が発見されても、直ちに停止することに困難が伴うことも少なくない。したがって、不正な情報連携を事前に抑止することが重要になる。そこで、不正な情報連携に対する抑止力を高め、かつ、本人や個人情報保護委員会が情報提供等の記録を随時確認し不正な情報連携を早期に発見できるようにするために、情報照会者および情報提供者は、情報連携のための特定個人情報の提供の求めまたは提供があったときは、(i)情報照会者および情報提供者の名称、(ii)提供の求めの日時および提供があったときはその日時、(iii)特定個人情報の項目、(iv)以上に掲げるもののほか、デジタル庁令で定める事項を情報提供ネットワークシステムに接続されたその者の使用する電子計算機に記録し、当該記録を七年間保存しなければならないこととされている（本法二三条一項、本法施行令二九条）。情報照会者および情報提供者に情報提供等の記録義務、保存義務を課すことにより、特定個人情報の授受の有無を本人や個人情報保護委員会が確認することができるようにしている。当該特定個人情報の提供の求めまたは提供の事実が個人情報保護法の不開示情報に該当するときは、情報照会者および情報提供者は、その旨を情報提供ネットワークシステムに接続されたその者の使用する電子計算機に記録し、当該記録を七年間保存しなければならない（本法二三条二項、本法施行令二九条）。さらに、内閣総理大臣も、同条一項、二項に規定する事項を情報提供ネットワークシステムに記録し、七年間保存する義務を負う（本法二三条三項）。これにより、情報照会者および情報提供者による情報提供等の記録改ざんの有無、正確な記録を確認することが可能になるし、本人が、マイナポータルを通じて情報提供等の記録の開示請求を行うに当たり、個々の情報保有機関単位で開示請求を行わなくても、情報提供ネットワークシステムにおいて一覧可能な記録を包括的に開示請求することが可能になった。

秘密の管理

情報提供ネットワークシステムの運営主体である内閣総理大臣ならびに情報提供ネットワークシステムを使用する情報照会者および情報提供者は、情報提供等事務に関する秘密について、その漏えいの防止その他の適切な管理のために、情報提供ネットワークシステムならびに情報照会者および情報提供者が情報提供等事務に使用する電子計算機の安全性および信頼性を確保することその他の必要な措置を講じなければならない（本法二四条）。情報提供ネットワークシステムを運営するデジタル庁の職員が行う情報提供等事務の例としては、情報提供ネットワークシステムを稼働させるプログラムの作成・点検、情報提供ネットワークシステムにおいて使用する情報提供用個人識別符号の管理、情報提供ネットワークシステムを使用した情報の授受の仲介、アクセスログの確認等がある。情報照会者または情報提供者の従業者が行う情報提供等事務の例としては、情報連携に用いる情報提供用個人識別符号の管理、特定個人情報の提供・受領等がある。秘密は、一般に知られていないこと（非公知性）、実質的にも秘密として保護に値するものであることを要件とする。本法二四条で具体的に念頭に置かれている秘密は、情報提供ネットワークシステムの機器構成・設定等、暗号アルゴリズム、暗号・復号に必要な鍵情報等である。

情報提供ネットワークシステムの機器構成・設定等が漏えいした場合には、システムの機器等の脆弱部分が明らかになり、その部分に対する攻撃で処理能力が低減する危険性があり、ネットワークの論理的破壊、不正アクセスが行われる危険性がある。暗号アルゴリズム、暗号・復号に必要な鍵情報等が漏えいした場合には暗号化処理機能が危殆化する危険性、復号化処理による漏えいの危険性がある。適切な管理のために講ずべき措置には、組織的保護措置（職員研修、安全管理者の設置等）、物理的保護措置（保管庫の施錠、立入制限、防災対策等）、技術的措置（情報の暗号化等）がある。

個人情報保護委員会は、個人番号その他の特定個人情報の取扱いに利用される情報提供ネットワークシステムその他の情報システムの構築および維持管理に関し、費用の節減その他の合理化および効率化を図った上でその機能の安全性および信頼性を確保するよう、内閣総理大臣その他の関係行政機関の長に対し、必要な措置を実施するよう求めることができる（本法三七条一項）。地方公共団体情報システム機構の情報システムについて個人情報保護委員会が改善が必要と考える場合には、主務大臣に対して措置の要求を行うことになる。

秘密保持義務

情報提供等事務または情報提供ネットワークシステムの運営に関する事務に従事する者または従事していた者は、その業務に関して知り得た当該事務に関する秘密を漏らし、または盗用してはならない（本法二五条）。情報提供ネットワークシステムを運営するデジタル庁の職員、派遣労働者、情報提供ネットワークシステムを使用する者の役員、職員、派遣労働者のみならず、さらに、これらの機関からの受託者、再受託者等やその職員、派遣労働者も、本条の秘密保持義務を負うし、過去に従事していた者も同様である。情報提供ネットワークシステムの運営に関する事務に従事する者または従事していた者については、情報連携の際に使用される情報提供用個人識別符号、情報提供ネットワークシステムの機器構成・設定、暗号・復号に係る鍵情報等の秘密保持が、情報照会および情報提供の事務に従事する者または従事していた者については、情報連携の際に使用される情報提供用個人識別符号、暗号・復号に係る鍵情報等の秘密保持が義務づけられることになる。

㈨　個人情報保護法の特例

特定個人情報も個人情報の一種であるので、既存の個人情報保護法制の規定の適用を受けることになる。しかし、特定個人情報については、一般の個人情報以上に、厳格な個人情報保護措置が必要になる。そこで、本法は、読替規定を置くことにより、個人情報保護のための規制の強化、特定個人情報の取扱いに対する本人の監視の強化を図るとともに、本法独自の規定を設けて、特定個人情報の保護を図っている。

具体的には、特定個人情報の目的外利用を、行政機関等にあっては、(i)「人の生命、身体又は財産の保護のために必要がある場合であって、本人の同意があり、又は本人の同意を得ることが困難であるとき」(独立行政法人等にあっては、(i)に加えて、(ii)激甚災害が発生したときその他これに準ずる場合として政令で定めるときに、あらかじめ締結した契約に基づく金銭の支払を行うために必要な限度で個人番号を利用するとき)に限定すること、行政機関等にあっては、開示請求手数料の減免を認めること、他の法令で特定個人情報の開示が定められており、かつ、その開示の実施方法が個人情報保護法に基づく開示の実施方法と同一である場合にも、個人情報保護法に基づく開示も並行して認めること、行政機関等にあっては、特定個人情報の利用停止請求を本法三〇条一項の規定により読み替えて適用される目的外利用制限に違反するとき、本法二〇条の規定に違反して収集され、または保管されているとき、本法二九条の規定に違反して作成された特定個人情報ファイルに記録されているとき、本法一九条の提供制限に違反するときに利用停止等を認めることとしている。個人情報取扱事業者に対する特定個人情報の利用停止請求については、提供制限規定を本法一九条に読み替えている(詳しくは、宇賀克也・番号法の逐条解説〔第二版〕〔有斐閣〕一六八頁以下参照)。

(十) 情報提供等の記録についての特例

情報提供等の記録についても、個人情報保護法の特例が定められている。開示請求手数料の減免を認めるための読替え、訂正後の通知先の読替え、移送に関する規定・他の法令による開示の実施との調整規定・利用停止請求に係る規定の適用除外が定められている（三一条一項・二項）。

(十) 地方公共団体等が保有する特定個人情報の保護

令和三年法律第三七号による改正前のわが国の個人情報保護法制の比較法的特色は、分権的システムを採用していたことにあり、地方公共団体の保有する個人情報については、各地方公共団体が個人情報保護条例で規律していた。そして、普通地方公共団体および特別区は、すべて個人情報保護条例を制定していた。その内容は、おおむね行政機関個人情報保護法の規定に準じており、センシティブ情報の取得の原則禁止等、行政機関個人情報保護法以上に厳格な個人情報保護について定めているものが多かった。しかし、開示請求、訂正請求、利用停止請求のすべてを法定しているわけではない個人情報保護条例も存在した。また、本法は、特定個人情報について、一般の個人情報よりも手厚い保護措置を講ずることとしているので、地方公共団体においても、同様の措置を講ずべきである。さらに、地方独立行政法人は、実質的に地方公共団体の一部をなすものであるから、地方公共団体は、地方独立行政法人についても、特定個人情報の取扱いについての適正を確保すべきである。そこで、令和三年法律第三七号による改正前の本法三二条は、地方公共団体に対し、個人情報保護三法および本法の規定により、行政機関の長、独立行政法人等および個人情報取扱事業者が講ずることとされている措置の趣旨を踏まえ、当該地方公共団体およびその設立に係る地方独立行政法人が保有する特定個人情報の適正な取扱いが確保され、ならびに当該地方公共団体およびその設立に係る地方独立行政法人が保有する特定個人情報の開示、訂正、利用の停止、消去および提供の停止（本法二三条一項および二項に規定する情報提供等の記録に記録された特定個人情報にあっては、その開示および訂正）を実施するために必要な措置を講ずるものとされていた。

このように、令和三年法律第三七号による改正前の本法は、特定個人情報の保護について、同法自体で網羅的に規定するのではなく、地方公共団体の条例による対応に委ねている部分があった。この条例整備には、大別して二つの方法があった。一つは、既存の個人情報保護条例を改正し、特定個人情報保護のための特例を設ける方式である。神奈川県は、平成二七年三月二〇日条例第一五号による改正で、個人情報保護条例を改正して、特定個人情報保護の特例を定めていた（早期にこの方式をとったのが、中野区個人情報の保護に関する条例の一部を改正する条例（平成二六年一〇月二一日条例第一六号）である）。神奈川県と鹿屋市の個人情報保護条例をモデルにして、個人情報保護条例改正方式の条例案を提示したものとして、宇賀克也＝水町雅子＝梅田健史・施行令完全対応　自治体職員のための番号法解説［実務編］（第一法規）一八三頁以下〔水町雅子執筆〕を参照されたい。いま一つの方式は、特定個人情報の保護に関する特別条例を制定する方式である。東京都は、この方式を採用し、二〇一五年一二月一五日に「東京都特定個人情報の保護に関する条例」を制定した（同条例の基本的考え方については、宇賀克也・マイナンバー法と情報セキュリティ（有斐閣）一三三頁以下、宇賀克也監修＝髙野祥一＝苅田元洋＝富山由衣＝上村友和＝白戸謙一著・完全対応　自治体職員のための番号法解説［実例編］（第一法規）一七頁以下〔髙野祥一＝苅田元洋執筆〕、藤原静雄監修・東京都特定個人情報保護実務研究会編・Q＆A特定個人情報保護ハンドブック―番号法に基づく条例整備から運用まで（ぎょうせい）参照）。岸和田市特定個人情報保護条例（平成二七年九月七日条例第三七号）、目黒区特定個人情報の保護に関する条例（平成二七年九月三〇日条例第二六号）、日野市特定個人情報保護条例（平成二七年九月三〇日条例第三六号）、三鷹市特定個人情報保護条例（平成二七年九月三〇日条例第一八号）、横浜市行政手続における特定の個人を識別するための番号の利用等に関する法律の施行に関する条例（平成二七年九月三〇日条例第五二号）、大阪市特定個人情報保護条例（平成二七年一〇月一三日条例第八九号）等も、特定個人情報保護のための特別条例である。横浜市行政手続における特定の個人を識別するための番号の利用等に関する法律の施行に関する条例は、本法九条二項の規定に基づく独自利用条例と令和三年法律第三七号による改正前の本法三二条の規定に基づく特定個人情報保護条例の機能を兼ねたものであった。なお、二〇一五年二月に、全国町村会が、〇〇町（村）個人情報保護条例の一部を改正する条例（モデル条例（特則型））および〇〇町（村）特定個人情報保護条例（モデル条例（書起型））を作成している。

「デジタル社会の形成を図るための関係法律の整備に関する法律」（令和三年法律第三七号）（以下「デジタル関係法律整備法」という）附則二条で、行政機関個人情報保護法および独立行政法人等個人情報保護法が廃止され、同法五〇条で公的部門の個人情報保護に係る規律が本法五章で規定されることになったことを承けて、本法三二条では、行政機関個人情報保護法および独立行政法人等個人情報保護法を引用する部分を削除し、引用する条項が改正された。さらに、デジタル関係法律整備法五一条で、地方公共団体および地方独立行政法人の保有する個人情報についても、個人情報保護法五章の規定が適用されることになったことを承けて、デジタル関係法律整備法五一条による改正前のマイナンバー法三二条は削除され、同改正前のマイナンバー法三二条の二が同法三二条に繰り上がった。

㈩ 個人情報保護委員会

平成二七年法律第六五号による改正前の本法においては、特定個人情報保護委員会という第三者機関を内閣府の外局の委員会として設置することとされていた。わが国の行政組織に係る合理的再編成（スクラップ・アンド・ビルド）原則（宇賀克也・行政法概説Ⅲ〔第五版〕〔有斐閣〕一八五頁以下参照）の下で、スクラップなしに行政委員会が新設されたこと自体、稀有なことであり、マイナンバー制度の導入に伴う個人情報保護対策として、独立した第三者機関を設ける必要性が政府により強く認識されたことを示している（特定個人情報保護委員会について詳しくは、宇賀克也・行政組織法の理論と実務〔有斐閣〕二二六頁以下参照）。また、個人情報保護全般を所掌するものではないものの、一定の範囲で、長年の懸案であった個人情報保護に関する第三者機関が設置されることの意義は大きい。しかも、本法制定附則六条二項（現行三項）において、政府は、この法律の施行後一年を目途として、この法律の施行の状況、個人情報の保護に関する国際的動向等を勘案し、特定個人情報以外の個人情報の取扱いに関する監視または監督に関する事務を同委員会の所掌事務とすることについて検討を加え、その結果に基づいて所要の措置を講ずるものとするとされた。さらに、平成二五年六月一四日に閣議決定された「世界最先端ＩＴ国家創造宣言」において、「第三者機関の設置を含む、新たな法的措置も視野に入れた制度見直し方針（ロードマップを含む）を年内に策定する。」こととされた。そして、ＩＴ総合戦略本部のもとに置かれた「パーソナルデータに関する検討会」において、個人情報保護法改正のための検討が行われ（同検討会における審議について、宇賀克也・個人情報保護法制〔有斐閣〕三七頁以下参照）、その中で、個人情報保護一般を監督対象とする第三者機関の議論が、本法制定附則六条二項（現行三項）が定めるスケジュールよりも前倒しして行われ、平成二七年九月三日に成立した個人情報保護法改正（平成二七年法律第六五号）により、平成二八年一月一日に、特定個人情報保護委員会が、個人情報保護全般を対象とする第三者機関である個人情報保護委員会に改組された。

5 法人番号

(一) 指定・通知

従前、わが国では、法人等情報の管理は、分野ごとに番号を付して機関単位で行われており、分野横断的に法人等情報の名寄せ・突合を行う場合、法人の名称や住所で行わざるをえず、非効率であった。そこで、分野横断的に法人等情報の名寄せ・突合を正確かつ効率的に行うために、悉皆性、唯一無二性、視認性を有する法人番号制度を新設し、行政機関の長等が法人等情報を授受する際に、法人番号を通知して行うことを義務づけることになった。これにより、法人等情報の正確な管理と有効活用の促進が企図されている。

個人番号の付番は住民情報をもっともよく把握している市区町村の長が行うこととしているが、社会保障と税の一体改革のためのマイナンバー制度の対象となる法人をもっともよく把握していると考えられるのは国税庁であるので、法人番号の付番・管理は国税庁長官が行うこととされている。

法人番号の付番の対象となる法人等は、(i)国の機関、(ii)地方公共団体、(iii)会社法その他の法令の規定により設立の登記をした法人、(iv)前記(i)～(iii)以外の法人または法人でない社団もしくは財団で代表者もしくは管理人の定めがある者（以下「人格のない社団等」という）であって、所得税法二三〇条（給与等の支払をする事務所の開設等の届出）、法人税法一四八条（内国普通法人等の設立の届出）、一四九条（外国普通法人となった旨の届出）もしくは一五〇条（公益法人等または人格のない社団等の収益事業の開始等の届出）または消費税法五七条（小規模事業者の納税義務の免除が適用されなくなった場合等の届出）のいずれかの届出により国税庁長官が把握しているものである（本法三九条一項）。

本法三九条一項の対象である法人等以外の法人または人格のない社団等であって政令で定めるものは、政令で定めるところにより、その者の商号または名称および本店または主たる事務所の所在地その他財務省令で定める事項を国税庁長官に届け出て法人番号の指定を受けることができることとしている（同条二項）。対象法人について、政令では、①国税に関する法律の規定に基づき税務署長その他行政機関の長もしくはその職員に税務書類を提出する者またはその者から当該税務書類に記載するために必要があるとして法人番号の提供を求められる者、②国内に本店または主たる事務所を有する法人が定められている（本法施行令三九条）。本法三九条二項の規定による届出をした者の届出事項に変更があった場合、届出事項の正確性を確保するために、当該変更事項を国税庁長官に届け出る義務が課されている（同条三項）。この届出義務に違反した場合の罰則は定められていないが、国税庁長官は、変更事項の届出義務を懈怠している法人等を発見した場合には、行政指導により、届出を勧奨することになる。国税庁長官は、同条一項または二項の規定により法人番号の指定を受けた者の商号または名称、本店または主たる事務所の所在地および法人番号を公表するものとされているが、人格のない社団等については、あらかじめ、その代表者または管理人の同意を得なければならない（同条四項）。個人事業主は法人番号の付番対象ではないが、法人番号と異なり、個人番号は利用できる分野が社会保障、税、災害対策に限定されているため、それ以外の分野で、法人番号と個人事業主の個人番号を統合的に管理できないことになる。そのため、個人事業主にも法人番号に準じた番号を付すべきとの意見も少なくない。

国税庁長官は、政令で定めるところにより、本法三九条一項または二項の規定により法人番号の指定を受けた者（以下「法人番号保有者」という）の商号または名称、本店または主たる事務所の所在地および法人番号を公表するものとされている（同条四項本文）。ただし、人格のない社団等については、その商号または名称、本店または主たる事務所の所在地は公知の情報ではないので、事前にその代表者または管理人の同意を得た場合に限り前記の公表が行われることとしている（同項ただし書）。公表の方法については法定されていないが、法人番号の利用範囲には制限がなく、民間部門でも広く有効活用されることが期待されていることから、広範かつ容易にアクセス可能な公表方法によるべきであろう。

法人番号等の公表が行われるのは、本法四〇条一項の規定により特定法人情報（法人番号保有者に関する情報であって法人番号により検索することができるもの）の提供を求めるためには、特定法人情報の提供元機関および提供先機関において、保有する法人情報と法人番号を事前に紐付けておく必要があり、そのためには、法人番号を簡易に確認することができなければならないからである。

(二)　情報の提供の求め

行政機関の長、地方公共団体の機関または独立行政法人等（以下「行政機関の長等」という）は、正確かつ効率的な特定法人情報の授受を実現し、行政の効率的な運営を可能にするため、他の行政機関の長等に対し、特定法人情報の提供を求めるときは、当該法人番号を当該他の行政機関の長等に通知してするものとされている（本法四〇条一項）。「行政機関の長等」に国会および裁判所を含まないのは、三権分立に配慮し、国会の機関および裁判所の行為を行政機関の長等の行為と同様に規制することは適切でないと考えられたためである。もっとも、国会および裁判所が任意に法人番号を通知して特定法人情報の授受を行うことを妨げるものではない。「行政機関の長等」に民間事業者を含んでいないのは、民間事業者が法人番号を利用しない自由を否定するだけの公益性は認めがたいからである。

行政機関の長等は、国税庁長官に対し、法人番号保有者の商号または名称、本店または主たる事務所の所在地および法人番号について情報の提供を求めることができる（同条二項）。法人番号保有者の中には、本法三九条四項ただし書の代表者または管理人の同意が得られなかったものも含まれうる。そのような場合であっても、本法四〇条一項の特定法人情報の提供の求めの必要性が認められる場合には、その限りにおいて、非公知の法人等情報の提供を認める趣旨である。

㈢　資料の提供

国税庁長官が指定する法人番号の大半は、会社法その他の法令の規定により設立の登記を行い、登記所の登記簿に「行政手続における特定の個人を識別するための番号の利用等に関する法律の整備等に関する法律」（平成二五年法律第二八号）（以下「整備法」という。）による改正後の商業登記法七条（他の法令において準用する場合を含む。）に規定する会社法人等番号が記載されている法人である。かかる法人に関しては、当該会社法人等番号に加工を施した法人番号が指定されることになるので、そのために必要な情報を国税庁長官が確実に法務大臣から入手できるように、その旨を明記しておく必要がある。そこで、国税庁長官は、本法三九条一項の規定による法人番号の指定を行うために必要があると認めるときは、法務大臣に対し、整備法による改正後の商業登記法七条（他の法令において準用する場合を含む。）に規定する会社法人等番号（会社法その他の法令の規定により設立の登記をした法人の本店または主たる事務所の所在地を管轄する登記所において作成される登記簿に記録されたものに限る。）その他の当該登記簿に記録された事項の提供を求めることができる旨、明記されている（本法四一条一項）。実際には、同条二項の規定に基づく官公署一般に対する資料提供要求規定により、国税庁長官が法務大臣に対し、会社法人等番号その他の当該登記簿に記録された事項の提供を求めることができることとすることも考えられるが、法人番号の指定に当たり会社法人等番号の重要性が抜きんでて大きいことに照らし、一般的な資料提供要求規定の前に、会社法人等番号の資料提供要求規定が置かれている。本店または主たる事務所の所在地を管轄する登記所において作成される登記簿に記録されたものに限定している理由の一つは、支店登記を基に法人番号の指定を行うと、同一法人が複数の法人番号を指定され唯一無二性という法人番号に不可欠な要件が充足されなくなるおそれがあるからである。行政手続の中には、法人単位ではなく事業所単位で行われるものも多い。もっとも、分野により事業所の把握の仕方が異なることがあるため、共通の事業所番号を定めることは困難である。そこで、法人番号に分野別事業所番号を付加する企業コードの検討が高度情報ネットワーク社会推進戦略本部電子行政に関するタスクフォースで行われた。

本法四一条二項においては、同条一項に定めるもののほか、国税庁長官は、法人番号の指定もしくは通知または公表を行うために必要があると認めるときは、官公署に対し、法人番号保有者の商号または名称および本店または主たる事務所の所在地その他必要な資料の提供を求めることができると規定している。ここでいう官公署とは、国、地方公共団体その他の公の機関の総称である。同項の規定に基づく資料提供要求の具体例として想定されるのは、主務大臣等に対し設立登記のない法人（厚生年金基金、健康保険組合、土地改良区等）の資料を求める場合、地方公共団体に対し特別地方公共団体（一部事務組合、広域連合、財産区等）や地方独立行政法人の資料の提供を求める場合等である。

㈣　正確性の確保

法人番号制度の導入により、高度の識別性を有する法人等情報が大量かつ広範に流通することになり、法人番号でデータマッチングされた法人等情報の蓄積も進行することになる。その法人等情報が不正確なものであれば、当該法人等の信用毀損等の不測の損害を与えることになりかねない。そこで、行政機関の長等には、その保有する特定法人情報について、その利用の目的の達成に必要な範囲内で、過去または現在の事実と合致するよう努める義務が課されている（本法四二条）。

6　罰　則

特定個人情報保護の重要性に鑑み、本法は、個人情報保護法よりも罰則を強化（おおむね二倍）するとともに、個人情報保護法には対応する規定のない独自の罰則も設けている。以下において、本法の罰則について解説する。

(一)　特定個人情報ファイルの提供

特定個人情報ファイルは、個人番号を含むため、それによるデータマッチングの危険があり、また、特定個人情報ファイルは検索が容易であり、大量の特定個人情報を含むので、漏えいした場合には、プライバシーを中核とする個人の権利利益に重大な損害をもたらすおそれがある。そこで、特定個人情報ファイルを正当な理由なく提供することは禁止されており（本法一九条）、その違反に対しては刑罰を科すこととしている（本法四八条）。本条の罰則は、四年以下の懲役もしくは二〇〇万円以下の罰金または両者の併科とされている。

(二) 個人番号の提供、盗用

個人番号による不正なデータマッチングによるプライバシー侵害を防止するためには、ファイル化されていなかったり、組織として共用されていない個人番号であっても、その提供、盗用を処罰する必要がある。そこで、本法四八条に規定する者が、その業務に関して知り得た個人番号を自己もしくは第三者の不正な利益を図る目的で提供し、または盗用したときは、三年以下の懲役もしくは一五〇万円以下の罰金に処し、またはこれを併科することとされている（本法四九条）。

(三) 情報連携に関する秘密漏えい

情報連携に係る秘密の漏えいは、それ自体として直ちに特定個人情報の漏えいにつながるわけではないが、情報提供ネットワークシステムを介した情報連携により、社会保障・税分野を中心とするセンシティブ情報が大量に授受されるため、情報連携に係る秘密の漏えいは、センシティブ情報の大量漏えいにつながる危険性がある。したがって、それは、個人番号の漏えいに匹敵する違法性の高い行為であり、個人番号の漏えいと同じ法定刑で処罰されるべきといえる。そこで、本法二五条（二六条において準用する場合を含む）の規定に違反して秘密を漏らし、または盗用した者は、三年以下の懲役もしくは一五〇万円以下の罰金に処し、またはこれを併科することとされている（本法五〇条）。

(四) 詐欺・暴行等による個人番号の取得

人を欺き、人に暴行を加え、もしくは人を脅迫する行為により、または財物の窃取、施設への侵入、不正アクセス行為（不正アクセス行為の禁止等に関する法律二条四項に規定する不正アクセス行為をいう。）その他の個人番号を保有する者の管理を害する行為により、個人番号を取得した者は、三年以下の懲役または一五〇万円以下の罰金に処することとされている（本法五一条一項）。個人番号取扱者から不正な手段により個人番号を取得する行為のうち、特に悪質なものを処罰する趣旨である。

(五) 職権濫用による文書等の収集

個人番号を取り扱う者が不当な目的で特定個人情報を収集すれば、特定個人情報の漏えいの危険性が高くなるし、収集それ自体がマイナンバー制度に対する国民の信頼を失墜させることになる。そこで、本法五二条は、国の機関、地方公共団体の機関もしくは地方公共団体情報システム機構の職員または独立行政法人等もしくは地方独立行政法人の役員もしくは職員が、その職権を濫用して、専らその職務の用以外の用に供する目的で個人の秘密に属する特定個人情報が記録された文書、図画または電磁的記録（電子的方式、磁気的方式その他人の知覚によっては認識することができない方式で作られる記録をいう。）を収集したときは、二年以下の懲役または一〇〇万円以下の罰金に処することとしている。

㈥　個人情報保護委員会の委員長、委員、専門委員および事務局職員の秘密保持義務違反

個人情報保護委員会の委員長、委員、専門委員および事務局職員の秘密保持義務違反に対しては、二年以下の懲役または一〇〇万円以下の罰金が科されている（個人情報保護法一七七条）。個人情報保護委員会の委員長、委員（常勤・非常勤の双方）は、国会同意人事であるため特別職であり、国家公務員法の秘密保持義務違反に対する罰則規定は適用されないため、同条で創設的に罰則を定めている。他方、専門委員および事務局職員は一般職であり、国家公務員法上の秘密保持義務違反に対する罰則規定の対象になるが、個人情報保護委員会の専門職員は、たとえば、サイバーセキュリティ対策のために情報提供ネットワークシステムの機微にわたるセキュリティシステム上の秘密に接することがありうるし、事務局職員は、必要な場所に立ち入り、特定個人情報の取扱いについて質問し、帳簿書類その他の物件を検査する権限を有し、これらの権限の行使により知り得た秘密（個人番号取扱者から提出を受けた特定個人情報ファイルに記録された秘密等）を漏えいするおそれがあり、特定個人情報に係る秘密であることに照らすと、国家公務員法の秘密保持義務（同法一〇〇条一項）違反に対する罰則（同法一〇九条一二号）よりも重い罰則を定める必要がある。そこで、本法五二条において、国家公務員法一〇九条一二号の特別法として、より重い罰則を定めている。

(七)　個人情報保護委員会の命令違反

本法三四条二項または三項の規定による個人情報保護委員会の命令に違反した者は、二年以下の懲役または五〇万円以下の罰金に処せられる（本法五三条）。個人情報保護委員会が行う命令は、期限を定めて出されるので、当該期間を経過しても命令を遵守していない場合には、命令違反になる。また、定められた期限内であっても、当該命令を遵守しない旨を個人情報保護委員会に通告したり、公に宣言したりすれば、その時点で命令違反になる。

(八)　行政調査の拒否

個人番号によるデータマッチングの危険性に鑑み、監督権限およびその行使の前提となる行政調査権限が個人情報保護委員会に付与されている。行政調査権限の実効性を確保するためには、不協力に対する罰則を定める必要がある。そこで、本法五四条は、(i)本法三五条一項の規定による報告もしくは資料の提出の拒否、(ii)虚偽の報告、虚偽の資料の提出、(iii)質問に対する答弁拒否、(iv)虚偽の答弁、(v)検査の拒否、妨害、忌避をした者は、一年以下の懲役または五〇万円以下の罰金に処することとしている。

㈨ カードの不正取得

個人番号カードには顔写真が貼付されるので、本人確認手段として用いられる。これが不正取得されると、なりすまし被害が生ずるおそれがある。そこで、本法五五条は、偽りその他不正の手段により個人番号カードの交付を受けた者は、六月以下の懲役または五〇万円以下の罰金に処すると定めている。

㈩ 国外犯

わが国は、刑罰の適用について属地主義を原則とするが（刑法一条、八条）、属人主義により国外犯を処罰する場合もある。本法も、属地主義による処罰のみでは限界がある場合、属人主義による国外犯処罰規定を設けている（五六条）。

⑾ 両罰規定

本法の罰則により個人が処罰される場合、当該個人が法人等の代表者または管理人であれば、その行為は法人等自身の行為といえるから、当該法人等も処罰する必要がある。また、法人等の代理人、使用人その他の従業者が行った行為であっても、法人等の代表者または管理人の指示に基づき行ったのであれば、それは実質的に法人等自身の行為といえ、当該法人等も処罰されるべきである。さらに、法人等の代理人、使用人その他の従業者が単独の意思で当該行為を行った場合であっても、法人等の監督責任の懈怠が認められる場合には、やはり、当該法人等も処罰する必要がある。そこで、本法が定める罰則の一部について両罰規定が設けられている（五七条）。

資料

※内容は、原則として、令和三年八月二十日までに公布されたものである。

資料1　行政手続法

平成五年十一月十二日
法律第八十八号

第一章　総則

（目的等）

第一条　この法律は、処分、行政指導及び届出に関する手続並びに命令等を定める手続に関し、共通する事項を定めることによって、行政運営における公正の確保と透明性（行政上の意思決定について、その内容及び過程が国民にとって明らかであることをいう。第四十六条において同じ。）の向上を図り、もって国民の権利利益の保護に資することを目的とする。

2　処分、行政指導及び届出に関する手続並びに命令等を定める手続に関しこの法律に規定する事項について、他の法律に特別の定めがある場合は、その定めるところによる。

（定義）

第二条　この法律において、次の各号に掲げる用語の意義は、当該各号に定めるところによる。

一　法令　法律、法律に基づく命令（告示を含む。）、条例及び地方公共団体の執行機関の規則（規程を含む。以下「規則」という。）をいう。

二　処分　行政庁の処分その他公権力の行使に当たる行為をいう。

三　申請　法令に基づき、行政庁の許可、認可、免許その他の自己に対し何らかの利益を付与する処分（以下「許認可等」という。）を求める行為であって、当該行為に対して行政庁が諾否の応答をすべきこととされているものをいう。

四　不利益処分　行政庁が、法令に基づき、特定の者を名あて人として、直接に、これに義務を課し、又はその権利を制限する処分をいう。ただし、次のいずれかに該当するものを除く。

イ　事実上の行為及び事実上の行為をするに当たりその範囲、時期等を明らかにするために法令上必要とされている手続としての処分

ロ　申請により求められた許認可等を拒否する処分その他申請に基づき当該申請をした者を名あて人としてされる処分

ハ　名あて人となるべき者の同意の下にすることとされている処分

ニ　許認可等の効力を失わせる処分であって、当該許認可等の基礎となった事実が消滅した旨の届出があったことを理由としてされるもの

五　行政機関　次に掲げる機関をいう。

イ　法律の規定に基づき内閣に置かれる機関若しくは内閣の所轄の下に置かれる機関、宮内庁、内閣府設置法（平成十一年法律第八十九号）第四十九条第一項若しくは第二項に規定する機関、国家行政組織法（昭和二十三年法律第百二十号）第三条第二項に規定する機関、会計検査院若しくはこれらに置かれる機関又はこれらの機関の職員であって法律上独立に権限を行使することを認められた職員

ロ　地方公共団体の機関（議会を除く。）

六　行政指導　行政機関がその任務又は所掌事務の範囲内において一定の行政目的を実現するため特定の者に一定の作為又は不作為を求める指導、勧告、助言その他の行為であって処分に該当しないものをいう。

七　届出　行政庁に対し一定の事項の通知をする行為（申請に該当するものを除く。）であって、法令により直接に当該通知が義務付けられているもの（自己の期待する一定の法律上の効果を発生させるためには当該通知をすべきこととされているものを含む。）をいう。

八　命令等　内閣又は行政機関が定める次に掲げるものをいう。

イ　法律に基づく命令（処分の要件を定める告示を含む。次条第二項において単に「命令」という。）又は規則

ロ　審査基準（申請により求められた許認可等をするかどうかをその法令の定めに従って判断するために必要とされる基準をいう。以下同じ。）

ハ　処分基準（不利益処分をするかどうか又はどのような不利益処分とするかについてその法令の定めに従って判断するために必要とされる基準をいう。以下同じ。）

ニ　行政指導指針（同一の行政目的を実現するため一定の条件に該当する複数の者に対

し行政指導をしようとするときにこれらの行政指導に共通してその内容となるべき事項をいう。以下同じ。）

（適用除外）

第三条　次に掲げる処分及び行政指導については、次章から第四章の二までの規定は、適用しない。

一　国会の両院若しくは一院又は議会の議決によってされる処分

二　裁判所若しくは裁判官の裁判により、又は裁判の執行としてされる処分

三　国会の両院若しくは一院若しくは議会の議決を経て、又はこれらの同意若しくは承認を得た上でされるべきものとされている処分

四　検査官会議で決すべきものとされている処分及び会計検査の際にされる行政指導

五　刑事事件に関する法令に基づいて検察官、検察事務官又は司法警察職員がする処分及び行政指導

六　国税又は地方税の犯則事件に関する法令（他の法令において準用する場合を含む。）に基づいて国税庁長官、国税局長、税務署長、国税庁、国税局若しくは税務署の当該職員、税関長、税関職員又は徴税吏員（他の法令の規定に基づいてこれらの職員の職務を行う者を含む。）がする処分及び行政指導並びに金融商品取引の犯則事件に関する法令に基づいて証券取引等監視委員会、その職員（当該法令においてその職員とみなされる者を含む。）、財務局長又は財務支局長がする処分及び行政指導

七　学校、講習所、訓練所又は研修所において、教育、講習、訓練又は研修の目的を達成するために、学生、生徒、児童若しくは幼児若しくはこれらの保護者、講習生、訓練生又は研修生に対してされる処分及び行政指導

八　刑務所、少年刑務所、拘置所、留置施設、海上保安留置施設、少年院、少年鑑別所又は婦人補導院において、収容の目的を達成するためにされる処分及び行政指導

九　公務員（国家公務員法（昭和二十二年法律第百二十号）第二条第一項に規定する国家公務員及び地方公務員法（昭和二十五年法律第二百六十一号）第三条第一項に規定する地方公務員をいう。以下同じ。）又は公務員であった者に対してその職務又は身分に関してされる処分及び行政指導

十　外国人の出入国、難民の認定又は帰化に関する処分及び行政指導

十一　専ら人の学識技能に関する試験又は検定の結果についての処分

十二　相反する利害を有する者の間の利害の調整を目的として法令の規定に基づいてされる裁定その他の処分（その双方を名宛人とするものに限る。）及び行政指導

十三　公衆衛生、環境保全、防疫、保安その他の公益に関わる事象が発生し又は発生する可能性のある現場において警察官若しくは海上保安官又はこれらの公益を確保するために行使すべき権限を法律上直接に与えられたその他の職員によってされる処分及び行政指導

十四　報告又は物件の提出を命ずる処分その他その職務の遂行上必要な情報の収集を直接の目的としてされる処分及び行政指導

十五　審査請求、再調査の請求その他の不服申立てに対する行政庁の裁決、決定その他の処分

十六　前号に規定する処分の手続又は第三章に規定する聴聞若しくは弁明の機会の付与の手続その他の意見陳述のための手続において法令に基づいてされる処分及び行政指導

2　次に掲げる命令等を定める行為については、第六章の規定は、適用しない。

一　法律の施行期日について定める政令

二　恩赦に関する命令

三　命令又は規則を定める行為が処分に該当する場合における当該命令又は規則

四　法律の規定に基づき施設、区間、地域その他これらに類するものを指定する命令又は規則

五　公務員の給与、勤務時間その他の勤務条件について定める命令等

六　審査基準、処分基準又は行政指導指針であって、法令の規定により若しくは慣行として、又は命令等を定める機関の判断により公にされるもの以外のもの

3　第一項各号及び前項各号に掲げるもののほか、地方公共団体の機関がする処分（その根拠となる規定が条例又は規則に置かれているものに限る。）及び行政指導、地方公共団体の機関に対する届出（前条第七号の通知の根拠となる規定が条例又は規則に置かれているものに限る。）並びに地方公共団体の機関が命令等を定める行為については、次章から第六章までの規定は、適用しない。

（国の機関等に対する処分等の適用除外）

第四条　国の機関又は地方公共団体若しくはその機関に対する処分（これらの機関又は団体がその固有の資格において当該処分の名あて人となるものに限る。）及び行政指導並びにこれらの機関又は団体がする届出（これらの機関又は団体がその固有の資格においてすべきこととされているものに限る。）については、この法律の規定は、適用しない。

２　次の各号のいずれかに該当する法人に対する処分であって、当該法人の監督に関する法律の特別の規定に基づいてされるもの（当該法人の解散を命じ、若しくは設立に関する認可を取り消す処分又は当該法人の役員若しくは当該法人の業務に従事する者の解任を命ずる処分を除く。）については、次章及び第三章の規定は、適用しない。

一　法律により直接に設立された法人又は特別の法律により特別の設立行為をもって設立された法人

二　特別の法律により設立され、かつ、その設立に関し行政庁の認可を要する法人のうち、その行う業務が国又は地方公共団体の行政運営と密接な関連を有するものとして政令で定める法人

３　行政庁が法律の規定に基づく試験、検査、検定、登録その他の行政上の事務について当該法律に基づきその全部又は一部を行わせる者を指定した場合において、その指定を受けた者（その者が法人である場合にあっては、その役員）又は職員その他の者が当該事務に従事することに関し公務に従事する職員とみなされるときは、その指定を受けた者に対し当該法律に基づいて当該事務に関し監督上される処分（当該指定を取り消す処分、その指定を受けた者が法人である場合におけるその役員の解任を命ずる処分又はその指定を受けた者の当該事務に従事する者の解任を命ずる処分を除く。）については、次章及び第三章の規定は、適用しない。

４　次に掲げる命令等を定める行為については、第六章の規定は、適用しない。

一　国又は地方公共団体の機関の設置、所掌事務の範囲その他の組織について定める命令等

二　皇室典範（昭和二十二年法律第三号）第二十六条の皇統譜について定める命令等

三　公務員の礼式、服制、研修、教育訓練、表彰及び報償並びに公務員の間における競争試験について定める命令等

四　国又は地方公共団体の予算、決算及び会計について定める命令等（入札の参加者の資格、入札保証金その他の国又は地方公共団体の契約の相手方又は相手方になろうとする者に係る事項を定める命令等を除く。）並びに国又は地方公共団体の財産及び物品の管理について定める命令等（国又は地方公共団体が財産及び物品を貸し付け、交換し、売り払い、譲与し、信託し、若しくは出資の目的とし、又はこれらに私権を設定することについて定める命令等であって、これらの行為の相手方又は相手方になろうとする者に係る事項を定めるものを除く。）

五　会計検査について定める命令等

六　国の機関相互間の関係について定める命令等並びに地方自治法（昭和二十二年法律第六十七号）第二編第十一章に規定する国と普通地方公共団体との関係及び普通地方公共団体相互間の関係その他の国と地方公共団体との関係及び地方公共団体相互間の関係について定める命令等（第一項の規定によりこの法律の規定を適用しないこととされる処分に係る命令等を含む。）

七　第二項各号に規定する法人の役員及び職員、業務の範囲、財務及び会計その他の組織、運営及び管理について定める命令等（これらの法人に対する処分であって、これらの法人の解散を命じ、若しくは設立に関する認可を取り消す処分又はこれらの法人の役員若しくはこれらの法人の業務に従事する者の解任を命ずる処分に係る命令等を除く。）

第二章　申請に対する処分

（審査基準）

第五条　行政庁は、審査基準を定めるものとする。

２　行政庁は、審査基準を定めるに当たっては、許認可等の性質に照らしてできる限り具体的なものとしなければならない。

３　行政庁は、行政上特別の支障があるときを除き、法令により申請の提出先とされている機関の事務所における備付けその他の適当な方法により審査基準を公にしておかなければならない。

（標準処理期間）

第六条　行政庁は、申請がその事務所に到達してから当該申請に対する処分をするまでに通常要すべき標準的な期間（法令により当該行政庁と異なる機関が当該申請の提出先とされている

場合は、併せて、当該申請が当該提出先とされている機関の事務所に到達してから当該行政庁の事務所に到達するまでに通常要すべき標準的な期間）を定めるよう努めるとともに、これを定めたときは、これらの当該申請の提出先とされている機関の事務所における備付けその他の適当な方法により公にしておかなければならない。

（申請に対する審査、応答）

第七条　行政庁は、申請がその事務所に到達したときは遅滞なく当該申請の審査を開始しなければならず、かつ、申請書の記載事項に不備がないこと、申請書に必要な書類が添付されていること、申請をすることができる期間内にされたものであることその他の法令に定められた申請の形式上の要件に適合しない申請については、速やかに、申請をした者（以下「申請者」という。）に対し相当の期間を定めて当該申請の補正を求め、又は当該申請により求められた許認可等を拒否しなければならない。

（理由の提示）

第八条　行政庁は、申請により求められた許認可等を拒否する処分をする場合は、申請者に対し、同時に、当該処分の理由を示さなければならない。ただし、法令に定められた許認可等の要件又は公にされた審査基準が数量的指標その他の客観的指標により明確に定められている場合であって、当該申請がこれらに適合しないことが申請書の記載又は添付書類その他の申請の内容から明らかであるときは、申請者の求めがあったときにこれを示せば足りる。

２　前項本文に規定する処分を書面でするときは、同項の理由は、書面により示さなければならない。

（情報の提供）

第九条　行政庁は、申請者の求めに応じ、当該申請に係る審査の進行状況及び当該申請に対する処分の時期の見通しを示すよう努めなければならない。

２　行政庁は、申請をしようとする者又は申請者の求めに応じ、申請書の記載及び添付書類に関する事項その他の申請に必要な情報の提供に努めなければならない。

（公聴会の開催等）

第十条　行政庁は、申請に対する処分であって、申請者以外の者の利害を考慮すべきことが当該法令において許認可等の要件とされているものを行う場合には、必要に応じ、公聴会の開催その他の適当な方法により当該申請者以外の者の意見を聴く機会を設けるよう努めなければならない。

（複数の行政庁が関与する処分）

第十一条　行政庁は、申請の処理をするに当たり、他の行政庁において同一の申請者からされた関連する申請が審査中であることをもって自らすべき許認可等をするかどうかについての審査又は判断を殊更に遅延させるようなことをしてはならない。

２　一の申請又は同一の申請者からされた相互に関連する複数の申請に対する処分について複数の行政庁が関与する場合においては、当該複数の行政庁は、必要に応じ、相互に連絡をとり、当該申請者からの説明の聴取を共同して行う等により審査の促進に努めるものとする。

第三章　不利益処分

第一節　通則

（処分の基準）

第十二条　行政庁は、処分基準を定め、かつ、これを公にしておくよう努めなければならない。

２　行政庁は、処分基準を定めるに当たっては、不利益処分の性質に照らしてできる限り具体的なものとしなければならない。

（不利益処分をしようとする場合の手続）

第十三条　行政庁は、不利益処分をしようとする場合には、次の各号の区分に従い、この章の定めるところにより、当該不利益処分の名あて人となるべき者について、当該各号に定める意見陳述のための手続を執らなければならない。

一　次のいずれかに該当するとき　聴聞

イ　許認可等を取り消す不利益処分をしようとするとき。

ロ　イに規定するもののほか、名あて人の資格又は地位を直接にはく奪する不利益処分をしようとするとき。

ハ　名あて人が法人である場合におけるその役員の解任を命ずる不利益処分、名あて人の業務に従事する者の解任を命ずる不利益処分又は名あて人の会員である者の除名を命ずる不利益処分をしようとするとき。

ニ　イからハまでに掲げる場合以外の場合であって行政庁が相当と認めるとき。

二　前号イからニまでのいずれにも該当しないとき　弁明の機会の付与

２　次の各号のいずれかに該当するときは、前項の規定は、適用しない。

一　公益上、緊急に不利益処分をする必要があるため、前項に規定する意見陳述のための手続を執ることができないとき。

二　法令上必要とされる資格がなかったこと又は失われるに至ったことが判明した場合に必ずすることとされている不利益処分であって、その資格の不存在又は喪失の事実が裁判所の判決書又は決定書、一定の職に就いたことを証する当該任命権者の書類その他の客観的な資料により直接証明されたものをしようとするとき。

三　施設若しくは設備の設置、維持若しくは管理又は物の製造、販売その他の取扱いについて遵守すべき事項が法令において技術的な基準をもって明確にされている場合において、専ら当該基準が充足されていないことを理由として当該基準に従うべきことを命ずる不利益処分であってその不充足の事実が計測、実験その他客観的な認定方法によって確認されたものをしようとするとき。

四　納付すべき金銭の額を確定し、一定の額の金銭の納付を命じ、又は金銭の給付決定の取消しその他の金銭の給付を制限する不利益処分をしようとするとき。

五　当該不利益処分の性質上、それによって課される義務の内容が著しく軽微なものであるため名あて人となるべき者の意見をあらかじめ聴くことを要しないものとして政令で定める処分をしようとするとき。

（不利益処分の理由の提示）

第十四条　行政庁は、不利益処分をする場合には、その名あて人に対し、同時に、当該不利益処分の理由を示さなければならない。ただし、当該理由を示さないで処分をすべき差し迫った必要がある場合は、この限りでない。

2　行政庁は、前項ただし書の場合においては、当該名あて人の所在が判明しなくなったときその他処分後において理由を示すことが困難な事情があるときを除き、処分後相当の期間内に、同項の理由を示さなければならない。

3　不利益処分を書面でするときは、前二項の理由は、書面により示さなければならない。

第二節　聴聞

（聴聞の通知の方式）

第十五条　行政庁は、聴聞を行うに当たっては、聴聞を行うべき期日までに相当な期間をおいて、不利益処分の名あて人となるべき者に対し、次に掲げる事項を書面により通知しなければならない。

一　予定される不利益処分の内容及び根拠となる法令の条項

二　不利益処分の原因となる事実

三　聴聞の期日及び場所

四　聴聞に関する事務を所掌する組織の名称及び所在地

2　前項の書面においては、次に掲げる事項を教示しなければならない。

一　聴聞の期日に出頭して意見を述べ、及び証拠書類又は証拠物（以下「証拠書類等」という。）を提出し、又は聴聞の期日への出頭に代えて陳述書及び証拠書類等を提出することができること。

二　聴聞が終結する時までの間、当該不利益処分の原因となる事実を証する資料の閲覧を求めることができること。

3　行政庁は、不利益処分の名あて人となるべき者の所在が判明しない場合においては、第一項の規定による通知を、その者の氏名、同項第三号及び第四号に掲げる事項並びに当該行政庁が同項各号に掲げる事項を記載した書面をいつでもその者に交付する旨を当該行政庁の事務所の掲示場に掲示することによって行うことができる。この場合においては、掲示を始めた日から二週間を経過したときに、当該通知がその者に到達したものとみなす。

（代理人）

第十六条　前条第一項の通知を受けた者（同条第三項後段の規定により当該通知が到達したものとみなされる者を含む。以下「当事者」という。）は、代理人を選任することができる。

2　代理人は、各自、当事者のために、聴聞に関する一切の行為をすることができる。

3　代理人の資格は、書面で証明しなければならない。

4　代理人がその資格を失ったときは、当該代理人を選任した当事者は、書面でその旨を行政庁に届け出なければならない。

（参加人）

第十七条　第十九条の規定により聴聞を主宰する者（以下「主宰者」という。）は、必要があると認めるときは、当事者以外の者であって当該不利益処分の根拠となる法令に照らし当該不利益処分につき利害関係を有するものと認められる者（同条第二項第六号において「関係人」という。）に対し、当該聴聞に関する手続に参加することを求め、又は当該聴聞に関する手続に参加することを許可することができる。

2　前項の規定により当該聴聞に関する手続に参加する者（以下「参加人」という。）は、代理人を選任することができる。

3　前条第二項から第四項までの規定は、前項の代理人について準用する。この場合において、同条第二項及び第四項中「当事者」とあるのは、「参加人」と読み替えるものとする。

（文書等の閲覧）

第十八条　当事者及び当該不利益処分がされた場合に自己の利益を害されることとなる参加人（以下この条及び第二十四条第三項において「当事者等」という。）は、聴聞の通知があった時から聴聞が終結する時までの間、行政庁に対し、当該事案についてした調査の結果に係る調書その他の当該不利益処分の原因となる事実を証する資料の閲覧を求めることができる。この場合において、行政庁は、第三者の利益を害するおそれがあるときその他正当な理由があるときでなければ、その閲覧を拒むことができない。

2　前項の規定は、当事者等が聴聞の期日における審理の進行に応じて必要となった資料の閲覧を更に求めることを妨げない。

3　行政庁は、前二項の閲覧について日時及び場所を指定することができる。

（聴聞の主宰）

第十九条　聴聞は、行政庁が指名する職員その他政令で定める者が主宰する。

2　次の各号のいずれかに該当する者は、聴聞を主宰することができない。

一　当該聴聞の当事者又は参加人

二　前号に規定する者の配偶者、四親等内の親族又は同居の親族

三　第一号に規定する者の代理人又は次条第三項に規定する補佐人

四　前三号に規定する者であった者

五　第一号に規定する者の後見人、後見監督人、保佐人、保佐監督人、補助人又は補助監督人

六　参加人以外の関係人

（聴聞の期日における審理の方式）

第二十条　主宰者は、最初の聴聞の期日の冒頭において、行政庁の職員に、予定される不利益処分の内容及び根拠となる法令の条項並びにその原因となる事実を聴聞の期日に出頭した者に対し説明させなければならない。

2　当事者又は参加人は、聴聞の期日に出頭して、意見を述べ、及び証拠書類等を提出し、並びに主宰者の許可を得て行政庁の職員に対し質問を発することができる。

3　前項の場合において、当事者又は参加人は、主宰者の許可を得て、補佐人とともに出頭することができる。

4　主宰者は、聴聞の期日において必要があると認めるときは、当事者若しくは参加人に対し質問を発し、意見の陳述若しくは証拠書類等の提出を促し、又は行政庁の職員に対し説明を求めることができる。

5　主宰者は、当事者又は参加人の一部が出頭しないときであっても、聴聞の期日における審理を行うことができる。

6　聴聞の期日における審理は、行政庁が公開することを相当と認めるときを除き、公開しない。

（陳述書等の提出）

第二十一条　当事者又は参加人は、聴聞の期日への出頭に代えて、主宰者に対し、聴聞の期日までに陳述書及び証拠書類等を提出することができる。

2　主宰者は、聴聞の期日に出頭した者に対し、その求めに応じて、前項の陳述書及び証拠書類等を示すことができる。

（続行期日の指定）

第二十二条　主宰者は、聴聞の期日における審理の結果、なお聴聞を続行する必要があると認めるときは、さらに新たな期日を定めることができる。

2　前項の場合においては、当事者及び参加人に対し、あらかじめ、次回の聴聞の期日及び場所を書面により通知しなければならない。ただし、聴聞の期日に出頭した当事者及び参加人に対しては、当該聴聞の期日においてこれを告知すれば足りる。

3　第十五条第三項の規定は、前項本文の場合において、当事者又は参加人の所在が判明しないときにおける通知の方法について準用する。この場合において、同条第三項中「不利益処分の名あて人となるべき者」とあるのは「当事者又は参加人」と、「掲示を始めた日から二週間を経過したとき」とあるのは「掲示を始めた日から二週間を経過したとき（同一の当事者又は参加人に対する二回目以降の通知にあっては、掲示を始めた日の翌日）」と読み替えるものとする。

（当事者の不出頭等の場合における聴聞の終結）

第二十三条　主宰者は、当事者の全部若しくは一部が正当な理由なく聴聞の期日に出頭せず、かつ、第二十一条第一項に規定する陳述書若しくは証拠書類等を提出しない場合、又は参加人の全部若しくは一部が聴聞の期日に出頭しない場合には、これらの者に対し改めて意見を述べ、及び証拠書類等を提出する機会を与えることなく、聴聞を終結することができる。

2　主宰者は、前項に規定する場合のほか、当事者の全部又は一部が聴聞の期日に出頭せず、かつ、第二十一条第一項に規定する陳述書又は証拠書類等を提出しない場合において、これらの者の聴聞の期日への出頭が相当期間引き続き見込めないときは、これらの者に対し、期限を定めて陳述書及び証拠書類等の提出を求め、当該期限が到来したときに聴聞を終結することとすることができる。

（聴聞調書及び報告書）

第二十四条　主宰者は、聴聞の審理の経過を記載した調書を作成し、当該調書において、不利益処分の原因となる事実に対する当事者及び参加人の陳述の要旨を明らかにしておかなければならない。

2　前項の調書は、聴聞の期日における審理が行われた場合には各期日ごとに、当該審理が行われなかった場合には聴聞の終結後速やかに作成しなければならない。

3　主宰者は、聴聞の終結後速やかに、不利益処分の原因となる事実に対する当事者等の主張に理由があるかどうかについての意見を記載した報告書を作成し、第一項の調書とともに行政庁に提出しなければならない。

4　当事者又は参加人は、第一項の調書及び前項の報告書の閲覧を求めることができる。

（聴聞の再開）

第二十五条　行政庁は、聴聞の終結後に生じた事情にかんがみ必要があると認めるときは、主宰者に対し、前条第三項の規定により提出された報告書を返戻して聴聞の再開を命ずることができる。第二十二条第二項本文及び第三項の規定は、この場合について準用する。

（聴聞を経てされる不利益処分の決定）

第二十六条　行政庁は、不利益処分の決定をするときは、第二十四条第一項の調書の内容及び同条第三項の報告書に記載された主宰者の意見を十分に参酌してこれをしなければならない。

（審査請求の制限）

第二十七条　この節の規定に基づく処分又はその不作為については、審査請求をすることができない。

第二十八条　第十三条第一項第一号ハに該当する不利益処分に係る聴聞において第十五条第一項の通知があった場合におけるこの節の規定の適用については、名あて人である法人の役員、名あて人の業務に従事する者又は名あて人の会員である者（当該処分において解任し又は除名すべきこととされている者に限る。）は、同項の通知を受けた者とみなす。

2　前項の不利益処分のうち名あて人である法人の役員又は名あて人の業務に従事する者（以下この項において「役員等」という。）の解任を命ずるものに係る聴聞が行われた場合においては、当該処分にその名あて人が従わないことを理由として法令の規定によりされる当該役員等を解任する不利益処分については、第十三条第一項の規定にかかわらず、行政庁は、当該役員等について聴聞を行うことを要しない。

第三節　弁明の機会の付与

（弁明の機会の付与の方式）

第二十九条　弁明は、行政庁が口頭ですることを認めたときを除き、弁明を記載した書面（以下「弁明書」という。）を提出してするものとする。

2　弁明をするときは、証拠書類等を提出することができる。

（弁明の機会の付与の通知の方式）

第三十条　行政庁は、弁明書の提出期限（口頭による弁明の機会の付与を行う場合には、その日時）までに相当な期間をおいて、不利益処分の名あて人となるべき者に対し、次に掲げる事項を書面により通知しなければならない。

一　予定される不利益処分の内容及び根拠となる法令の条項

二　不利益処分の原因となる事実

三　弁明書の提出先及び提出期限（口頭による弁明の機会の付与を行う場合には、その旨並びに出頭すべき日時及び場所）

（聴聞に関する手続の準用）

第三十一条　第十五条第三項及び第十六条の規定は、弁明の機会の付与について準用する。この場合において、第十五条第三項中「第一項」とあるのは「第三十条」と、「同項第三号及び第四号」とあるのは「同条第三号」と、第十六条第一項中「前条第一項」とあるのは「第三十条」と、「同条第三項後段」とあるのは「第三十一条において準用する第十五条第三項後段」と読み替えるものとする。

第四章　行政指導

（行政指導の一般原則）

第三十二条　行政指導にあっては、行政指導に携わる者は、いやしくも当該行政機関の任務又は所掌事務の範囲を逸脱してはならないこと及び行政指導の内容があくまでも相手方の任意の協力によってのみ実現されるものであることに留意しなければならない。

2　行政指導に携わる者は、その相手方が行政指導に従わなかったことを理由として、不利益な取扱いをしてはならない。

（申請に関連する行政指導）

第三十三条　申請の取下げ又は内容の変更を求める行政指導にあっては、行政指導に携わる者は、申請者が当該行政指導に従う意思がない旨を表明したにもかかわらず当該行政指導を継続すること等により当該申請者の権利の行使を妨げるようなことをしてはならない。

（許認可等の権限に関連する行政指導）

第三十四条　許認可等をする権限又は許認可等に基づく処分をする権限を有する行政機関が、当該権限を行使することができない場合又は行使する意思がない場合においてする行政指導にあっては、行政指導に携わる者は、当該権限を行使し得る旨を殊更に示すことにより相手方に当該行政指導に従うことを余儀なくさせるようなことをしてはならない。

（行政指導の方式）

第三十五条　行政指導に携わる者は、その相手方に対して、当該行政指導の趣旨及び内容並びに責任者を明確に示さなければならない。

2　行政指導に携わる者は、当該行政指導をする際に、行政機関が許認可等をする権限又は許認可等に基づく処分をする権限を行使し得る旨を示すときは、その相手方に対して、次に掲げる事項を示さなければならない。

一　当該権限を行使し得る根拠となる法令の条項

二　前号の条項に規定する要件

三　当該権限の行使が前号の要件に適合する理由

3　行政指導が口頭でされた場合において、その相手方から前二項に規定する事項を記載した書面の交付を求められたときは、当該行政指導に携わる者は、行政上特別の支障がない限り、これを交付しなければならない。

4　前項の規定は、次に掲げる行政指導については、適用しない。

一　相手方に対しその場において完了する行為を求めるもの

二　既に文書（前項の書面を含む。）又は電磁的記録（電子的方式、磁気的方式その他人の知覚によっては認識することができない方式で作られる記録であって、電子計算機による情報処理の用に供されるものをいう。）によりその相手方に通知されている事項と同一の内容を求めるもの

（複数の者を対象とする行政指導）

第三十六条　同一の行政目的を実現するため一定の条件に該当する複数の者に対し行政指導をしようとするときは、行政機関は、あらかじめ、事案に応じ、行政指導指針を定め、かつ、行政上特別の支障がない限り、これを公表しなければならない。

（行政指導の中止等の求め）

第三十六条の二　法令に違反する行為の是正を求める行政指導（その根拠となる規定が法律に置かれているものに限る。）の相手方は、当該行政指導が当該法律に規定する要件に適合しないと思料するときは、当該行政指導をした行政機関に対し、その旨を申し出て、当該行政指導の中止その他必要な措置をとることを求めることができる。ただし、当該行政指導がその相手方について弁明その他意見陳述のための手続を経てされたものであるときは、この限りでない。

2　前項の申出は、次に掲げる事項を記載した申出書を提出してしなければならない。

一　申出をする者の氏名又は名称及び住所又は居所

二　当該行政指導の内容

三　当該行政指導がその根拠とする法律の条項

四　前号の条項に規定する要件

五　当該行政指導が前号の要件に適合しないと思料する理由

六　その他参考となる事項

3　当該行政機関は、第一項の規定による申出があったときは、必要な調査を行い、当該行政指導が当該法律に規定する要件に適合しないと認めるときは、当該行政指導の中止その他必要な措置をとらなければならない。

第四章の二　処分等の求め

第三十六条の三　何人も、法令に違反する事実がある場合において、その是正のためにされるべき処分又は行政指導（その根拠となる規定が法律に置かれているものに限る。）がされていないと思料するときは、当該処分をする権限を有する行政庁又は当該行政指導をする権限を有する行政機関に対し、その旨を申し出て、当該処分又は行政指導をすることを求めることができる。

2　前項の申出は、次に掲げる事項を記載した申出書を提出してしなければならない。

一　申出をする者の氏名又は名称及び住所又は居所
二　法令に違反する事実の内容
三　当該処分又は行政指導の内容
四　当該処分又は行政指導の根拠となる法令の条項
五　当該処分又は行政指導がされるべきであると思料する理由
六　その他参考となる事項

3　当該行政庁又は行政機関は、第一項の規定による申出があったときは、必要な調査を行い、その結果に基づき必要があると認めるときは、当該処分又は行政指導をしなければならない。

第五章　届出

（届出）

第三十七条　届出が届出書の記載事項に不備がないこと、届出書に必要な書類が添付されていることその他の法令に定められた届出の形式上の要件に適合している場合は、当該届出が法令により当該届出の提出先とされている機関の事務所に到達したときに、当該届出をすべき手続上の義務が履行されたものとする。

第六章　意見公募手続等

（命令等を定める場合の一般原則）

第三十八条　命令等を定める機関（閣議の決定により命令等が定められる場合にあっては、当該命令等の立案をする各大臣。以下「命令等制定機関」という。）は、命令等を定めるに当たっては、当該命令等がこれを定める根拠となる法令の趣旨に適合するものとなるようにしなければならない。

2　命令等制定機関は、命令等を定めた後においても、当該命令等の規定の実施状況、社会経済情勢の変化等を勘案し、必要に応じ、当該命令等の内容について検討を加え、その適正を確保するよう努めなければならない。

（意見公募手続）

第三十九条　命令等制定機関は、命令等を定めようとする場合には、当該命令等の案（命令等で定めようとする内容を示すものをいう。以下同じ。）及びこれに関連する資料をあらかじめ公示し、意見（情報を含む。以下同じ。）の提出先及び意見の提出のための期間（以下「意見提出期間」という。）を定めて広く一般の意見を求めなければならない。

2　前項の規定により公示する命令等の案は、具体的かつ明確な内容のものであって、かつ、当該命令等の題名及び当該命令等を定める根拠となる法令の条項が明示されたものでなければならない。

3　第一項の規定により定める意見提出期間は、同項の公示の日から起算して三十日以上でなければならない。

4　次の各号のいずれかに該当するときは、第一項の規定は、適用しない。

一　公益上、緊急に命令等を定める必要があるため、第一項の規定による手続（以下「意見公募手続」という。）を実施することが困難であるとき。
二　納付すべき金銭について定める法律の制定又は改正により必要となる当該金銭の額の算定の基礎となるべき金額及び率並びに算定方法についての命令等その他当該法律の施行に関し必要な事項を定める命令等を定めようとするとき。
三　予算の定めるところにより金銭の給付決定を行うために必要となる当該金銭の額の算定の基礎となるべき金額及び率並びに算定方法その他の事項を定める命令等を定めようとするとき。
四　法律の規定により、内閣府設置法第四十九条第一項若しくは第二項若しくは国家行政組織法第三条第二項に規定する委員会又は内閣府設置法第三十七条若しくは第五十四条若しくは国家行政組織法第八条に規定する機関（以下「委員会等」という。）の議を経て定めることとされている命令等であって、相反する利害を有する者の間の利害の調整を目的として、法律又は政令の規定により、これらの者及び公益をそれぞれ代表する委員をもって組織される委員会等において審議を行うこととされているものとして政令で定める命令等を定めようとするとき。

五　他の行政機関が意見公募手続を実施して定めた命令等と実質的に同一の命令等を定めようとするとき。

六　法律の規定に基づき法令の規定の適用又は準用について必要な技術的読替えを定める命令等を定めようとするとき。

七　命令等を定める根拠となる法令の規定の削除に伴い当然必要とされる当該命令等の廃止をしようとするとき。

八　他の法令の制定又は改廃に伴い当然必要とされる規定の整理その他の意見公募手続を実施することを要しない軽微な変更として政令で定めるものを内容とする命令等を定めようとするとき。

（意見公募手続の特例）

第四十条　命令等制定機関は、命令等を定めようとする場合において、三十日以上の意見提出期間を定めることができないやむを得ない理由があるときは、前条第三項の規定にかかわらず、三十日を下回る意見提出期間を定めることができる。この場合においては、当該命令等の案の公示の際その理由を明らかにしなければならない。

2　命令等制定機関は、委員会等の議を経て命令等を定めようとする場合（前条第四項第四号に該当する場合を除く。）において、当該委員会等が意見公募手続に準じた手続を実施したときは、同条第一項の規定にかかわらず、自ら意見公募手続を実施することを要しない。

（意見公募手続の周知等）

第四十一条　命令等制定機関は、意見公募手続を実施して命令等を定めるに当たっては、必要に応じ、当該意見公募手続の実施について周知するよう努めるとともに、当該意見公募手続の実施に関連する情報の提供に努めるものとする。

（提出意見の考慮）

第四十二条　命令等制定機関は、意見公募手続を実施して命令等を定める場合には、意見提出期間内に当該命令等制定機関に対し提出された当該命令等の案についての意見（以下「提出意見」という。）を十分に考慮しなければならない。

（結果の公示等）

第四十三条　命令等制定機関は、意見公募手続を実施して命令等を定めた場合には、当該命令等の公布（公布をしないものにあっては、公にする行為。第五項において同じ。）と同時期に、次に掲げる事項を公示しなければならない。

一　命令等の題名

二　命令等の案の公示の日

三　提出意見（提出意見がなかった場合にあっては、その旨）

四　提出意見を考慮した結果（意見公募手続を実施した命令等の案と定めた命令等との差異を含む。）及びその理由

2　命令等制定機関は、前項の規定にかかわらず、必要に応じ、同項第三号の提出意見に代えて、当該提出意見を整理又は要約したものを公示することができる。この場合においては、当該公示の後遅滞なく、当該提出意見を当該命令等制定機関の事務所における備付けその他の適当な方法により公にしなければならない。

3　命令等制定機関は、前二項の規定により提出意見を公示し又は公にすることにより第三者の利益を害するおそれがあるとき、その他正当な理由があるときは、当該提出意見の全部又は一部を除くことができる。

4　命令等制定機関は、意見公募手続を実施したにもかかわらず命令等を定めないこととした場合には、その旨（別の命令等の案について改めて意見公募手続を実施しようとする場合にあっては、その旨を含む。）並びに第一項第一号及び第二号に掲げる事項を速やかに公示しなければならない。

5　命令等制定機関は、第三十九条第四項各号のいずれかに該当することにより意見公募手続を実施しないで命令等を定めた場合には、当該命令等の公布と同時期に、次に掲げる事項を公示しなければならない。ただし、第一号に掲げる事項のうち命令等の趣旨については、同項第一号から第四号までのいずれかに該当することにより意見公募手続を実施しなかった場合において、当該命令等自体から明らかでないときに限る。

一　命令等の題名及び趣旨

二　意見公募手続を実施しなかった旨及びその理由

（準用）

第四十四条　第四十二条の規定は第四十条第二項に該当することにより命令等制定機関が自ら意見公募手続を実施しないで命令等を定める場合について、前条第一項から第三項までの規定は第四十条第二項に該当することにより命令等

制定機関が自ら意見公募手続を実施しないで命令等を定めた場合について、前条第四項の規定は第四十条第二項に該当することにより命令等制定機関が自ら意見公募手続を実施しないで命令等を定めないこととした場合について準用する。この場合において、第四十二条中「当該命令等制定機関」とあるのは「委員会等」と、前条第一項第二号中「命令等の案の公示の日」とあるのは「委員会等が命令等の案について公示に準じた手続を実施した日」と、同項第四号中「意見公募手続を実施した」とあるのは「委員会等が意見公募手続に準じた手続を実施した」と読み替えるものとする。

（公示の方法）

第四十五条　第三十九条第一項並びに第四十三条第一項（前条において読み替えて準用する場合を含む。）、第四項（前条において準用する場合を含む。）及び第五項の規定による公示は、電子情報処理組織を使用する方法その他の情報通信の技術を利用する方法により行うものとする。

2　前項の公示に関し必要な事項は、総務大臣が定める。

第七章　補則

（地方公共団体の措置）

第四十六条　地方公共団体は、第三条第三項において第二章から前章までの規定を適用しないこととされた処分、行政指導及び届出並びに命令等を定める行為に関する手続について、この法律の規定の趣旨にのっとり、行政運営における公正の確保と透明性の向上を図るため必要な措置を講ずるよう努めなければならない。

附　則（抄）

（施行期日）

1　この法律は、公布の日から起算して一年を超えない範囲内において政令で定める日〔平六・一〇・一〕から施行する。

2・3　〔略〕

4　前二項に定めるもののほか、この法律の施行に関して必要な経過措置は、政令で定める。

附　則（平二九・三・三一法四）（抄）

（施行期日）

第一条　この法律は、平成二十九年四月一日から施行する。ただし、次の各号に掲げる規定は、当該各号に定める日から施行する。

一～四　〔略〕

五　次に掲げる規定　平成三十年四月一日

イ～ハ　〔略〕

ニ　〔前略〕附則〔中略〕第百二十九条〔中略〕の規定

ホ～ル　〔略〕

六～十八　〔略〕

資料2 行政手続法施行令

平成六年八月五日
政令第二百六十五号

（申請に対する処分及び不利益処分に関する規定の適用が除外される法人）

第一条 行政手続法（以下「法」という。）第四条第二項の政令で定める法人は、外国人技能実習機構、危険物保安技術協会、行政書士会、漁業共済組合連合会、軽自動車検査協会、健康保険組合、健康保険組合連合会、原子力損害賠償・廃炉等支援機構、広域的運営推進機関、広域臨海環境整備センター、港務局、小型船舶検査機構、国民健康保険組合、国民健康保険団体連合会、国民年金基金、国民年金基金連合会、国家公務員共済組合、国家公務員共済組合連合会、市街地再開発組合、自動車安全運転センター、司法書士会、社会保険労務士会、住宅街区整備組合、商工会連合会、水害予防組合、水害予防組合連合、税理士会、石炭鉱業年金基金、全国健康保険協会、全国市町村職員共済組合連合会、全国社会保険労務士会連合会、地方公務員共済組合、地方公務員共済組合連合会、地方公務員災害補償基金、地方住宅供給公社、地方道路公社、地方独立行政法人、中央職業能力開発協会、中央労働災害防止協会、中小企業団体中央会、土地開発公社、土地改良区、土地改良区連合、土地家屋調査士会、土地区画整理組合、都道府県職業能力開発協会、日本行政書士会連合会、日本銀行、日本下水道事業団、日本公認会計士協会、日本司法書士会連合会、日本商工会議所、日本税理士会連合会、日本赤十字社、日本土地家屋調査士会連合会、日本弁理士会、日本水先人会連合会、農業共済組合、農業共済組合連合会、農水産業協同組合貯金保険機構、防災街区整備事業組合、水先人会、預金保険機構及び労働災害防止協会とする。

（不利益処分をしようとする場合の手続を要しない処分）

第二条 法第十三条第二項第五号の政令で定める処分は、次に掲る処分とする。

一　法令の規定により行政庁が交付する書類であって交付を受けた者の資格又は地位を証明するもの（以下この号において「証明書類」という。）について、法令の規定に従い、既に交付した証明書類の記載事項の訂正（追加を含む。以下この号において同じ。）をするためにその提出を命ずる処分及び訂正に代えて新たな証明書類の交付をする場合に既に交付した証明書類の返納を命ずる処分

二　届出をする場合に提出することが義務付けられている書類について、法令の規定に従い、当該書類が法令に定められた要件に適合することとなるようにその訂正を命ずる処分

（職員以外に聴聞を主宰することができる者）

第三条 法第十九条第一項の政令で定める者は、次に掲げる者とする。

一　法令に基づき審議会その他の合議制の機関の答申を受けて行うこととされている処分に係る聴聞にあっては、当該合議制の機関の構成員

二　保健師助産師看護師法（昭和二十三年法律第二百三号）第十四条第二項の規定による処分に係る聴聞にあっては、准看護師試験委員

三　歯科衛生士法（昭和二十三年法律第二百四号）第八条第一項の規定による処分に係る聴聞にあっては、歯科衛生士の業務に関する学識経験を有する者

四　医療法（昭和二十三年法律第二百五号）第二十三条の二、第二十四条第一項、第二十四条の二、第二十八条又は第二十九条第一項若しくは第二項の規定による処分に係る聴聞にあっては、診療に関する学識経験を有する者

（意見公募手続を実施することを要しない命令等）

第四条 法第三十九条第四項第四号の政令で定める命令等は、次に掲げる命令等とする。

一　健康保険法（大正十一年法律第七十号）第七十条第一項（同法第八十五条第九項、第八十五条の二第五項、第八十六条第四項、第百十条第七項及び第百四十九条において準用する場合を含む。）及び第三項、第七十二条第一項（同法第八十五条第九項、第八十五条の二第五項、第八十六条第四項、第百十条第七項及び第百四十九条において準用する場合を含む。）並びに第九十二条第二項（指定訪問看護の取扱いに係る部分に限り、同法第百十一条第三項及び第百四十九条において準用する場合を含む。）の命令等

二　船員保険法（昭和十四年法律第七十三号）

第五十四条第二項（同法第六十一条第七項、第六十二条第四項、第六十三条第四項及び第七十六条第六項において準用する場合を含む。）及び第六十五条第十項（同法第七十八条第三項において準用する場合を含む。）の命令等

三　労働基準法（昭和二十二年法律第四十九号）第三十二条の四第三項及び第三十八条の四第三項（同法第四十一条の二第三項において準用する場合を含む。）の命令等

四　労働者災害補償保険法（昭和二十二年法律第五十号）第七条第一項第二号、第二項第二号及び第三号並びに第三項、第八条第二項及び第三項、第八条の二第一項第二号（同号の厚生労働省令に係る部分に限る。）、第二項各号（同法第八条の三第二項において準用する場合を含む。）及び第三項（同法第八条の二第四項（同法第八条の三第二項において準用する場合を含む。）及び第八条の三第二項において準用する場合を含む。）、第八条の三第一項第二号（同号の厚生労働省令に係る部分に限り、同法第八条の四において準用する場合を含む。）、第十二条の二、第十二条の七、第十二条の八第三項第二号及び第四項、第十三条第三項（同法第二十条の三第二項及び第二十二条第二項において準用する場合を含む。）、第十四条第二項（同法第二十条の四第二項及び第二十二条の二第二項において準用する場合を含む。）、第十四条の二（同法第二十条の四第二項及び第二十二条の二第二項において準用する場合を含む。）、第十五条第一項、第十五条の二（同法第二十条の五第三項及び第二十二条の三第三項において準用する場合を含む。）、第十六条の二第一項第四号（同法第二十条の六第三項及び第二十二条の四第三項において準用する場合を含む。）、第十七条（同法第二十条の七第二項及び第二十二条の五第二項において準用する場合を含む。）、第十八条の二（同法第二十条の八第二項及び第二十三条第二項において準用する場合を含む。）、第十九条の二（同法第二十条の九第二項及び第二十四条第二項において準用する場合を含む。）、第二十条、第二十条の三第一項、第二十条の十、第二十二条第一項、第二十五条、第二十六条第一項及び第二項第一号、第二十七条、第二十八条、第二十九条第一項、第三十一条第一項から第三項まで、第三十三条第一号、第三号及び第五号から第七号まで、第三十四条第一項第三号（同法第三十六条第一項第二号において準用する場合を含む。）、第三十五条第一項、第三十七条、第四十六条、第四十七条、第四十九条第一項、第五十条、第五十八条第一項、第五十九条第二項及び第三項（同法第六十条の三第三項及び第六十二条第三項において準用する場合を含む。）、第六十条第二項、第三項（同法第六十条の四第四項及び第六十三条第三項において準用する場合を含む。）及び第四項（同法第六十三条第三項において準用する場合を含む。）並びに第六十条の二第一項、同法第六十条の四第三項において読み替えて適用する同法第二十条の六第三項の規定により読み替えられた同法第十六条の六第一項第二号並びに同法第六十一条第一項、第六十四条第二項及び別表第一各号（同法第二十条の五第三項、第二十条の六第三項、第二十条の八第二項、第二十二条の三第三項、第二十二条の四第三項及び第二十三条第二項において準用する場合を含む。）の命令等

五　国民健康保険法（昭和三十三年法律第百九十二号）第四十条第二項（同法第五十二条第六項、第五十二条の二第三項、第五十三条第三項及び第五十四条の三第二項において準用する場合を含む。）及び第五十四条の二第十項（同法第五十四条の三第二項において準用する場合を含む。）の命令等

六　労働施策の総合的な推進並びに労働者の雇用の安定及び職業生活の充実等に関する法律（昭和四十一年法律第百三十二号）第三十条の二第三項の命令等

七　労働保険の保険料の徴収等に関する法律（昭和四十四年法律第八十四号）第二条第二項、第四条の二、第七条第三号及び第五号、第八条第一項、第九条、第十一条第三項、第十二条第二項、第三項及び第五項、第十二条の二、第十三条、第十四条第一項、第十四条の二第一項、第十五条第一項及び第二項、第十六条（同法附則第五条において準用する場合を含む。）、第十七条第二項（同法第二十条第四項及び第二十一条第三項において準用する場合を含む。）、第十八条、第十九条第一項、第二項、第五項及び第六項、第二十条第一項（同条第二項において準用する場合を含む。）及び第三項、第二十一条の二、第二十二条第五項（同項の第一級保険料日額、

第二級保険料日額及び第三級保険料日額の変更に係る部分に限る。）、第三十三条第一項、第三十六条、第三十九条、第四十二条並びに第四十五条の二の命令等

八　高年齢者等の雇用の安定等に関する法律（昭和四十六年法律第六十八号）第二十二条第四号、第二十四条第一項第三号及び第二十五条第一項（同項の計画に係る部分に限る。）の命令等

九　雇用の分野における男女の均等な機会及び待遇の確保等に関する法律（昭和四十七年法律第百十三号）第十条第一項、第十一条第四項、第十一条の三第三項及び第十三条第二項の命令等

十　雇用保険法（昭和四十九年法律第百十六号）第十条の四第一項、第十三条第一項及び第三項、第十八条第三項、第二十条第一項（同項の厚生労働省令で定める理由に係る部分に限る。）及び第二項（同項の厚生労働省令で定める理由に係る部分に限る。）、第二十二条第二項、第二十四条の二第一項（同項第二号の厚生労働大臣が指定する地域に係る部分を除く。）、第二十五条第一項（同項の政令で定める基準に係る部分に限る。）及び第三項、第二十六条第二項、第二十七条第一項（同項の政令で定める基準に係る部分に限る。）及び第二項、第二十九条第二項、第三十二条第三項（同法第三十七条の四第五項及び第四十条第四項において準用する場合を含む。）、第三十三条第二項（同法第三十七条の四第六項及び第四十条第四項において準用する場合を含む。）、第三十七条の三第一項、第三十七条の五第一項第三号、第三十八条第一項第二号、第三十九条第一項、第五十二条第二項（同法第五十五条第四項において準用する場合を含む。）、第五十六条の三第一項（同項の厚生労働省令で定める基準に係る部分及び同項第二号の就職が困難な者として厚生労働省令で定めるものに係る部分に限る。）、第六十一条の四第一項（同項の厚生労働省令で定める理由に係る部分に限る。）並びに第六十一条の七第一項（同項の厚生労働省令で定める理由に係る部分に限る。）の命令等並びに同法の施行に関する重要事項に係る命令等

十一　高齢者の医療の確保に関する法律（昭和五十七年法律第八十号）第七十一条第一項（同項の療養の給付の取扱い及び担当に関する基準に係る部分に限る。）、第七十四条第四項、第七十五条第四項、第七十六条第三項及び第七十九条第一項（指定訪問看護の取扱いに係る部分に限る。）の命令等

十二　労働者派遣事業の適正な運営の確保及び派遣労働者の保護等に関する法律（昭和六十年法律第八十八号）第四条第一項第三号、第三十五条の四第一項並びに第四十条の二第一項第二号、第四号及び第五号の命令等

十三　育児休業、介護休業等育児又は家族介護を行う労働者の福祉に関する法律（平成三年法律第七十六号）第二条第一号及び第三号から第五号まで、第五条第二項、第三項第二号及び第四項第二号、第六条第一項第二号（同法第十二条第二項、第十六条の三第二項及び第十六条の六第二項において準用する場合を含む。）及び第三項、第七条第二項及び第三項（同法第十三条において準用する場合を含む。）、第八条第二項及び第三項（同法第十四条第三項において準用する場合を含む。）、第九条第二項第一号、第十二条第三項、第十五条第三項第一号、第十六条の二第一項及び第二項、第十六条の五第一項及び第二項、第十六条の八第一項第二号（同法第十六条の九第一項において準用する場合を含む。）、第三項（同法第十六条の九第一項において準用する場合を含む。）及び第四項第一号（同法第十六条の九第一項において準用する場合を含む。）、第十七条第一項第二号（同法第十八条第一項において準用する場合を含む。）、第三項（同法第十八条第一項において準用する場合を含む。）及び第四項第一号（同法第十八条第一項において準用する場合を含む。）、第十九条第一項第二号（同法第二十条第一項において準用する場合を含む。）及び第三号（同法第二十条第一項において準用する場合を含む。）、第三項（同法第二十条第一項において準用する場合を含む。）並びに第四項第一号（同法第二十条第一項において準用する場合を含む。）、第二十三条第一項から第三項まで、第二十五条第一項並びに第二十八条の命令等並びに同法の施行に関する重要事項に係る命令等

十四　短時間労働者及び有期雇用労働者の雇用管理の改善等に関する法律（平成五年法律第七十六号）第十五条第一項の命令等

2　法第三十九条第四項第八号の政令で定める軽微な変更は、次に掲げるものとする。

一　他の法令の制定又は改廃に伴い当然必要とされる規定の整理

二　前号に掲げるもののほか、用語の整理、条、項又は号の繰上げ又は繰下げその他の形式的な変更

附　則

この政令は、法の施行の日〔平六・一〇・一〕から施行する。

㊟　次の政令により行政手続法施行令が改正されたが、令和三年九月一日から施行となるため、一部改正政令の形式で掲載した。

○行政手続法施行令の一部を改正する政令

令和三・八・二五
政令二三五

行政手続法施行令（平成六年政令第二百六十五号）の一部を次のように改正する。

第四条第一項第十号中「第六十一条の七第一項（同項」の下に「（同条第三項の規定により読み替えて適用する場合を含む。）」を加え、「に限る。）の」を「及び同条第三項の規定により読み替えて適用する同条第一項の厚生労働省令で定める日に係る部分に限る。）の」に改める。

附　則

この政令は、育児休業、介護休業等育児又は家族介護を行う労働者の福祉に関する法律及び雇用保険法の一部を改正する法律（令和三年法律第五十八号）附則第一条第二号に掲げる規定の施行の日（令和三年九月一日）から施行する。

㊟　次の政令の第二条により行政手続法施行令が改正されたが、令和四年四月一日から施行となるため、一部改正政令の形式で掲載した。

○職業安定法施行令及び行政手続法施行令の一部を改正する政令

令和三・九・二七
政令二六八

（行政手続法施行令の一部改正）

第二条　行政手続法施行令（平成六年政令第二百六十五号）の一部を次のように改正する。

第四条第一項第十三号中「第二十三条第一項」を「第二十一条第一項、第二十二条第一項第三号、第二十三条第一項」に改める。

附　則

この政令は、令和四年四月一日から施行する。

資料3　情報通信技術を活用した行政の推進等に関する法律

平成十四年十二月十三日
法律第百五十一号

第一章　総則

（目的）

第一条　この法律は、デジタル社会形成基本法（令和三年法律第三十五号）第十七条及び官民データ活用推進基本法（平成二十八年法律第百三号）第七条の規定に基づく法制上の措置として、国、地方公共団体、民間事業者、国民その他の者があらゆる活動において情報通信技術（デジタル社会形成基本法第二条に規定する情報通信技術をいう。以下同じ。）の便益を享受できる社会が実現されるよう、情報通信技術を活用した行政の推進について、その基本原則及び情報システムの整備、情報通信技術の利用のための能力又は利用の機会における格差の是正その他の情報通信技術を利用する方法により手続等を行うために必要となる事項を定めるとともに、民間手続における情報通信技術の活用の促進に関する施策について定めることにより、手続等に係る関係者の利便性の向上、行政運営の簡素化及び効率化並びに社会経済活動の更なる円滑化を図り、もって国民生活の向上及び国民経済の健全な発展に寄与することを目的とする。

（基本原則）

第二条　情報通信技術を活用した行政の推進は、事務又は業務の遂行に用いる情報を書面等から官民データ（官民データ活用推進基本法第二条第一項に規定する官民データをいう。以下この条において同じ。）へと転換することにより、公共分野における情報通信技術の活用を図るとともに、情報通信技術を活用した社会生活の利便性の向上及び事業活動の効率化を促進することが、急速な少子高齢化の進展への対応その他の我が国が直面する課題の解決にとって重要であることに鑑み、情報通信技術の利用のための能力又は知識経験が十分でない者に対する適正な配慮がされることを確保しつつ、デジタル社会（デジタル社会形成基本法第二条に規定するデジタル社会をいう。）の形成に関する施策及び官民データの適正かつ効果的な活用の推進に関する施策の一環として、次に掲げる事項を旨として行われなければならない。

一　手続等並びにこれに関連する行政機関等の事務及び民間事業者の業務の処理に係る一連の行程が情報通信技術を利用して行われるようにすることにより、手続等に係る時間、場所その他の制約を除去するとともに、当該事務及び業務の自動化及び共通化を図り、もって手続等が利用しやすい方法により迅速かつ的確に行われるようにすること。

二　民間事業者その他の者から行政機関等に提供された情報については、行政機関等が相互に連携して情報システムを利用した当該情報の共有を図ることにより、当該情報と同一の内容の情報の提供を要しないものとすること。

三　社会生活又は事業活動に伴い同一の機会に通常必要とされる多数の手続等（これらの手続等に関連して民間事業者に対して行われ、又は民間事業者が行う通知を含む。以下この号において同じ。）について、行政機関等及び民間事業者が相互に連携することにより、情報通信技術を利用して当該手続等を一括して行うことができるようにすること。

（定義）

第三条　この法律において、次の各号に掲げる用語の意義は、当該各号に定めるところによる。

一　法令　法律及び法律に基づく命令をいう。

二　行政機関等　次に掲げるものをいう。

イ　内閣、法律の規定に基づき内閣に置かれる機関若しくは内閣の所轄の下に置かれる機関、宮内庁、内閣府設置法（平成十一年法律第八十九号）第四十九条第一項若しくは第二項に規定する機関、国家行政組織法（昭和二十三年法律第百二十号）第三条第二項に規定する機関若しくは会計検査院又はこれらに置かれる機関

ロ　イに掲げる機関の職員であって法律上独立に権限を行使することを認められたもの

ハ　地方公共団体又はその機関（議会を除く。）

ニ　独立行政法人（独立行政法人通則法（平成十一年法律第百三号）第二条第一項に規定する独立行政法人をいう。ヘにおいて同じ。）

ホ　地方独立行政法人（地方独立行政法人法（平成十五年法律第百十八号）第二条第一項に規定する地方独立行政法人をいう。ヘにおいて同じ。）

ヘ　法律により直接に設立された法人、特別の法律により特別の設立行為をもって設立された法人（独立行政法人を除く。）又は特別の法律により設立され、かつ、その設立に関し行政庁の認可を要する法人（地方独立行政法人を除く。）のうち、政令で定めるもの

ト　行政庁が法律の規定に基づく試験、検査、検定、登録その他の行政上の事務について当該法律に基づきその全部又は一部を行わせる者を指定した場合におけるその指定を受けた者

チ　ニからトまでに掲げる者（トに掲げる者については、当該者が法人である場合に限る。）の長

三　国の行政機関等　次に掲げるものをいう。

イ　前号イ及びロに掲げるもの

ロ　前号ニ及びヘからチまでに掲げる者のうちその者に係る手続等に係る関係者の利便性の向上並びに行政運営の簡素化及び効率化のために当該手続等における情報通信技術の利用の確保が必要なものとして政令で定めるもの

四　民間事業者　個人又は法人その他の団体であって、事業を行うもの（行政機関等を除く。）をいう。

五　書面等　書面、書類、文書、謄本、抄本、正本、副本、複本その他文字、図形その他の人の知覚によって認識することができる情報が記載された紙その他の有体物をいう。

六　署名等　署名、記名、自署、連署、押印その他氏名又は名称を書面等に記載することをいう。

七　電磁的記録　電子的方式、磁気的方式その他人の知覚によっては認識することができない方式で作られる記録であって、電子計算機による情報処理の用に供されるものをいう。

八　申請等　申請、届出その他の法令の規定に基づき行政機関等に対して行われる通知（訴訟手続その他の裁判所における手続並びに刑事事件及び政令で定める犯則事件に関する法令の規定に基づく手続（以下この条及び第十四条第一項において「裁判手続等」という。）において行われるものを除く。）をいう。この場合において、経由機関（法令の規定に基づき他の行政機関等又は民間事業者を経由して行われる申請等における当該他の行政機関等又は民間事業者をいう。以下この号において同じ。）があるときは、当該申請等については、当該申請等をする者から経由機関に対して行われるもの及び経由機関から他の経由機関又は当該申請等を受ける行政機関等に対して行われるものごとに、それぞれ別の申請等とみなして、この法律の規定を適用する。

九　処分通知等　処分（行政庁の処分その他公権力の行使に当たる行為をいう。）の通知その他の法令の規定に基づき行政機関等が行う通知（不特定の者に対して行うもの及び裁判手続等において行うものを除く。）をいう。この場合において、経由機関（法令の規定に基づき他の行政機関等又は民間事業者を経由して行う処分通知等における当該他の行政機関等又は民間事業者をいう。以下この号において同じ。）があるときは、当該処分通知等については、当該処分通知等を行う行政機関等が経由機関に対して行うもの及び経由機関が他の経由機関又は当該処分通知等を受ける者に対して行うものごとに、それぞれ別の処分通知等とみなして、この法律の規定を適用する。

十　縦覧等　法令の規定に基づき行政機関等が書面等又は電磁的記録に記録されている事項を縦覧又は閲覧に供すること（裁判手続等において行うものを除く。）をいう。

十一　作成等　法令の規定に基づき行政機関等が書面等又は電磁的記録を作成し、又は保存すること（裁判手続等において行うものを除く。）をいう。

十二　手続等　申請等、処分通知等、縦覧等又は作成等をいう。

第二章　情報通信技術を活用した行政の推進

第一節　情報システム整備計画

（情報システム整備計画等）

第四条　政府は、情報通信技術を利用して行われる手続等に係る国の行政機関等の情報システム（次条第四項を除き、以下単に「情報システム」という。）の整備を総合的かつ計画的に実施するため、情報システムの整備に関する計画（以下「情報システム整備計画」という。）を作

成しなければならない。

2　情報システム整備計画は、次に掲げる事項について定めるものとする。

一　計画期間

二　情報システムの整備に関する基本的な方針

三　申請等及び申請等に基づく処分通知等を電子情報処理組織を使用する方法により行うために必要な情報システムの整備に関する次に掲げる事項

イ　申請等及び申請等に基づく処分通知等のうち、情報システムの整備により電子情報処理組織を使用する方法により行うことができるようにするものの範囲

ロ　イの情報システムの整備の内容及び実施期間

四　申請等に係る書面等の添付を省略するために必要な情報システムの整備に関する次に掲げる事項

イ　申請等に係る書面等のうち、情報システムの整備により添付を省略することができるようにするものの種類

ロ　イの情報システムの整備の内容及び実施期間

五　情報システムを利用して迅速に情報の授受を行うために講ずべき次に掲げる措置に関する事項

イ　データの標準化（電磁的記録において用いられる用語、符号その他の事項を統一し、又はその相互運用性を確保することをいう。）

ロ　外部連携機能（プログラムが有する機能又はデータを他のプログラムにおいて利用し得るようにするために必要な機能をいう。）の整備及び当該外部連携機能に係る仕様に関する情報の提供

六　行政機関等による情報システムの共用の推進に関する事項

七　その他情報システムの整備に関する事項

3　内閣総理大臣は、情報システム整備計画の案を作成し、閣議の決定を求めなければならない。

4　内閣総理大臣は、前項の規定による閣議の決定があったときは、遅滞なく、情報システム整備計画を公表しなければならない。

5　前二項の規定は、情報システム整備計画の変更について準用する。

（国の行政機関等による情報システムの整備等）

第五条　国の行政機関等は、情報システム整備計画に従って情報システムを整備しなければならない。

2　国の行政機関等は、前項の規定による情報システムの整備に当たっては、当該情報システムの安全性及び信頼性を確保するために必要な措置を講じなければならない。

3　国の行政機関等は、第一項の規定による情報システムの整備に当たっては、これと併せて、当該情報システムを利用して行われる手続等及びこれに関連する行政機関等の事務の簡素化又は合理化その他の見直しを行うよう努めなければならない。

4　国の行政機関等以外の行政機関等は、国の行政機関等が前三項の規定に基づき講ずる措置に準じて、情報通信技術を利用して行われる手続等に係る当該行政機関等の情報システムの整備その他の情報通信技術を活用した行政の推進を図るために必要な施策を講ずるよう努めなければならない。

5　国は、国の行政機関等以外の行政機関等が講ずる前項の施策を支援するため、情報の提供その他の必要な措置を講ずるよう努めなければならない。

第二節　手続等における情報通信技術の利用

（電子情報処理組織による申請等）

第六条　申請等のうち当該申請等に関する他の法令の規定において書面等により行うことその他のその方法が規定されているものについては、当該法令の規定にかかわらず、主務省令で定めるところにより、主務省令で定める電子情報処理組織（行政機関等の使用に係る電子計算機（入出力装置を含む。以下同じ。）とその手続等の相手方の使用に係る電子計算機とを電気通信回線で接続した電子情報処理組織をいう。次章を除き、以下同じ。）を使用する方法により行うことができる。

2　前項の電子情報処理組織を使用する方法により行われた申請等については、当該申請等に関する他の法令の規定に規定する方法により行われたものとみなして、当該法令その他の当該申請等に関する法令の規定を適用する。

3　第一項の電子情報処理組織を使用する方法により行われた申請等は、当該申請等を受ける行政機関等の使用に係る電子計算機に備えられたファイルへの記録がされた時に当該行政機関等に到達したものとみなす。

4　申請等のうち当該申請等に関する他の法令の規定において署名等をすることが規定されているものを第一項の電子情報処理組織を使用する方法により行う場合には、当該法令の規定にかかわらず、当該署名等については、電子情報処理組織を使用した個人番号カード（行政手続における特定の個人を識別するための番号の利用等に関する法律（平成二十五年法律第二十七号）第二条第七項に規定する個人番号カードをいう。第十一条において同じ。）の利用その他の氏名又は名称を明らかにする措置であって主務省令で定めるものをもって代えることができる。

5　申請等のうち当該申請等に関する他の法令の規定において収入印紙をもってすることとその他の手数料の納付の方法が規定されているものを第一項の電子情報処理組織を使用する方法により行う場合には、当該手数料の納付については、当該法令の規定にかかわらず、電子情報処理組織を使用する方法その他の情報通信技術を利用する方法であって主務省令で定めるものをもってすることができる。

6　申請等をする者について対面により本人確認をするべき事情がある場合、申請等に係る書面等のうちにその原本を確認する必要があるものがある場合その他の当該申請等のうちに第一項の電子情報処理組織を使用する方法により行うことが困難又は著しく不適当と認められる部分がある場合として主務省令で定める場合には、主務省令で定めるところにより、当該申請等のうち当該部分以外の部分につき、前各項の規定を適用する。この場合において、第二項中「行われた申請等」とあるのは、「行われた申請等（第六項の規定により前項の規定を適用する部分に限る。以下この項から第五項までにおいて同じ。）」とする。

（電子情報処理組織による処分通知等）

第七条　処分通知等のうち当該処分通知等に関する他の法令の規定において書面等により行うことその他のその方法が規定されているものについては、当該法令の規定にかかわらず、主務省令で定めるところにより、主務省令で定める電子情報処理組織を使用する方法により行うことができる。ただし、当該処分通知等を受ける者が当該電子情報処理組織を使用する方法により受ける旨の主務省令で定める方式による表示をする場合に限る。

2　前項の電子情報処理組織を使用する方法により行われた処分通知等については、当該処分通知等に関する他の法令の規定に規定する方法により行われたものとみなして、当該法令その他の当該処分通知等に関する法令の規定を適用する。

3　第一項の電子情報処理組織を使用する方法により行われた処分通知等は、当該処分通知等を受ける者の使用に係る電子計算機に備えられたファイルへの記録がされた時に当該処分通知等を受ける者に到達したものとみなす。

4　処分通知等のうち当該処分通知等に関する他の法令の規定において署名等をすることが規定されているものを第一項の電子情報処理組織を使用する方法により行う場合には、当該署名等については、当該法令の規定にかかわらず、氏名又は名称を明らかにする措置であって主務省令で定めるものをもって代えることができる。

5　処分通知等を受ける者について対面により本人確認をするべき事情がある場合、処分通知等に係る書面等のうちにその原本を交付する必要があるものがある場合その他の当該処分通知等のうちに第一項の電子情報処理組織を使用する方法により行うことが困難又は著しく不適当と認められる部分がある場合として主務省令で定める場合には、主務省令で定めるところにより、当該処分通知等のうち当該部分以外の部分につき、前各項の規定を適用する。この場合において、第二項中「行われた処分通知等」とあるのは、「行われた処分通知等（第五項の規定により前項の規定を適用する部分に限る。以下この項から第四項までにおいて同じ。）」とする。

（電磁的記録による縦覧等）

第八条　縦覧等のうち当該縦覧等に関する他の法令の規定において書面等により行うことが規定されているもの（申請等に基づくものを除く。）については、当該法令の規定にかかわらず、主務省令で定めるところにより、当該書面等に係る電磁的記録に記録されている事項又は当該事項を記載した書類により行うことができる。

2　前項の電磁的記録に記録されている事項又は書類により行われた縦覧等については、当該縦覧等に関する他の法令の規定により書面等により行われたものとみなして、当該法令その他の当該縦覧等に関する法令の規定を適用する。

（電磁的記録による作成等）

第九条　作成等のうち当該作成等に関する他の法令の規定において書面等により行うことが規

定されているものについては、当該法令の規定にかかわらず、主務省令で定めるところにより、当該書面等に係る電磁的記録により行うことができる。

2 前項の電磁的記録により行われた作成等については、当該作成等に関する他の法令の規定により書面等により行われたものとみなして、当該法令その他の当該作成等に関する法令の規定を適用する。

3 作成等のうち当該作成等に関する他の法令の規定において署名等をすることが規定されているものを第一項の電磁的記録により行う場合には、当該署名等については、当該法令の規定にかかわらず、氏名又は名称を明らかにする措置であって主務省令で定めるものをもって代えることができる。

（適用除外）

第十条 次に掲げる手続等については、この節の規定は、適用しない。

一 手続等のうち、申請等に係る事項に虚偽がないかどうかを対面により確認する必要があること、許可証その他の処分通知等に係る書面等を事業所に備え付ける必要があることその他の事由により当該手続等を電子情報処理組織を使用する方法その他の情報通信技術を利用する方法により行うことが適当でないものとして政令（内閣の所轄の下に置かれる機関及び会計検査院にあっては、当該機関の命令）で定めるもの

二 手続等のうち当該手続等に関する他の法令の規定において電子情報処理組織を使用する方法その他の情報通信技術を利用する方法により行うことが規定されているもの（第六条第一項、第七条第一項、第八条第一項又は前条第一項の規定に基づき行うことが規定されているものを除く。）

第三節 添付書面等の省略

第十一条 申請等をする者に係る住民票の写し、登記事項証明書その他の政令で定める書面等であって当該申請等に関する他の法令の規定において当該申請等に際し添付することが規定されているものについては、当該法令の規定にかかわらず、行政機関等が、当該申請等をする者が行う電子情報処理組織を使用した個人番号カードの利用その他の措置であって当該書面等の区分に応じ政令で定めるものにより、直接に、又は電子情報処理組織を使用して、当該書面等により確認すべき事項に係る情報を入手し、又は参照することができる場合には、添付することを要しない。

第四節 その他の施策

（情報通信技術の利用のための能力等における格差の是正）

第十二条 国は、情報通信技術を活用した行政の推進に当たっては、全ての者が情報通信技術の便益を享受できるよう、情報通信技術の利用のための能力又は知識経験が十分でない者が身近に相談、助言その他の援助を求めることができるようにするための施策、当該援助を行う者の確保及び資質の向上のための施策その他の年齢、障害の有無等の心身の状態、地理的な制約、経済的な状況その他の要因に基づく情報通信技術の利用のための能力又は利用の機会における格差の是正を図るために必要な施策を講じなければならない。

2 地方公共団体は、国が前項の規定に基づき講ずる施策に準じて、情報通信技術の利用のための能力又は利用の機会における格差の是正を図るために必要な施策を講ずるよう努めなければならない。

（条例又は規則に基づく手続における情報通信技術の利用）

第十三条 地方公共団体は、情報通信技術を活用した行政の推進を図るため、条例又は規則に基づく手続について、手続等に準じて電子情報処理組織を使用する方法その他の情報通信技術を利用する方法により行うことができるようにするため、必要な施策を講ずるよう努めなければならない。

2 国は、地方公共団体が講ずる前項の施策を支援するため、情報の提供その他の必要な措置を講ずるよう努めなければならない。

第三章 民間手続における情報通信技術の活用の促進に関する施策

（民間事業者と行政機関等との連携等）

第十四条 手続等密接関連業務（手続等に密接に関連し、これと同一の機会に民間手続（契約の申込み又は承諾その他の通知をいい、裁判手続等において行うもの及び申請等又は処分通知等として行うものを除く。以下同じ。）が必要となる業務をいう。）を取り扱う民間事業者は、当該民間手続が情報通信技術を利用する方法により当該手続等と一括して行われるようにするため、当該民間手続を電子情報処理組織（民間事業者の使用に係る電子計算機とその民間手続

の相手方の使用に係る電子計算機とを電気通信回線で接続した電子情報処理組織をいう。次条第二項において同じ。）を使用する方法その他の情報通信技術を利用する方法により行うとともに、当該手続等に係る行政機関等との連携を確保するよう努めなければならない。

２　国は、前項の連携のため、同項の民間事業者に対し、必要な情報の提供、助言その他の援助を行うものとする。

（民間手続における情報通信技術の活用の促進のための環境整備等）

第十五条　国は、民間手続における情報通信技術の活用の促進を図るため、契約の締結に際しての民間事業者による情報提供の適正化、取引における情報通信技術の適正な利用に関する啓発活動の実施その他の民間事業者とその民間手続の相手方との間の取引における情報通信技術の安全かつ適正な利用を図るために必要な施策を講ずるものとする。

２　国は、前項の施策の実施状況を踏まえ、民間事業者とその民間手続の相手方との間の取引における情報通信技術の安全かつ適正な利用に支障がないと認めるときは、民間手続（当該民間手続に関する法令の規定において書面等により行うことその他のその方法が規定されているものに限る。）が電子情報処理組織を使用する方法その他の情報通信技術を利用する方法により行われることが可能となるよう、法制上の措置その他の必要な施策を講ずるものとする。

第四章　雑則

（情報通信技術を活用した行政の推進に関する状況の公表）

第十六条　国の行政機関等は、電子情報処理組織を使用する方法により行うことができる当該国の行政機関等に係る申請等及び処分通知等その他この法律の規定による情報通信技術を活用した行政の推進に関する状況について、インターネットの利用その他の方法により随時公表するものとする。

２　内閣総理大臣は、前項の規定により公表された事項を取りまとめ、その概要について、インターネットの利用その他の方法により随時公表するものとする。

第十七条　国の行政機関等以外の行政機関等は、電子情報処理組織を使用する方法により行うことができる当該行政機関等に係る申請等及び処分通知等その他この法律の規定による情報通信技術を活用した行政の推進に関する状況について、インターネットの利用その他の方法により公表するものとする。

（主務省令）

第十八条　この法律における主務省令は、手続等に関する他の法令（会計検査院規則、人事院規則、公正取引委員会規則、国家公安委員会規則、個人情報保護委員会規則、カジノ管理委員会規則、公害等調整委員会規則、公安審査委員会規則、中央労働委員会規則、運輸安全委員会規則及び原子力規制委員会規則を除く。）を所管する内閣官房、内閣府、デジタル庁又は各省の内閣官房令、内閣府令、デジタル庁令又は省令とする。ただし、会計検査院、人事院、公正取引委員会、国家公安委員会、個人情報保護委員会、カジノ管理委員会、公害等調整委員会、公安審査委員会、中央労働委員会、運輸安全委員会又は原子力規制委員会の所管に係る手続等については、それぞれ会計検査院規則、人事院規則、公正取引委員会規則、国家公安委員会規則、個人情報保護委員会規則、カジノ管理委員会規則、公害等調整委員会規則、公安審査委員会規則、中央労働委員会規則、運輸安全委員会規則又は原子力規制委員会規則とする。

（政令への委任）

第十九条　この法律に定めるもののほか、この法律の実施のために必要な事項は、政令で定める。

附　則

この法律は、公布の日から起算して三月を超えない範囲内において政令で定める日〔平一五・二・三〕から施行する。

附　則（令元・五・三一法一六）（抄）

（施行期日）

第一条　この法律は、公布の日から起算して九月を超えない範囲内において政令で定める日〔令元・一二・一六〕から施行する。ただし、次の各号に掲げる規定は、当該各号に定める日から施行する。

一　〔前略〕附則〔中略〕第七条から第九条まで〔中略〕の規定　公布の日

二〜十　〔略〕

（行政手続等における情報通信の技術の利用に関する法律の一部改正に伴う経過措置）

第二条　第一条の規定による改正後の情報通信技術を活用した行政の推進等に関する法律（以下「新情報通信技術活用法」という。）第六条及び第七条の規定は、施行日以後に行われる申請等（新情報通信技術活用法第三条第八号に規定する申請等をいう。）又は処分通知等（新情報通信技術活用法第三条第九号に規定する処分通知等をいう。）について適用し、施行日前に行われた電子情報処理組織による申請等（第一条の規定による改正前の行政手続等における情報通信の技術の利用に関する法律（以下この条において「旧情報通信技術利用法」という。）第二条第六号に規定する申請等をいう。）又は処分通知等（旧情報通信技術利用法第二条第七号に規定する処分通知等をいう。）については、なお従前の例による。

2　この法律の施行の際現に旧情報通信技術利用法第五条又は第六条の規定により行われている縦覧等又は作成等については、新情報通信技術活用法第八条又は第九条の規定により行われている縦覧等又は作成等とみなして、これらの規定を適用する。

（罰則に関する経過措置）

第七条　この法律（附則第一条各号に掲げる規定にあっては、当該規定。附則第九条第二項において同じ。）の施行前にした行為に対する罰則の適用については、なお従前の例による。

（政令への委任）

第八条　この附則に定めるもののほか、この法律の施行に関し必要な経過措置（罰則に関する経過措置を含む。）は、政令で定める。

（検討）

第九条　政府は、この法律の公布後速やかに、次に掲げる事項について検討を加え、その結果に基づいて必要な措置を講ずるものとする。

一　新情報通信技術活用法第三条第二号に規定する行政機関等のうち同号イに掲げるもの（会計検査院を除く。以下この項において単に「行政機関等」という。）による情報通信技術に係る物品及び役務の調達並びに情報システムの整備及び運用（以下この項において「情報通信技術に係る政府調達等」という。）が適正かつ効率的に行われるよう、内閣官房において、当該行政機関等の所掌するそれぞれの事務の特性を勘案して、情報通信技術に係る政府調達等に必要な予算を一括して要求し、確保するとともに、当該予算を関係する行政機関等に配分することとすること。

二　行政機関等が情報通信技術に係る政府調達等を行うに際し、情報通信技術に関する専門的な知識経験を有する職員を有効に活用することができるよう、当該行政機関等の所掌するそれぞれの事務の特性を勘案して、関係する行政機関等の相互の連携協力体制を整備すること。

2　政府は、前項に定めるもののほか、この法律の施行後三年を目途として、この法律による改正後のそれぞれの法律の施行の状況について検討を加え、必要があると認めるときは、その結果に基づいて必要な措置を講ずるものとする。

（特定複合観光施設区域整備法の一部改正に伴う調整規定）

第七十八条　施行日が特定複合観光施設区域整備法附則第一条第三号に掲げる規定の施行の日前である場合には、前条中「附則第八条」とあるのは「附則第八条の見出しを「（情報通信技術を活用した行政の推進等に関する法律の一部改正）」に改め、同条」と、「の下に「」とあるのは「を「情報通信技術を活用した行政の推進等に関する法律」と、「を加え、」とあるのは「に改め、同条のうち」と、「別表」とあるのは「第十二条本文の改正規定中「第十二条本文」を「第十八条本文」に改め、同法別表」とする。

別表（第七条関係）〔略〕

㊟　次の法律の附則第八条により情報通信技術を活用した行政の推進等に関する法律が改正されたが、公布の日から起算して五年を超えない範囲内において政令で定める日から施行となるため、一部改正法の形式で掲載した。

○戸籍法の一部を改正する法律

令元・五・三一
法　一　七

（情報通信技術を活用した行政の推進等に関する法律の一部改正）

第八条　情報通信技術を活用した行政の推進等に関する法律（平成十四年法律第百五十一号）の一部を次のように改正する。

第十一条中「住民票の写し」の下に「、戸籍又は除かれた戸籍の謄本又は抄本」を加える。

附　則（抄）

（施行期日）

第一条　この法律は、公布の日から起算して二十日を経過した日から施行する。ただし、次の各号に掲げる規定は、当該各号に定める日から施行する。

一～四　〔略〕

五　〔前略〕附則第七条から第十条まで〔中略〕の規定　公布の日から起算して五年を超えない範囲内において政令で定める日

資料4　行政手続における特定の個人を識別するための番号の利用等に関する法律

平成二十五年五月三十一日
法律第二十七号

第一章　総則

（目的）

第一条　この法律は、行政機関、地方公共団体その他の行政事務を処理する者が、個人番号及び法人番号の有する特定の個人及び法人その他の団体を識別する機能を活用し、並びに当該機能によって異なる分野に属する情報を照合してこれらが同一の者に係るものであるかどうかを確認することができるものとして整備された情報システムを運用して、効率的な情報の管理及び利用並びに他の行政事務を処理する者との間における迅速な情報の授受を行うことができるようにするとともに、これにより、行政運営の効率化及び行政分野におけるより公正な給付と負担の確保を図り、かつ、これらの者に対し申請、届出その他の手続を行い、又はこれらの者から便益の提供を受ける国民が、手続の簡素化による負担の軽減、本人確認の簡易な手段その他の利便性の向上を得られるようにするために必要な事項を定めるほか、個人番号その他の特定個人情報の取扱いが安全かつ適正に行われるよう行政機関の保有する個人情報の保護に関する法律（平成十五年法律第五十八号）、独立行政法人等の保有する個人情報の保護に関する法律（平成十五年法律第五十九号）及び個人情報の保護に関する法律（平成十五年法律第五十七号）の特例を定めることを目的とする。

（定義）

第二条　この法律において「行政機関」とは、行政機関の保有する個人情報の保護に関する法律（以下「行政機関個人情報保護法」という。）第二条第一項に規定する行政機関をいう。

2　この法律において「独立行政法人等」とは、独立行政法人等の保有する個人情報の保護に関する法律（以下「独立行政法人等個人情報保護法」という。）第二条第一項に規定する独立行政法人等をいう。

3　この法律において「個人情報」とは、行政機関個人情報保護法第二条第二項に規定する個人情報であって行政機関が保有するもの、独立行政法人等個人情報保護法第二条第二項に規定する個人情報であって独立行政法人等が保有するもの又は個人情報の保護に関する法律（以下「個人情報保護法」という。）第二条第一項に規定する個人情報であって行政機関及び独立行政法人等以外の者が保有するものをいう。

4　この法律において「個人情報ファイル」とは、行政機関個人情報保護法第二条第六項に規定する個人情報ファイルであって行政機関が保有するもの、独立行政法人等個人情報保護法第二条第六項に規定する個人情報ファイルであって独立行政法人等が保有するもの又は個人情報保護法第二条第四項に規定する個人情報データベース等であって行政機関及び独立行政法人等以外の者が保有するものをいう。

5　この法律において「個人番号」とは、第七条第一項又は第二項の規定により、住民票コード（住民基本台帳法（昭和四十二年法律第八十一号）第七条第十三号に規定する住民票コードをいう。以下同じ。）を変換して得られる番号であって、当該住民票コードが記載された住民票に係る者を識別するために指定されるものをいう。

6　この法律において「本人」とは、個人番号によって識別される特定の個人をいう。

7　この法律において「個人番号カード」とは、氏名、住所、生年月日、性別、個人番号その他政令で定める事項が記載され、本人の写真が表示され、かつ、これらの事項その他主務省令で定める事項（以下「カード記録事項」という。）が電磁的方法（電子的方法、磁気的方法その他の人の知覚によって認識することができない方法をいう。第十八条において同じ。）により記録されたカードであって、この法律又はこの法律に基づく命令で定めるところによりカード記録事項を閲覧し、又は改変する権限を有する者以外の者による閲覧又は改変を防止するために必要なものとして主務省令で定める措置が講じられたものをいう。

8　この法律において「特定個人情報」とは、個人番号（個人番号に対応し、当該個人番号に代わって用いられる番号、記号その他の符号であって、住民票コード以外のものを含む。第七条第一項及び第二項、第八条並びに第四十八条並びに附則第三条第一項から第三項まで及び第五項を除き、以下同じ。）をその内容に含む個人情報をいう。

9　この法律において「特定個人情報ファイル」とは、個人番号をその内容に含む個人情報ファイルをいう。

10　この法律において「個人番号利用事務」とは、行政機関、地方公共団体、独立行政法人等その他の行政事務を処理する者が第九条第一項又は第二項の規定によりその保有する特定個人情報ファイルにおいて個人情報を効率的に検索し、及び管理するために必要な限度で個人番号を利用して処理する事務をいう。

11　この法律において「個人番号関係事務」とは、第九条第三項の規定により個人番号利用事務に関して行われる他人の個人番号を必要な限度で利用して行う事務をいう。

12　この法律において「個人番号利用事務実施者」とは、個人番号利用事務を処理する者及び個人番号利用事務の全部又は一部の委託を受けた者をいう。

13　この法律において「個人番号関係事務実施者」とは、個人番号関係事務を処理する者及び個人番号関係事務の全部又は一部の委託を受けた者をいう。

14　この法律において「情報提供ネットワークシステム」とは、行政機関の長等（行政機関の長、地方公共団体の機関、独立行政法人等、地方独立行政法人（地方独立行政法人法（平成十五年法律第百十八号）第二条第一項に規定する地方独立行政法人をいう。以下同じ。）及び地方公共団体情報システム機構（以下「機構」という。）並びに第十九条第八号に規定する情報照会者及び情報提供者並びに同条第九号に規定する条例事務関係情報照会者及び条例事務関係情報提供者をいう。第七章を除き、以下同じ。）の使用に係る電子計算機を相互に電気通信回線で接続した電子情報処理組織であって、暗号その他その内容を容易に復元することができない通信の方法を用いて行われる第十九条第八号又は第九号の規定による特定個人情報の提供を管理するために、第二十一条第一項の規定に基づき内閣総理大臣が設置し、及び管理するものをいう。

15　この法律において「法人番号」とは、第三十九条第一項又は第二項の規定により、特定の法人その他の団体を識別するための番号として指定されるものをいう。

（基本理念）

第三条　個人番号及び法人番号の利用は、この法律の定めるところにより、次に掲げる事項を旨として、行われなければならない。

一　行政事務の処理において、個人又は法人その他の団体に関する情報の管理を一層効率化するとともに、当該事務の対象となる者を特定する簡易な手続を設けることによって、国民の利便性の向上及び行政運営の効率化に資すること。

二　情報提供ネットワークシステムその他これに準ずる情報システムを利用して迅速かつ安全に情報の授受を行い、情報を共有することによって、社会保障制度、税制その他の行政分野における給付と負担の適切な関係の維持に資すること。

三　個人又は法人その他の団体から提出された情報については、これと同一の内容の情報の提出を求めることを避け、国民の負担の軽減を図ること。

四　個人番号を用いて収集され、又は整理された個人情報が法令に定められた範囲を超えて利用され、又は漏えいすることがないよう、その管理の適正を確保すること。

2　個人番号及び法人番号の利用に関する施策の推進は、個人情報の保護に十分配慮しつつ、行政運営の効率化を通じた国民の利便性の向上に資することを旨として、社会保障制度、税制及び災害対策に関する分野における利用の促進を図るとともに、他の行政分野及び行政分野以外の国民の利便性の向上に資する分野における利用の可能性を考慮して行われなければならない。

3　個人番号の利用に関する施策の推進は、個人番号カードが第一項第一号に掲げる事項を実現するために必要であることに鑑み、行政事務の処理における本人確認の簡易な手段としての個人番号カードの利用の促進を図るとともに、カード記録事項が不正な手段により収集されることがないよう配慮しつつ、行政事務以外の事務の処理において個人番号カードの活用が図られるように行われなければならない。

4　個人番号の利用に関する施策の推進は、情報提供ネットワークシステムが第一項第二号及び第三号に掲げる事項を実現するために必要であることに鑑み、個人情報の保護に十分配慮しつつ、社会保障制度、税制、災害対策その他の行政分野において、行政機関、地方公共団体その他の行政事務を処理する者が迅速に特定個人情報の授受を行うための手段としての情報提供ネットワークシステムの利用の促進を図るとともに、これらの者が行う特定個人情報以外の情報の授受に情報提供ネットワークシステムの用途を拡大する可能性を考慮して行われなければならない。

（国の責務）

第四条　国は、前条に定める基本理念（以下「基本理念」という。）にのっとり、個人番号その他の特定個人情報の取扱いの適正を確保するために必要な措置を講ずるとともに、個人番号及び法人番号の利用を促進するための施策を実施するものとする。

２　国は、教育活動、広報活動その他の活動を通じて、個人番号及び法人番号の利用に関する国民の理解を深めるよう努めるものとする。

（地方公共団体の責務）

第五条　地方公共団体は、基本理念にのっとり、個人番号その他の特定個人情報の取扱いの適正を確保するために必要な措置を講ずるとともに、個人番号及び法人番号の利用に関し、国との連携を図りながら、自主的かつ主体的に、その地域の特性に応じた施策を実施するものとする。

（事業者の努力）

第六条　個人番号及び法人番号を利用する事業者は、基本理念にのっとり、国及び地方公共団体が個人番号及び法人番号の利用に関し実施する施策に協力するよう努めるものとする。

第二章　個人番号

（指定及び通知）

第七条　市町村長（特別区の区長を含む。以下同じ。）は、住民基本台帳法第三十条の三第二項の規定により住民票に住民票コードを記載したときは、政令で定めるところにより、速やかに、次条第二項の規定により機構から通知された個人番号とすべき番号をその者の個人番号として指定し、その者に対し、当該個人番号を通知しなければならない。

２　市町村長は、当該市町村（特別区を含む。以下同じ。）が備える住民基本台帳に記録されている者の個人番号が漏えいして不正に用いられるおそれがあると認められるときは、政令で定めるところにより、その者の請求又は職権により、その者の従前の個人番号に代えて、次条第二項の規定により機構から通知された個人番号とすべき番号をその者の個人番号として指定し、速やかに、その者に対し、当該個人番号を通知しなければならない。

３　市町村長は、前二項の規定による通知をするときは、当該通知を受ける者が個人番号カードの交付を円滑に受けることができるよう、当該交付の手続に関する情報の提供その他の必要な措置を講ずるものとする。

４　前三項に定めるもののほか、第一項又は第二項の規定による通知に関し必要な事項は、総務省令で定める。

（個人番号とすべき番号の生成）

第八条　市町村長は、前条第一項又は第二項の規定により個人番号を指定するときは、あらかじめ機構に対し、当該指定しようとする者に係る住民票に記載された住民票コードを通知するとともに、個人番号とすべき番号の生成を求めるものとする。

２　機構は、前項の規定により市町村長から個人番号とすべき番号の生成を求められたときは、政令で定めるところにより、次項の規定により設置される電子情報処理組織を使用して、次に掲げる要件に該当する番号を生成し、速やかに、当該市町村長に対し、通知するものとする。

一　他のいずれの個人番号（前条第二項の従前の個人番号を含む。）とも異なること。

二　前項の住民票コードを変換して得られるものであること。

三　前号の住民票コードを復元することのできる規則性を備えるものでないこと。

３　機構は、前項の規定により個人番号とすべき番号を生成し、並びに当該番号の生成及び市町村長に対する通知について管理するための電子情報処理組織を設置するものとする。

（利用範囲）

第九条　別表第一の上欄に掲げる行政機関、地方公共団体、独立行政法人等その他の行政事務を処理する者（法令の規定により同表の下欄に掲げる事務の全部又は一部を行うこととされている者がある場合にあっては、その者を含む。第三項において同じ。）は、同表の下欄に掲げる事務の処理に関して保有する特定個人情報ファイルにおいて個人情報を効率的に検索し、及び管理するために必要な限度で個人番号を利用することができる。当該事務の全部又は一部の委託を受けた者も、同様とする。

2　地方公共団体の長その他の執行機関は、福祉、保健若しくは医療その他の社会保障、地方税（地方税法（昭和二十五年法律第二百二十六号）第一条第一項第四号に規定する地方税をいう。以下同じ。）又は防災に関する事務その他これらに類する事務であって条例で定めるものの処理に関して保有する特定個人情報ファイルにおいて個人情報を効率的に検索し、及び管理するために必要な限度で個人番号を利用することができる。当該事務の全部又は一部の委託を受けた者も、同様とする。

3　健康保険法（大正十一年法律第七十号）第四十八条若しくは第百九十七条第一項、相続税法（昭和二十五年法律第七十三号）第五十九条第一項、第三項若しくは第四項、厚生年金保険法（昭和二十九年法律第百十五号）第二十七条、第二十九条第三項若しくは第九十八条第一項、租税特別措置法（昭和三十二年法律第二十六号）第九条の四の二第二項、第二十九条の二第六項若しくは第七項、第三十七条の十一の三第七項、第三十七条の十四第三十一項、第七十条の二の二第十七項若しくは第七十条の二の三第十六項、国税通則法（昭和三十七年法律第六十六号）第七十四条の十三の二若しくは第七十四条の十三の三、所得税法（昭和四十年法律第三十三号）第二百二十五条から第二百二十八条の三の二まで、雇用保険法（昭和四十九年法律第百十六号）第七条又は内国税の適正な課税の確保を図るための国外送金等に係る調書の提出等に関する法律（平成九年法律第百十号）第四条第一項若しくは第四条の三第一項その他の法令又は条例の規定により、別表第一の上欄に掲げる行政機関、地方公共団体、独立行政法人等その他の行政事務を処理する者又は地方公共団体の長その他の執行機関による第一項又は前項に規定する事務の処理に関して必要とされる他人の個人番号を記載した書面の提出その他の他人の個人番号を利用した事務を行うものとされた者は、当該事務を行うために必要な限度で個人番号を利用することができる。当該事務の全部又は一部の委託を受けた者も、同様とする。

4　前項の規定により個人番号を利用することができることとされている者のうち所得税法第二百二十五条第一項第一号、第二号及び第四号から第六号までに掲げる者は、激甚災害に対処するための特別の財政援助等に関する法律（昭和三十七年法律第百五十号）第二条第一項に規定する激甚災害が発生したときその他これに準ずる場合として政令で定めるときは、デジタル庁令で定めるところにより、あらかじめ締結した契約に基づく金銭の支払を行うために必要な限度で個人番号を利用することができる。

5　前各項に定めるもののほか、第十九条第十三号から第十七号までのいずれかに該当して特定個人情報の提供を受けた者は、その提供を受けた目的を達成するために必要な限度で個人番号を利用することができる。

（再委託）

第十条　個人番号利用事務又は個人番号関係事務（以下「個人番号利用事務等」という。）の全部又は一部の委託を受けた者は、当該個人番号利用事務等の委託をした者の許諾を得た場合に限り、その全部又は一部の再委託をすることができる。

2　前項の規定により個人番号利用事務等の全部又は一部の再委託を受けた者は、個人番号利用事務等の全部又は一部の委託を受けた者とみなして、第二条第十二項及び第十三項、前条第一項から第三項まで並びに前項の規定を適用する。

（委託先の監督）

第十一条　個人番号利用事務等の全部又は一部の委託をする者は、当該委託に係る個人番号利用事務等において取り扱う特定個人情報の安全管理が図られるよう、当該委託を受けた者に対する必要かつ適切な監督を行わなければならない。

（個人番号利用事務実施者等の責務）

第十二条　個人番号利用事務実施者及び個人番号関係事務実施者（以下「個人番号利用事務等実施者」という。）は、個人番号の漏えい、滅失又は毀損の防止その他の個人番号の適切な管理のために必要な措置を講じなければならない。

第十三条　個人番号利用事務実施者は、本人又はその代理人及び個人番号関係事務実施者の負担の軽減並びに行政運営の効率化を図るため、同一の内容の情報が記載された書面の提出を複数の個人番号関係事務において重ねて求めることのないよう、相互に連携して情報の共有及びその適切な活用を図るように努めなければならない。

（提供の要求）

第十四条　個人番号利用事務等実施者は、個人

番号利用事務等を処理するために必要があるときは、本人又は他の個人番号利用事務等実施者に対し個人番号の提供を求めることができる。

2　個人番号利用事務実施者（政令で定めるものに限る。第十九条第五号において同じ。）は、個人番号利用事務を処理するために必要があるときは、住民基本台帳法第三十条の九から第三十条の十二までの規定により、機構に対し機構保存本人確認情報（同法第三十条の九に規定する機構保存本人確認情報をいう。第十九条第五号及び第四十八条において同じ。）の提供を求めることができる。

（提供の求めの制限）

第十五条　何人も、第十九条各号のいずれかに該当して特定個人情報の提供を受けることができる場合を除き、他人（自己と同一の世帯に属する者以外の者をいう。第二十条において同じ。）に対し、個人番号の提供を求めてはならない。

（本人確認の措置）

第十六条　個人番号利用事務等実施者は、第十四条第一項の規定により本人から個人番号の提供を受けるときは、当該提供をする者から個人番号カードの提示を受けることその他その者が本人であることを確認するための措置として政令で定める措置をとらなければならない。

第三章　個人番号カード

（個人番号カードの発行等）

第十六条の二　機構は、政令で定めるところにより、住民基本台帳に記録されている者の申請に基づき、その者に係る個人番号カードを発行するものとする。

2　機構は、個人番号カードに関して、個人番号カードの作成及び運用に関する状況の管理その他総務省令で定める事務を行うものとする。

（個人番号カードの交付等）

第十七条　市町村長は、政令で定めるところにより、当該市町村が備える住民基本台帳に記録されている者に対し、前条第一項の申請により、その者に係る個人番号カードを交付するものとする。この場合において、当該市町村長は、その者が本人であることを確認するための措置として政令で定める措置をとらなければならない。

2　個人番号カードの交付を受けている者は、住民基本台帳法第二十四条の二第一項に規定する最初の転入届をする場合には、当該最初の転入届と同時に、当該個人番号カードを市町村長に提出しなければならない。

3　前項の規定により個人番号カードの提出を受けた市町村長は、当該個人番号カードについて、カード記録事項の変更その他当該個人番号カードの適切な利用を確保するために必要な措置を講じ、これを返還しなければならない。

4　第二項の場合を除くほか、個人番号カードの交付を受けている者は、カード記録事項に変更があったときは、その変更があった日から十四日以内に、その旨をその者が記録されている住民基本台帳を備える市町村の長（次項及び第七項並びに第十八条の二第三項において「住所地市町村長」という。）に届け出るとともに、当該個人番号カードを提出しなければならない。この場合においては、前項の規定を準用する。

5　個人番号カードの交付を受けている者は、当該個人番号カードを紛失したときは、直ちに、その旨を住所地市町村長に届け出なければならない。

6　個人番号カードは、その有効期間が満了した場合その他政令で定める場合には、その効力を失う。

7　個人番号カードの交付を受けている者は、当該個人番号カードの有効期間が満了した場合その他政令で定める場合には、政令で定めるところにより、当該個人番号カードを住所地市町村長に返納しなければならない。

8　前各項に定めるもののほか、個人番号カードの再交付の手続その他個人番号カードの交付を受けている者が行う手続に関し必要な事項（以下この項において「再交付等に関する事項」という。）は総務省令で、個人番号カードの様式及び個人番号カードの有効期間その他個人番号カードに関し必要な事項（再交付等に関する事項を除く。）は主務省令で定める。

（個人番号カードの利用）

第十八条　個人番号カードは、第十六条の規定による本人確認の措置において利用するほか、次の各号に掲げる者が、条例（第二号の場合にあっては、政令）で定めるところにより、個人番号カードのカード記録事項が記録された部分と区分された部分に、当該各号に定める事務を処理するために必要な事項を電磁的方法により記録して利用することができる。この場合において、これらの者は、カード記録事項の漏えい、滅失又は毀損の防止その他のカード記録事項の安全管理を図るため必要なものとして内閣総理大臣及び総務大臣（第三十八条の八から第三十八条の十一まで及び第三十八条の十三において「主務大臣」という。）が定める基準に従って個人番号カードを取り扱わなければならない。

一　市町村の機関　地域住民の利便性の向上に資するものとして条例で定める事務

二　特定の個人を識別して行う事務を処理する行政機関、地方公共団体、民間事業者その他の者であって政令で定めるもの　当該事務

（個人番号カードの発行に関する手数料）

第十八条の二　機構は、第十六条の二第一項の規定による個人番号カードの発行に係る事務に関し、機構が定める額の手数料を徴収することができる。

2　機構は、前項に規定する手数料の額を定め、又はこれを変更しようとするときは、総務大臣の認可を受けなければならない。

3　機構は、第一項の手数料の徴収の事務を住所地市町村長に委託することができる。

第四章　特定個人情報の提供

第一節　特定個人情報の提供の制限等

（特定個人情報の提供の制限）

第十九条　何人も、次の各号のいずれかに該当する場合を除き、特定個人情報の提供をしてはならない。

一　個人番号利用事務実施者が個人番号利用事務を処理するために必要な限度で本人若しくはその代理人又は個人番号関係事務実施者に対し特定個人情報を提供するとき（個人番号利用事務実施者が、生活保護法（昭和二十五年法律第百四十四号）第二十九条第一項、厚生年金保険法第百条の二第五項その他の政令で定める法律の規定により本人の資産又は収入の状況についての報告を求めるためにその者の個人番号を提供する場合にあっては、銀行その他の政令で定める者に対し提供するときに限る。）。

二　個人番号関係事務実施者が個人番号関係事務を処理するために必要な限度で特定個人情報を提供するとき（第十二号に規定する場合を除く。）。

三　本人又はその代理人が個人番号利用事務等実施者に対し、当該本人の個人番号を含む特定個人情報を提供するとき。

四　一の使用者等（使用者、法人又は国若しくは地方公共団体をいう。以下この号において同じ。）における従業者等（従業者、法人の業務を執行する役員又は国若しくは地方公共団体の公務員をいう。以下この号において同じ。）であった者が他の使用者等における従業者等になった場合において、当該従業者等の同意を得て、当該一の使用者等が当該他の使用者等に対し、その個人番号関係事務を処理するために必要な限度で当該従業者等の個人番号を含む特定個人情報を提供するとき。

五　機構が第十四条第二項の規定により個人番号利用事務実施者に機構保存本人確認情報を提供するとき。

六　特定個人情報の取扱いの全部若しくは一部の委託又は合併その他の事由による事業の承継に伴い特定個人情報を提供するとき。

七　住民基本台帳法第三十条の六第一項の規定その他政令で定める同法の規定により特定個人情報を提供するとき。

八　別表第二の第一欄に掲げる者（法令の規定により同表の第二欄に掲げる事務の全部又は一部を行うこととされている者がある場合にあっては、その者を含む。以下「情報照会者」という。）が、政令で定めるところにより、同表の第三欄に掲げる者（法令の規定により同表の第四欄に掲げる特定個人情報の利用又は提供に関する事務の全部又は一部を行うこととされている者がある場合にあっては、その者を含む。以下「情報提供者」という。）に対し、同表の第二欄に掲げる事務を処理するために必要な同表の第四欄に掲げる特定個人情報（情報提供者の保有する特定個人情報ファイルに記録されたものに限る。）の提供を求めた場合において、当該情報提供者が情報提供ネットワークシステムを使用して当該特定個人情報を提供するとき。

九　条例事務関係情報照会者（第九条第二項の規定に基づき条例で定める事務のうち別表第二の第二欄に掲げる事務に準じて迅速に特定個人情報の提供を受けることによって効率化を図るべきものとして個人情報保護委員会規則で定めるものを処理する地方公共団体の長その他の執行機関であって個人情報保護委員会規則で定めるものをいう。第二十六条において同じ。）が、政令で定めるところにより、条例事務関係情報提供者（当該事務の内容に応じて個人情報保護委員会規則で定める個人

番号利用事務実施者をいう。以下この号及び同条において同じ。）に対し、当該事務を処理するために必要な同表の第四欄に掲げる特定個人情報であって当該事務の内容に応じて個人情報保護委員会規則で定めるもの（条例事務関係情報提供者の保有する特定個人情報ファイルに記録されたものに限る。）の提供を求めた場合において、当該条例事務関係情報提供者が情報提供ネットワークシステムを使用して当該特定個人情報を提供するとき。

十　国税庁長官が都道府県知事若しくは市町村長に又は都道府県知事若しくは市町村長が国税庁長官若しくは他の都道府県知事若しくは市町村長に、地方税法第四十六条第四項若しくは第五項、第四十八条第七項、第七十二条の五十八、第三百十七条又は第三百二十五条の規定その他政令で定める同法又は国税（国税通則法第二条第一号に規定する国税をいう。以下同じ。）に関する法律の規定により国税又は地方税に関する特定個人情報を提供する場合において、当該特定個人情報の安全を確保するために必要な措置として政令で定める措置を講じているとき。

十一　地方公共団体の機関が、条例で定めるところにより、当該地方公共団体の他の機関に、その事務を処理するために必要な限度で特定個人情報を提供するとき。

十二　社債、株式等の振替に関する法律（平成十三年法律第七十五号）第二条第五項に規定する振替機関等（以下この号において単に「振替機関等」という。）が同条第一項に規定する社債等（以下この号において単に「社債等」という。）の発行者（これに準ずる者として政令で定めるものを含む。）又は他の振替機関等に対し、これらの者の使用に係る電子計算機を相互に電気通信回線で接続した電子情報処理組織であって、社債等の振替を行うための口座が記録されるものを利用して、同法又は同法に基づく命令の規定により、社債等の振替を行うための口座の開設を受ける者が第九条第三項に規定する書面（所得税法第二百二十五条第一項（第一号、第二号、第八号又は第十号から第十二号までに係る部分に限る。）の規定により税務署長に提出されるものに限る。）に記載されるべき個人番号として当該口座を開設する振替機関等に告知した個人番号を含む特定個人情報を提供する場合において、当該特定個人情報の安全を確保するために必要な措置として政令で定める措置を講じているとき。

十三　第三十五条第一項の規定により求められた特定個人情報を個人情報保護委員会（以下「委員会」という。）に提供するとき。

十四　第三十八条の七第一項の規定により求められた特定個人情報を総務大臣に提供するとき。

十五　各議院若しくは各議院の委員会若しくは参議院の調査会が国会法（昭和二十二年法律第七十九号）第百四条第一項（同法第五十四条の四第一項において準用する場合を含む。）若しくは議院における証人の宣誓及び証言等に関する法律（昭和二十二年法律第二百二十五号）第一条の規定により行う審査若しくは調査、訴訟手続その他の裁判所における手続、裁判の執行、刑事事件の捜査、租税に関する法律の規定に基づく犯則事件の調査又は会計検査院の検査（第三十六条において「各議院審査等」という。）が行われるとき、その他政令で定める公益上の必要があるとき。

十六　人の生命、身体又は財産の保護のために必要がある場合において、本人の同意があり、又は本人の同意を得ることが困難であるとき。

十七　その他これらに準ずるものとして個人情報保護委員会規則で定めるとき。

（収集等の制限）

第二十条　何人も、前条各号のいずれかに該当する場合を除き、特定個人情報（他人の個人番号を含むものに限る。）を収集し、又は保管してはならない。

第二節　情報提供ネットワークシステムによる特定個人情報の提供

（情報提供ネットワークシステム）

第二十一条　内閣総理大臣は、委員会と協議して、情報提供ネットワークシステムを設置し、及び管理するものとする。

2　内閣総理大臣は、情報照会者から第十九条第八号の規定により特定個人情報の提供の求めがあったときは、次に掲げる場合を除き、政令で定めるところにより、情報提供ネットワークシステムを使用して、情報提供者に対して特定個人情報の提供の求めがあった旨を通知しなければならない。

一　情報照会者、情報提供者、情報照会者の処理する事務又は当該事務を処理するために必要な特定個人情報の項目が別表第二に掲げるものに該当しないとき。

二　当該特定個人情報が記録されることとなる情報照会者の保有する特定個人情報ファイル又は当該特定個人情報が記録されている情報提供者の保有する特定個人情報ファイルについて、第二十八条（第三項及び第五項を除く。）の規定に違反する事実があったと認めるとき。

（情報提供用個人識別符号の取得）

第二十一条の二　情報照会者又は情報提供者（以下この条において「情報照会者等」という。）は、情報提供用個人識別符号（第十九条第八号又は第九号の規定による特定個人情報の提供を管理し、及び当該特定個人情報を検索するために必要な限度で第二条第五項に規定する個人番号に代わって用いられる特定の個人を識別する符号であって、同条第八項に規定する個人番号であるものをいう。以下この条及び第四十五条の二第一項において同じ。）を内閣総理大臣から取得することができる。

2　前項の規定による情報提供用個人識別符号の取得は、政令で定めるところにより、情報照会者等が取得番号（当該取得に関し割り当てられた番号であって、当該情報提供用個人識別符号により識別しようとする特定の個人ごとに異なるものとなるように割り当てられることにより、当該特定の個人を識別できるもののうち、個人番号又は住民票コードでないものとしてデジタル庁令で定めるものをいう。以下この条において同じ。）を、機構を通じて内閣総理大臣に対して通知し、及び内閣総理大臣が当該取得番号と共に当該情報提供用個人識別符号を、当該情報照会者等に対して通知する方法により行うものとする。

3　情報照会者等、内閣総理大臣及び機構は、第一項の規定による情報提供用個人識別符号の取得に係る事務を行う目的の達成に必要な範囲を超えて、取得番号を保有してはならない。

4　前項に規定する者は、同項に規定する目的以外の目的のために取得番号を自ら利用してはならない。

5　第十九条（第六号及び第十三号から第十七号までに係る部分に限る。）の規定は、第三項に規定する者による取得番号の提供について準用する。この場合において、同条中「次の」とあるのは「第二十一条の二第二項の規定による通知を行う場合及び次の」と、同条第十三号中「第三十五条第一項」とあるのは「第二十一条の二第八項において準用する第三十五条第一項」と読み替えるものとする。

6　前項（次項において準用する場合を含む。）において準用する第十九条（第六号及び第十三号から第十七号までに係る部分に限る。）の規定により取得番号の提供を受けた者は、その提供を受けた目的の達成に必要な範囲を超えて、当該取得番号を保有してはならない。

7　第四項及び第五項の規定は、前項に規定する者について準用する。この場合において、第四項中「同項に規定する」とあるのは、「その提供を受けた」と読み替えるものとする。

8　第六章の規定は、取得番号の取扱いについて準用する。この場合において、第三十三条中「個人番号利用事務等実施者」とあるのは「第二十一条の二第三項又は第六項に規定する者」と、第三十六条中「第十九条第十五号」とあるのは「第二十一条の二第五項（同条第七項において準用する場合を含む。）において準用する第十九条第十五号」と読み替えるものとする。

（特定個人情報の提供）

第二十二条　情報提供者は、第十九条第八号の規定により特定個人情報の提供を求められた場合において、当該提供の求めについて第二十一条第二項の規定による内閣総理大臣からの通知を受けたときは、政令で定めるところにより、情報照会者に対し、当該特定個人情報を提供しなければならない。

2　前項の規定による特定個人情報の提供があった場合において、他の法令の規定により当該特定個人情報と同一の内容の情報を含む書面の提出が義務付けられているときは、当該書面の提出があったものとみなす。

（情報提供等の記録）

第二十三条　情報照会者及び情報提供者は、第十九条第八号の規定により特定個人情報の提供の求め又は提供があったときは、次に掲げる事項を情報提供ネットワークシステムに接続されたその者の使用する電子計算機に記録し、当該記録を政令で定める期間保存しなければならない。

一　情報照会者及び情報提供者の名称

二　提供の求めの日時及び提供があったときはその日時

三　特定個人情報の項目

四　前三号に掲げるもののほか、デジタル庁令で定める事項

2　前項に規定する事項のほか、情報照会者及び情報提供者は、当該特定個人情報の提供の求め又は提供の事実が次の各号のいずれかに該当する場合には、その旨を情報提供ネットワークシステムに接続されたその者の使用する電子計算機に記録し、当該記録を同項に規定する期間保存しなければならない。

一　第三十一条第一項の規定により読み替えて適用する行政機関個人情報保護法第十四条に規定する不開示情報に該当すると認めるとき。

二　条例で定めるところにより地方公共団体又は地方独立行政法人が開示する義務を負わない個人情報に該当すると認めるとき。

三　第三十一条第三項の規定により読み替えて適用する独立行政法人等個人情報保護法第十四条に規定する不開示情報に該当すると認めるとき。

四　第三十一条第四項の規定により読み替えて準用する独立行政法人等個人情報保護法第十四条に規定する不開示情報に該当すると認めるとき。

3　内閣総理大臣は、第十九条第八号の規定により特定個人情報の提供の求め又は提供があったときは、前二項に規定する事項を情報提供ネットワークシステムに記録し、当該記録を第一項に規定する期間保存しなければならない。

（秘密の管理）

第二十四条　内閣総理大臣並びに情報照会者及び情報提供者は、情報提供等事務（第十九条第八号の規定による特定個人情報の提供の求め又は提供に関する事務をいう。以下この条及び次条において同じ。）に関する秘密について、その漏えいの防止その他の適切な管理のために、情報提供ネットワークシステム並びに情報照会者及び情報提供者が情報提供等事務に使用する電子計算機の安全性及び信頼性を確保することその他の必要な措置を講じなければならない。

（秘密保持義務）

第二十五条　情報提供等事務又は情報提供ネットワークシステムの運営に関する事務に従事する者又は従事していた者は、その業務に関して知り得た当該事務に関する秘密を漏らし、又は盗用してはならない。

（第十九条第九号の規定による特定個人情報の提供）

第二十六条　第二十一条（第一項を除く。）から前条までの規定は、第十九条第九号の規定による条例事務関係情報照会者による特定個人情報の提供の求め及び条例事務関係情報提供者による特定個人情報の提供について準用する。この場合において、第二十一条第二項第一号中「別表第二に掲げる」とあるのは「第十九条第九号の個人情報保護委員会規則で定める」と、第二十二条第一項中「ならない」とあるのは「ならない。ただし、第十九条第九号の規定により提供することができる特定個人情報の範囲が条例により限定されている地方公共団体の長その他の執行機関が、個人情報保護委員会規則で定めるところによりあらかじめその旨を委員会に申し出た場合において、当該提供の求めに係る特定個人情報が当該限定された特定個人情報の範囲に含まれないときは、この限りでない」と、同条第二項中「法令」とあるのは「条例」と、第二十四条中「情報提供等事務（第十九条第八号」とあるのは「条例事務関係情報提供等事務（第十九条第九号」と、「情報提供等事務に」とあるのは「条例事務関係情報提供等事務に」と、前条中「情報提供等事務」とあるのは「条例事務関係情報提供等事務」と読み替えるものとする。

第五章　特定個人情報の保護

第一節　特定個人情報保護評価等

（特定個人情報ファイルを保有しようとする者に対する指針）

第二十七条　委員会は、特定個人情報の適正な取扱いを確保するため、特定個人情報ファイルを保有しようとする者が、特定個人情報保護評価（特定個人情報の漏えいその他の事態の発生の危険性及び影響に関する評価をいう。）を自ら実施し、これらの事態の発生を抑止することその他特定個人情報を適切に管理するために講ずべき措置を定めた指針（次項及び次条第三項において単に「指針」という。）を作成し、公表するものとする。

2　委員会は、個人情報の保護に関する技術の進歩及び国際的動向を踏まえ、少なくとも三年ごとに指針について再検討を加え、必要があると認めるときは、これを変更するものとする。

（特定個人情報保護評価）

第二十八条　行政機関の長等は、特定個人情報ファイル（専ら当該行政機関の長等の職員又は職員であった者の人事、給与又は福利厚生に関する事項を記録するものその他の個人情報保護委員会規則で定めるものを除く。以下この条において同じ。）を保有しようとするときは、当該特定個人情報ファイルを保有する前に、個人情報保護委員会規則で定めるところにより、次に掲げる事項を評価した結果を記載した書面（以下この条において「評価書」という。）を公示し、広く国民の意見を求めるものとする。当該特定個人情報ファイルについて、個人情報保護委員会規則で定める重要な変更を加えようとするときも、同様とする。

一　特定個人情報ファイルを取り扱う事務に従事する者の数

二　特定個人情報ファイルに記録されることとなる特定個人情報の量

三　行政機関の長等における過去の個人情報ファイルの取扱いの状況

四　特定個人情報ファイルを取り扱う事務の概要

五　特定個人情報ファイルを取り扱うために使用する電子情報処理組織の仕組み及び電子計算機処理等（電子計算機処理（電子計算機を使用して行われる情報の入力、蓄積、編集、加工、修正、更新、検索、消去、出力又はこれらに類する処理をいう。）その他これに伴う政令で定める措置をいう。第三十八条の三、第三十八条の三の二第二項及び第四十五条の二第一項において同じ。）の方式

六　特定個人情報ファイルに記録された特定個人情報を保護するための措置

七　前各号に掲げるもののほか、個人情報保護委員会規則で定める事項

2　前項前段の場合において、行政機関の長等は、個人情報保護委員会規則で定めるところにより、同項前段の規定により得られた意見を十分考慮した上で評価書に必要な見直しを行った後に、当該評価書に記載された特定個人情報ファイルの取扱いについて委員会の承認を受けるものとする。当該特定個人情報ファイルについて、個人情報保護委員会規則で定める重要な変更を加えようとするときも、同様とする。

3　委員会は、評価書の内容、第三十五条第一項の規定により得た情報その他の情報から判断して、当該評価書に記載された特定個人情報ファイルの取扱いが指針に適合していると認められる場合でなければ、前項の承認をしてはならない。

4　行政機関の長等は、第二項の規定により評価書について承認を受けたときは、速やかに当該評価書を公表するものとする。

5　前項の規定により評価書が公表されたときは、第三十条第一項の規定により読み替えて適用する行政機関個人情報保護法第十条第一項の規定による通知があったものとみなす。

6　行政機関の長等は、評価書の公表を行っていない特定個人情報ファイルに記録された情報を第十九条第八号若しくは第九号の規定により提供し、又は当該特定個人情報ファイルに記録されることとなる情報の提供をこれらの規定により求めてはならない。

（特定個人情報ファイルの作成の制限）

第二十九条　個人番号利用事務等実施者その他個人番号利用事務等に従事する者は、第十九条第十三号から第十七号までのいずれかに該当して特定個人情報を提供し、又はその提供を受けることができる場合を除き、個人番号利用事務等を処理するために必要な範囲を超えて特定個人情報ファイルを作成してはならない。

（研修の実施）

第二十九条の二　行政機関の長等は、特定個人情報ファイルを保有し、又は保有しようとするときは、特定個人情報ファイルを取り扱う事務に従事する者に対して、政令で定めるところにより、特定個人情報の適正な取扱いを確保するために必要なサイバーセキュリティ（サイバーセキュリティ基本法（平成二十六年法律第百四号）第二条に規定するサイバーセキュリティをいう。第三十二条の二において同じ。）の確保に関する事項その他の事項に関する研修を行うものとする。

（委員会による検査等）

第二十九条の三　特定個人情報ファイルを保有する行政機関、独立行政法人等及び機構は、個人情報保護委員会規則で定めるところにより、定期的に、当該特定個人情報ファイルに記録された特定個人情報の取扱いの状況について委員会による検査を受けるものとする。

2　特定個人情報ファイルを保有する地方公共団体及び地方独立行政法人は、個人情報保護委員会規則で定めるところにより、定期的に、委員会に対して当該特定個人情報ファイルに記録された特定個人情報の取扱いの状況について報告するものとする。

（特定個人情報の漏えい等に関する報告等）

第二十九条の四　個人番号利用事務等実施者は、特定個人情報ファイルに記録された特定個人情報の漏えい、滅失、毀損その他の特定個人情報の安全の確保に係る事態であって個人の権

利利益を害するおそれが大きいものとして個人情報保護委員会規則で定めるものが生じたときは、個人情報保護委員会規則で定めるところにより、当該事態が生じた旨を委員会に報告しなければならない。ただし、当該個人番号利用事務等実施者が、他の個人番号利用事務等実施者から当該個人番号利用事務等の全部又は一部の委託を受けた場合であって、個人情報保護委員会規則で定めるところにより、当該事態が生じた旨を当該他の個人番号利用事務等実施者に通知したときは、この限りでない。

2　前項に規定する場合には、個人番号利用事務等実施者（同項ただし書の規定による通知をした者を除く。）は、本人に対し、個人情報保護委員会規則で定めるところにより、当該事態が生じた旨を通知しなければならない。ただし、本人への通知が困難な場合であって、本人の権利利益を保護するため必要なこれに代わるべき措置をとるときは、この限りでない。

第二節　行政機関個人情報保護法等の特例等

（行政機関個人情報保護法等の特例）

第三十条　行政機関が保有し、又は保有しようとする特定個人情報（第二十三条（第二十六条において準用する場合を含む。）に規定する記録に記録されたものを除く。）に関しては、行政機関個人情報保護法第八条第二項第二号から第四号まで及び第二十五条の規定は適用しないものとし、行政機関個人情報保護法の他の規定の適用については、次の表の上欄に掲げる行政機関個人情報保護法の規定中同表の中欄に掲げる字句は、同表の下欄に掲げる字句とする。

読み替えられる行政機関個人情報保護法の規定	読み替えられる字句	読み替える字句
第八条第一項	法令に基づく場合を除き、利用目的	利用目的
	自ら利用し、又は提供してはならない	自ら利用してはならない
第八条第二項	自ら利用し、又は提供する	自ら利用する
第八条第二項第一号	本人の同意があるとき、又は本人に提供するとき	人の生命、身体又は財産の保護のために必要がある場合であって、本人の同意があり、又は本人の同意を得ることが困難であるとき
第十条第一項及び第三項	総務大臣	個人情報保護委員会
第十二条第二項	未成年者又は成年被後見人の法定代理人	未成年者若しくは成年被後見人の法定代理人又は本人の委任による代理人（以下「代理人」と総称する。）
第十三条第二項、第二十八条第二項及び第三十七条第二項	法定代理人	代理人
第十四条第一号、第二十七条第二項及び第三十六条第二項	未成年者又は成年被後見人の法定代理人	代理人
第二十六条第二項	配慮しなければならない	配慮しなければならない。この場合において、行政機関の長は、経済的困難その他特別の理由があると認めるときは、政令で定めるところにより、当該手数料を減額し、又は免除することができる
第三十六条第一項第一号	又は第八条第一項及び第二項の規定に違反して利用されているとき	行政手続における特定の個人を識別するための番号の利用等に関する法律（平成二十五年法律第二十七号）第三十条第一項の規定により読み替えて適用する第八条第一項及び第二項（第一号に係る部分に限る。）の規定に違反して利用されているとき

		とき、同法第二十条の規定に違反して収集され、若しくは保管されているとき、又は同法第二十九条の規定に違反して作成された特定個人情報ファイル（同法第二条第九項に規定する特定個人情報ファイルをいう。）に記録されているとき
第三十六条第一項第二号	第八条第一項及び第二項	行政手続における特定の個人を識別するための番号の利用等に関する法律第十九条

2　独立行政法人等が保有する特定個人情報（第二十三条第一項及び第二項（これらの規定を第二十六条において準用する場合を含む。以下同じ。）に規定する記録に記録されたものを除く。）に関しては、独立行政法人等個人情報保護法第九条第二項第二号から第四号まで及び第二十五条の規定は適用しないものとし、独立行政法人等個人情報保護法の他の規定の適用については、次の表の上欄に掲げる独立行政法人等個人情報保護法の規定中同表の中欄に掲げる字句は、同表の下欄に掲げる字句とする。

読み替えられる独立行政法人等個人情報保護法の規定	読み替えられる字句	読み替える字句
第九条第一項	法令に基づく場合を除き	行政手続における特定の個人を識別するための番号の利用等に関する法律（平成二十五年法律第二十七号）第九条第四項の規定に基づく場合を除き
	自ら利用し、又は提供してはならない	自ら利用してはならない
第九条第二項	自ら利用し、又は提供する	自ら利用する
第九条第二項第一号	本人の同意があるとき、又は本人に提供するとき	人の生命、身体又は財産の保護のために必要がある場合であって、本人の同意があり、又は本人の同意を得ることが困難であるとき
第十二条第二項	未成年者又は成年被後見人の法定代理人	未成年者若しくは成年被後見人の法定代理人又は本人の委任による代理人（以下「代理人」と総称する。）
第十三条第二項、第二十八条第二項及び第三十七条第二項	法定代理人	代理人
第十四条第一号、第二十七条第二項及び第三十六条第二項	未成年者又は成年被後見人の法定代理人	代理人
第二十六条第二項	定める	定める。この場合において、独立行政法人等は、経済的困難その他特別の理由があると認めるときは、行政手続における特定の個人を識別するための番号の利用等に関する法律第三十条第一項の規定により読み替えて適用する行政機関個人情報保護法第二十六条第二項の規定の例により、当該手数料を減額し、又は免除することができる。
第三十六条第一項第一号	又は第九条第一項及び第二項の規定に違反	行政手続における特定の個人を識別するための番号の利用等に関す

	して利用されているとき	る法律第三十条第二項の規定により読み替えて適用する第九条第一項及び第二項（第一号に係る部分に限る。）の規定に違反して利用されているとき、同法第二十条の規定に違反して収集され、若しくは保管されているとき、又は同法第二十九条の規定に違反して作成された特定個人情報ファイル（同法第二条第九項に規定する特定個人情報ファイルをいう。）に記録されているとき
第三十六条第一項第二号	第九条第一項及び第二項	行政手続における特定の個人を識別するための番号の利用等に関する法律第十九条

3　個人情報保護法第二条第五項に規定する個人情報取扱事業者が保有し、又は保有しようとする特定個人情報（第二十三条第一項及び第二項に規定する記録に記録されたものを除く。）に関しては、個人情報保護法第十六条第三項第三号及び第四号、第十七条第二項並びに第二十三条から第二十六条までの規定は適用しないものとし、個人情報保護法の他の規定の適用については、次の表の上欄に掲げる個人情報保護法の規定中同表の中欄に掲げる字句は、同表の下欄に掲げる字句とする。

読み替えられる個人情報保護法の規定	読み替えられる字句	読み替える字句
第十六条第一項	あらかじめ本人の同意を得ないで、前条	前条
第十六条第二項	あらかじめ本人の同意を得ないで、承継前	承継前
第十六条第三項第一号	法令に基づく場合	行政手続における特定の個人を識別するための番号の利用等に関する法律（平成二十五年法律第二十七号）第九条第四項の規定に基づく場合
第十六条第三項第二号	本人	本人の同意があり、又は本人
第三十条第三項	第二十三条第一項又は第二十四条	行政手続における特定の個人を識別するための番号の利用等に関する法律第十九条

（情報提供等の記録についての特例）

第三十一条　行政機関が保有し、又は保有しようとする第二十三条第一項及び第二項に規定する記録に記録された特定個人情報に関しては、行政機関個人情報保護法第八条第二項から第四項まで、第九条、第二十一条、第二十二条、第二十五条、第三十三条、第三十四条及び第四章第三節の規定は適用しないものとし、行政機関個人情報保護法の他の規定の適用については、次の表の上欄に掲げる行政機関個人情報保護法の規定中同表の中欄に掲げる字句は、同表の下欄に掲げる字句とする。

読み替えられる行政機関個人情報保護法の規定	読み替えられる字句	読み替える字句
第八条第一項	法令に基づく場合を除き、利用目的	利用目的
	自ら利用し、又は提供してはならない	自ら利用してはならない
第十条第一項及び第三項	総務大臣	個人情報保護委員会
第十二条第二項	未成年者又は成年被後見人の法定代理人	未成年者若しくは成年被後見人の法定代理人又は本人の委任による代理人（以下「代理人」と総称する。）
第十三条第二項及び第二十	法定代理人	代理人

八条第二項		
第十四条第一号及び第二十七条第二項	未成年者又は成年被後見人の法定代理人	代理人
第二十六条第二項	配慮しなければならない	配慮しなければならない。この場合において、行政機関の長は、経済的困難その他特別の理由があると認めるときは、政令で定めるところにより、当該手数料を減額し、又は免除することができる
第三十五条	当該保有個人情報の提供先	内閣総理大臣及び行政手続における特定の個人を識別するための番号の利用等に関する法律（平成二十五年法律第二十七号）第十九条第八号に規定する情報照会者若しくは情報提供者又は同条第九号に規定する条例事務関係情報照会者（当該訂正に係る同法第二十三条第一項及び第二項（これらの規定を同法第二十六条において準用する場合を含む。）に規定する記録に記録され

		た者であって、当該行政機関の長以外のものに限る。）

2　デジタル庁が保有し、又は保有しようとする第二十三条第三項（第二十六条において準用する場合を含む。）に規定する記録に記録された特定個人情報に関しては、行政機関個人情報保護法第八条第二項から第四項まで、第九条、第二十一条、第二十二条、第二十五条、第三十三条、第三十四条及び第四章第三節の規定は適用しないものとし、行政機関個人情報保護法の他の規定の適用については、次の表の上欄に掲げる行政機関個人情報保護法の規定中同表の中欄に掲げる字句は、同表の下欄に掲げる字句とする。

読み替えられる行政機関個人情報保護法の規定	読み替えられる字句	読み替える字句
第八条第一項	法令に基づく場合を除き、利用目的	利用目的
	自ら利用し、又は提供してはならない	自ら利用してはならない
第十条第一項及び第三項	総務大臣	個人情報保護委員会
第十二条第二項	未成年者又は成年被後見人の法定代理人	未成年者若しくは成年被後見人の法定代理人又は本人の委任による代理人（以下「代理人」と総称する。）
第十三条第二項及び第二十八条第二項	法定代理人	代理人
第十四条第一号及び第二十七条第二項	未成年者又は成年被後見人の法定代理人	代理人
第二十六条第二項	配慮しなければならない	配慮しなければならない。この場合において、行政機関の長は、経済的困難その他特別の理由があると認めるときは、政令で定めるところにより、当該手数料を減額し、又は免除することができる
第三十五条	当該保有個人情報の提供先	当該訂正に係る行政手続における特定の個人を識別するための番号の利用等に関する法律（平成二十五年法律第二十七号）第二十三条第三項（同法第二十六条において準用する場合を含む。）に規定す

		る記録に記録された同法第十九条第八号に規定する情報照会者及び情報提供者又は同条第九号に規定する条例事務関係情報照会者及び条例事務関係情報提供者

3　独立行政法人等が保有する第二十三条第一項及び第二項に規定する記録に記録された特定個人情報に関しては、独立行政法人等個人情報保護法第九条第二項から第四項まで、第十条、第二十一条、第二十二条、第二十五条、第三十三条、第三十四条及び第四章第三節の規定は適用しないものとし、独立行政法人等個人情報保護法の他の規定の適用については、次の表の上欄に掲げる独立行政法人等個人情報保護法の規定中同表の中欄に掲げる字句は、同表の下欄に掲げる字句とする。

読み替えられる独立行政法人等個人情報保護法の規定	読み替えられる字句	読み替える字句
第九条第一項	法令に基づく場合を除き、利用目的	利用目的
	自ら利用し、又は提供してはならない	自ら利用してはならない
第十二条第二項	未成年者又は成年被後見人の法定代理人	未成年者若しくは成年被後見人の法定代理人又は本人の委任による代理人（以下「代理人」と総称する。）
第十三条第二項及び第二十八条第二項	法定代理人	代理人
第十四条第一号及び第二十七条第二項	未成年者又は成年被後見人の法定代理人	代理人
第二十六条第二項	定める	定める。この場合において、独立行政法人等は、経済的困難その他特別の理由があると認めるときは、行政手続における特定の個人を識別するための番号の利用等に関する法律（平成二十五年法律第二十七号）第三十一条第一項の規定により読み替えて適用する行政機関個人情報保護法第二十六条第二項の規定の例により、当該手数料を減額し、又は免除することができる
第三十五条	当該保有個人情報の提供先	内閣総理大臣及び行政手続における特定の個人を識別するための番号の利用等に関する法律第十九条第八号に規定する情報照会者若しくは情報提供者又は同条第九号に規定する条例事務関係情報照会者（当該訂正に係る同法第二十三条第一項及び第二項（これらの規定を同法第二十六条において準用する場合を含む。）に規定する記録に記録された者であって、当該独立行政法人等以外のものに限る。）

4　独立行政法人等個人情報保護法第三条、第五条から第九条第一項まで、第十二条から第二十条まで、第二十三条、第二十四条、第二十六条から第三十二条まで、第三十五条及び第四十六条第一項の規定は、行政機関、地方公共団体、独立行政法人等及び地方独立行政法人以外の者が保有する第二十三条第一項及び第二項に規定する記録に記録された特定個人情報について準用する。この場合において、次の表の上欄に掲げる独立行政法人等個人情報保護法の規定中同表の中欄に掲げる字句は、同表の下欄に掲げる字句に読み替えるものとする。

読み替えられる独立行政法人等個人情報保護法の規定	読み替えられる字句	読み替える字句
第九条第一項	法令に基づく場合を除き、利用目的	利用目的
	自ら利用し、又は提供してはならない	自ら利用してはならない
第十二条第二項	未成年者又は成年被後見人の法定代理人	未成年者若しくは成年被後見人の法定代理人又は本人の委任による代理人（以下「代理人」と総称する。）
第十三条第二項及び第二十八条第二項	法定代理人	代理人
第十四条第一号及び第二十七条第二項	未成年者又は成年被後見人の法定代理人	代理人
第二十三条第一項	及び開示請求者	、開示請求者及び開示請求を受けた者
第二十六条第一項	開示請求をする者は、独立行政法人等の定めるところにより、手数料を納めなければならない	開示請求を受けた者は、行政手続における特定の個人を識別するための番号の利用等に関する法律第二十三条第一項及び第二項（これらの規定を同法第二十六条において準用する場合を含む。第三十五条において同じ。）に規定する記録の開示を請求されたときは、当該開示の実施に関し、手数料を徴収することができる
第三十五条	当該保有個人情報の提供先	内閣総理大臣及び行政手続における特定の個人を識別するための番号の利用等に関する法律第十九条第八号に規定する情報照会者若しくは情報提供者又は同条第九号に規定する条例事務関係情報照会者（当該訂正に係る同法第二十三条第一項及び第二項に規定する記録に記録された者であって、当該開示請求を受けた者以外のものに限る。）

（地方公共団体等が保有する特定個人情報の保護）

第三十二条　地方公共団体は、行政機関個人情報保護法、独立行政法人等個人情報保護法、個人情報保護法及びこの法律の規定により行政機関の長、独立行政法人等及び個人情報取扱事業者が講ずることとされている措置の趣旨を踏まえ、当該地方公共団体及びその設立に係る地方独立行政法人が保有する特定個人情報の適正な取扱いが確保され、並びに当該地方公共団体及びその設立に係る地方独立行政法人が保有する特定個人情報の開示、訂正、利用の停止、消去及び提供の停止（第二十三条第一項及び第二項に規定する記録に記録された特定個人情報にあっては、その開示及び訂正）を実施するために必要な措置を講ずるものとする。

（特定個人情報の保護を図るための連携協力）

第三十二条の二　委員会は、特定個人情報の保護を図るため、サイバーセキュリティの確保に関する事務を処理するために内閣官房に置かれる組織と情報を共有すること等により相互に連携を図りながら協力するものとする。

第六章　特定個人情報の取扱いに関する監督等

（指導及び助言）

第三十三条　委員会は、この法律の施行に必要な限度において、個人番号利用事務等実施者に対し、特定個人情報の取扱いに関し、必要な指導及び助言をすることができる。この場合において、行政機関、地方公共団体、独立行政法人等又は地方独立行政法人における特定個人情報の適正な取扱いを確保するために必要があると認めるときは、当該特定個人情報と共に管理されている特定個人情報以外の個人情報の取扱いに関し、併せて指導及び助言をすることができる。

（勧告及び命令）

第三十四条　委員会は、特定個人情報の取扱いに関して法令の規定に違反する行為が行われた場合において、特定個人情報の適正な取扱いの確保のために必要があると認めるときは、当該違反行為をした者に対し、期限を定めて、当該違反行為の中止その他違反を是正するために必要な措置をとるべき旨を勧告することができる。

２　委員会は、前項の規定による勧告を受けた者が、正当な理由がなくてその勧告に係る措置をとらなかったときは、その者に対し、期限を定めて、その勧告に係る措置をとるべきことを命ずることができる。

３　委員会は、前二項の規定にかかわらず、特定個人情報の取扱いに関して法令の規定に違反する行為が行われた場合において、個人の重大な権利利益を害する事実があるため緊急に措置をとる必要があると認めるときは、当該違反行為をした者に対し、期限を定めて、当該違反行為の中止その他違反を是正するために必要な措置をとるべき旨を命ずることができる。

（報告及び立入検査）

第三十五条　委員会は、この法律の施行に必要な限度において、特定個人情報を取り扱う者その他の関係者に対し、特定個人情報の取扱いに関し、必要な報告若しくは資料の提出を求め、又はその職員に、当該特定個人情報を取り扱う者その他の関係者の事務所その他必要な場所に立ち入らせ、特定個人情報の取扱いに関し質問させ、若しくは帳簿書類その他の物件を検査させることができる。

２　前項の規定により立入検査をする職員は、その身分を示す証明書を携帯し、関係人の請求があったときは、これを提示しなければならない。

３　第一項の規定による立入検査の権限は、犯罪捜査のために認められたものと解釈してはならない。

（適用除外）

第三十六条　前三条の規定は、各議院審査等が行われる場合又は第十九条第十五号の政令で定める場合のうち各議院審査等に準ずるものとして政令で定める手続が行われる場合における特定個人情報の提供及び提供を受け、又は取得した特定個人情報の取扱いについては、適用しない。

（措置の要求）

第三十七条　委員会は、個人番号その他の特定個人情報の取扱いに利用される情報提供ネットワークシステムその他の情報システムの構築及び維持管理に関し、費用の節減その他の合理化及び効率化を図った上でその機能の安全性及び信頼性を確保するよう、内閣総理大臣その他の関係行政機関の長に対し、必要な措置を実施するよう求めることができる。

２　委員会は、前項の規定により同項の措置の実施を求めたときは、同項の関係行政機関の長に対し、その措置の実施状況について報告を求めることができる。

（内閣総理大臣に対する意見の申出）

第三十八条　委員会は、内閣総理大臣に対し、その所掌事務の遂行を通じて得られた特定個人情報の保護に関する施策の改善についての意見を述べることができる。

第六章の二　機構処理事務等の実施に関する措置

（機構処理事務管理規程）

第三十八条の二　機構は、この法律の規定により機構が処理する事務（以下「機構処理事務」という。）の実施に関し総務省令で定める事項について機構処理事務管理規程を定め、総務大臣の認可を受けなければならない。これを変更しようとするときも、同様とする。

２　総務大臣は、前項の規定により認可をした機構処理事務管理規程が機構処理事務の適正かつ確実な実施上不適当となったと認めるときは、機構に対し、これを変更すべきことを命ずることができる。

（機構処理事務特定個人情報等の安全確保）

第三十八条の三　機構は、機構処理事務において取り扱う特定個人情報その他の総務省令で定める情報（以下この条及び次条第二項において「機構処理事務特定個人情報等」という。）の電子計算機処理等を行うに当たっては、機構処理事務特定個人情報等の漏えい、滅失又は毀損の防止その他の機構処理事務特定個人情報等の適切な管理のために必要な措置を講じなければならない。

２　前項の規定は、機構から機構処理事務特定個人情報等の電子計算機処理等の委託（二以上の段階にわたる委託を含む。）を受けた者が受託した業務を行う場合について準用する。

（機構の役職員等の秘密保持義務）

第三十八条の三の二　機構の役員若しくは職員（地方公共団体情報システム機構法（平成二十五年法律第二十九号）第二十七条第一項に規定する機構処理事務特定個人情報等保護委員会の委員を含む。）又はこれらの職にあった者は、機構処理事務に関して知り得た秘密を漏らしてはならない。

2　機構から機構処理事務特定個人情報等の電子計算機処理等の委託（二以上の段階にわたる委託を含む。）を受けた者若しくはその役員若しくは職員又はこれらの者であった者は、その委託された業務に関して知り得た機構処理事務特定個人情報等に関する秘密又は機構処理事務特定個人情報等の電子計算機処理等に関する秘密を漏らしてはならない。

（帳簿の備付け）

第三十八条の四　機構は、総務省令で定めるところにより、機構処理事務に関する事項で総務省令で定めるものを記載した帳簿を備え、保存しなければならない。

（報告書の公表）

第三十八条の五　機構は、毎年少なくとも一回、機構処理事務の実施の状況について、総務省令で定めるところにより、報告書を作成し、これを公表しなければならない。

（監督命令）

第三十八条の六　総務大臣は、機構処理事務の適正な実施を確保するため必要があると認めるときは、機構に対し、機構処理事務の実施に関し監督上必要な命令をすることができる。

（報告及び立入検査）

第三十八条の七　総務大臣は、機構処理事務の適正な実施を確保するため必要があると認めるときは、機構に対し、機構処理事務の実施の状況に関し必要な報告若しくは資料の提出を求め、又はその職員に、機構の事務所に立ち入らせ、機構処理事務の実施の状況に関し質問させ、若しくは帳簿書類その他の物件を検査させることができる。

2　第三十五条第二項及び第三項の規定は、前項の規定による立入検査について準用する。

（個人番号カード関係事務に係る中期目標）

第三十八条の八　主務大臣は、個人番号カード関係事務（第十六条の二の規定により機構が処理する事務及び電子署名等に係る地方公共団体情報システム機構の認証業務に関する法律（平成十四年法律第百五十三号）第三十九条第一項に規定する認証事務をいう。以下この条から第三十八条の十二までにおいて同じ。）の実施に関し、三年以上五年以下の期間において機構が達成すべき業務運営に関する目標（以下「中期目標」という。）を定め、これを機構に指示するとともに、公表しなければならない。これを変更したときも、同様とする。

2　中期目標においては、次に掲げる事項について具体的に定めるものとする。

一　中期目標の期間（前項の期間の範囲内で主務大臣が定める期間をいう。第三十八条の十一第一項第二号及び第三号において同じ。）

二　個人番号カード関係事務に係る業務の質の向上に関する事項

三　個人番号カード関係事務に係る業務運営の効率化に関する事項

四　その他個人番号カード関係事務に係る業務運営に関する重要事項

（個人番号カード関係事務に係る中期計画）

第三十八条の九　機構は、前条第一項の指示を受けたときは、中期目標に基づき、主務省令で定めるところにより、当該中期目標を達成するための計画（以下この条から第三十八条の十一までにおいて「中期計画」という。）を作成し、主務大臣の認可を受けなければならない。これを変更しようとするときも、同様とする。

2　中期計画においては、次に掲げる事項を定めるものとする。

一　個人番号カード関係事務に係る業務の質の向上に関する目標を達成するためとるべき措置

二　個人番号カード関係事務に係る業務運営の効率化に関する目標を達成するためとるべき措置

三　その他主務省令で定める個人番号カード関係事務に係る業務運営に関する事項

3　主務大臣は、第一項の規定により認可をした中期計画が前条第二項第二号から第四号までに掲げる事項の適正かつ確実な実施上不適当となったと認めるときは、機構に対し、その中期計画を変更すべきことを命ずることができる。

4　機構は、第一項の認可を受けたときは、遅滞なく、その中期計画を公表しなければならない。

（個人番号カード関係事務に係る年度計画）

第三十八条の十　機構は、毎事業年度の開始前に、前条第一項の認可を受けた中期計画に基づき、主務省令で定めるところにより、その事業年度の個人番号カード関係事務に係る業務運営に関する計画（次条第五項において「年度計画」という。）を定め、これを主務大臣に届け出るとともに、公表しなければならない。これを変更したときも、同様とする。

（各事業年度に係る個人番号カード関係事務に係る業務の実績に関する評価等）

第三十八条の十一　機構は、毎事業年度の終了後、当該事業年度が次の各号に掲げる事業年度のいずれに該当するかに応じ当該各号に定める事項について、主務大臣の評価を受けなければならない。

一　次号及び第三号に掲げる事業年度以外の事業年度　当該事業年度における個人番号カード関係事務に係る業務の実績

二　中期目標の期間の最後の事業年度の直前の事業年度　当該事業年度における個人番号カード関係事務に係る業務の実績及び中期目標の期間の終了時に見込まれる中期目標の期間における個人番号カード関係事務に係る業務の実績

三　中期目標の期間の最後の事業年度　当該事業年度における個人番号カード関係事務に係る業務の実績及び中期目標の期間における個人番号カード関係事務に係る業務の実績

2　機構は、前項の評価を受けようとするときは、主務省令で定めるところにより、各事業年度の終了後三月以内に、同項第一号、第二号又は第三号に定める事項及び当該事項について自ら評価を行った結果を明らかにした報告書を主務大臣に提出するとともに、公表しなければならない。

3　第一項の評価は、同項第一号、第二号又は第三号に定める事項について総合的な評定を付して、行わなければならない。この場合において、同項各号に規定する当該事業年度における個人番号カード関係事務に係る業務の実績に関する評価は、当該事業年度における中期計画の実施状況の調査及び分析を行い、その結果を考慮して行わなければならない。

4　主務大臣は、第一項の評価を行ったときは、遅滞なく、機構に対し、当該評価の結果を通知するとともに、公表しなければならない。

5　機構は、第一項の評価の結果を、中期計画及び年度計画並びに個人番号カード関係事務に係る業務運営の改善に適切に反映させるとともに、毎年度、評価結果の反映状況を公表しなければならない。

6　主務大臣は、第一項の評価の結果に基づき必要があると認めるときは、機構に対し、個人番号カード関係事務に係る業務運営の改善その他の必要な措置を講ずることを命ずることができる。

7　主務大臣は、機構の理事長が前項の命令に違反する行為をしたときは、機構の代表者会議（地方公共団体情報システム機構法第八条第一項に規定する代表者会議をいう。次項において同じ。）に対し、期間を指定して、当該理事長を解任すべきことを命ずることができる。

8　主務大臣は、機構の代表者会議が前項の規定による命令に従わなかったときは、同項の命令に係る理事長を解任することができる。

（個人番号カード関係事務に係る財源措置）

第三十八条の十二　国は、機構に対し、予算の範囲内において、個人番号カード関係事務に係る業務の財源に充てるために必要な金額の全部又は一部に相当する金額を補助することができる。

（財務大臣との協議）

第三十八条の十三　主務大臣は、次の場合には、財務大臣に協議しなければならない。

一　第三十八条の八第一項の規定により中期目標を定め、又は変更しようとするとき。

二　第三十八条の九第一項の規定による認可をしようとするとき。

第七章　法人番号

（通知等）

第三十九条　国税庁長官は、政令で定めるところにより、法人等（国の機関、地方公共団体及び会社法（平成十七年法律第八十六号）その他の法令の規定により設立の登記をした法人並びにこれらの法人以外の法人又は法人でない社団若しくは財団で代表者若しくは管理人の定めがあるもの（以下この条において「人格のない社団等」という。）であって、所得税法第二百三十条、法人税法（昭和四十年法律第三十四号）第百四十八条、第百四十九条若しくは第百五十条又は消費税法（昭和六十三年法律第百八号）第五十七条の規定により届出書を提出することとされているものをいう。以下この項及び次項において同じ。）に対して、法人番号を指定し、これを当該法人等に通知するものとする。

２　法人等以外の法人又は人格のない社団等であって政令で定めるものは、政令で定めるところにより、その者の商号又は名称及び本店又は主たる事務所の所在地その他財務省令で定める事項を国税庁長官に届け出て法人番号の指定を受けることができる。

３　前項の規定による届出をした者は、その届出に係る事項に変更があったとき（この項の規定による届出に係る事項に変更があった場合を含む。）は、政令で定めるところにより、当該変更があった事項を国税庁長官に届け出なければならない。

４　国税庁長官は、政令で定めるところにより、第一項又は第二項の規定により法人番号の指定を受けた者（以下「法人番号保有者」という。）の商号又は名称、本店又は主たる事務所の所在地及び法人番号を公表するものとする。ただし、人格のない社団等については、あらかじめ、その代表者又は管理人の同意を得なければならない。

（情報の提供の求め）

第四十条　行政機関の長、地方公共団体の機関又は独立行政法人等（以下この章において「行政機関の長等」という。）は、他の行政機関の長等に対し、特定法人情報（法人番号保有者に関する情報であって法人番号により検索することができるものをいう。第四十二条において同じ。）の提供を求めるときは、当該法人番号を当該他の行政機関の長等に通知してするものとする。

２　行政機関の長等は、国税庁長官に対し、法人番号保有者の商号又は名称、本店又は主たる事務所の所在地及び法人番号について情報の提供を求めることができる。

（資料の提供）

第四十一条　国税庁長官は、第三十九条第一項の規定による法人番号の指定を行うために必要があると認めるときは、法務大臣に対し、商業登記法（昭和三十八年法律第百二十五号）第七条（他の法令において準用する場合を含む。）に規定する会社法人等番号（会社法その他の法令の規定により設立の登記をした法人の本店又は主たる事務所の所在地を管轄する登記所において作成される登記簿に記録されたものに限る。）その他の当該登記簿に記録された事項の提供を求めることができる。

２　前項に定めるもののほか、国税庁長官は、第三十八条第一項若しくは第二項の規定による法人番号の指定若しくは通知又は同条第四項の規定による公表を行うために必要があると認めるときは、官公署に対し、法人番号保有者の商号又は名称及び本店又は主たる事務所の所在地その他必要な資料の提供を求めることができる。

（正確性の確保）

第四十二条　行政機関の長等は、その保有する特定法人情報について、その利用の目的の達成に必要な範囲内で、過去又は現在の事実と合致するよう努めなければならない。

第八章　雑則

（指定都市の特例）

第四十三条　地方自治法（昭和二十二年法律第六十七号）第二百五十二条の十九第一項に規定する指定都市（次項において単に「指定都市」という。）に対するこの法律の規定で政令で定めるものの適用については、区及び総合区を市と、区長及び総合区長を市長とみなす。

２　前項に定めるもののほか、指定都市に対するこの法律の規定の適用については、政令で特別の定めをすることができる。

（事務の区分）

第四十四条　第七条第一項及び第二項、第八条第一項（附則第三条第四項において準用する場合を含む。）、第十七条第一項及び第三項（同条第四項において準用する場合を含む。）並びに附則第三条第一項から第三項までの規定により市町村が処理することとされている事務は、地方自治法第二条第九項第一号に規定する第一号法定受託事務とする。

（権限又は事務の委任）

第四十五条　行政機関の長は、政令（内閣の所轄の下に置かれる機関及び会計検査院にあっては、当該機関の命令）で定めるところにより、第二章、第四章、第五章及び前章に定める権限又は事務を当該行政機関の職員に委任することができる。

（戸籍関係情報作成用情報に係る行政機関個人情報保護法の特例）

第四十五条の二　法務大臣は、戸籍関係情報（戸籍又は除かれた戸籍（戸籍法（昭和二十二年法律第二百二十四号）第百十九条の規定により磁気ディスク（これに準ずる方法により一定の事項を確実に記録することができる物を含む。）をもって調製されたものに限る。以下この項において同じ。）の副本に記録されている情報の電子計算機処理等を行うことにより作成することができる戸籍又は除かれた戸籍の副本に記録されている者（以下この項において「戸籍等記録者」という。）についての他の戸籍等記録者との間の親子関係の存否その他の身分関係の存否に関する情報、婚姻その他の身分関係の形成に関する情報その他の情報のうち、第十九条第八号又は第九号の規定により提供するものとして法務省令で定めるものであって、情報提供用個人識別符号をその内容に含むものをいう。以下この項において同じ。）を作成するために戸籍又は除かれた戸籍の副本に記録されている情報の電子計算機処理等を行うことにより作成される情報（戸籍関係情報を除く。第三項において「戸籍関係情報作成用情報」という。）の作成に関する事務に関する秘密について、その漏えいの防止その他の適切な管理のために、当該事務に使用する電子計算機の安全性及び信頼性を確保することその他の必要な措置を講じなければならない。

2　前項に規定する事務に従事する者又は従事していた者は、その業務に関して知り得た当該事務に関する秘密を漏らし、又は盗用してはならない。

3　第六章の規定は、戸籍関係情報作成用情報の取扱いについて準用する。この場合において、第三十三条中「個人番号利用事務等実施者」とあるのは、「法務大臣」と読み替えるものとする。

（主務省令）

第四十六条　この法律における主務省令は、デジタル庁令・総務省令とする。

（政令への委任）

第四十七条　この法律に定めるもののほか、この法律の実施のための手続その他この法律の施行に関し必要な事項は、政令で定める。

第九章　罰則

第四十八条　個人番号利用事務等又は第七条第一項若しくは第二項の規定による個人番号の指定若しくは通知、第八条第二項の規定による個人番号とすべき番号の生成若しくは通知若しくは第十四条第二項の規定による機構保存本人確認情報の提供に関する事務に従事する者又は従事していた者が、正当な理由がないのに、その業務に関して取り扱った個人の秘密に属する事項が記録された特定個人情報ファイル（その全部又は一部を複製し、又は加工した特定個人情報ファイルを含む。）を提供したときは、四年以下の懲役若しくは二百万円以下の罰金に処し、又はこれを併科する。

第四十九条　前条に規定する者が、その業務に関して知り得た個人番号を自己若しくは第三者の不正な利益を図る目的で提供し、又は盗用したときは、三年以下の懲役若しくは百五十万円以下の罰金に処し、又はこれを併科する。

第五十条　第二十五条（第二十六条において準用する場合を含む。）の規定に違反して秘密を漏らし、又は盗用した者は、三年以下の懲役若しくは百五十万円以下の罰金に処し、又はこれを併科する。

第五十一条　人を欺き、人に暴行を加え、若しくは人を脅迫する行為により、又は財物の窃取、施設への侵入、不正アクセス行為（不正アクセス行為の禁止等に関する法律（平成十一年法律第百二十八号）第二条第四項に規定する不正アクセス行為をいう。）その他の個人番号を保有する者の管理を害する行為により、個人番号を取得した者は、三年以下の懲役又は百五十万円以下の罰金に処する。

2　前項の規定は、刑法（明治四十年法律第四十五号）その他の罰則の適用を妨げない。

第五十二条　国の機関、地方公共団体の機関若しくは機構の職員又は独立行政法人等若しくは地方独立行政法人の役員若しくは職員が、その職権を濫用して、専らその職務の用以外の用に供する目的で個人の秘密に属する特定個人情報が記録された文書、図画又は電磁的記録（電子的方式、磁気的方式その他人の知覚によっては認識することができない方式で作られる記録をいう。）を収集したときは、二年以下の懲役又は百万円以下の罰金に処する。

第五十二条の二　第三十八条の三の二の規定に違反して秘密を漏らした者は、二年以下の懲役又は百万円以下の罰金に処する。

第五十二条の三　第四十五条の二第二項の規定に違反して秘密を漏らし、又は盗用した者は、二年以下の懲役若しくは百万円以下の罰金に処し、又はこれを併科する。

第五十三条　第三十四条第二項又は第三項の規定による命令に違反した者は、二年以下の懲役又は五十万円以下の罰金に処する。

第五十三条の二　第二十一条の二第八項又は第四十五条の二第三項において準用する第三十四条第二項又は第三項の規定による命令に違反した者は、一年以下の懲役又は五十万円以下の罰金に処する。

第五十四条　第三十五条第一項の規定による報告若しくは資料の提出をせず、若しくは虚偽の報告をし、若しくは虚偽の資料を提出し、又は当該職員の質問に対して答弁をせず、若しくは虚偽の答弁をし、若しくは検査を拒み、妨げ、若しくは忌避した者は、一年以下の懲役又は五十万円以下の罰金に処する。

第五十五条　偽りその他不正の手段により個人番号カードの交付を受けた者は、六月以下の懲役又は五十万円以下の罰金に処する。

第五十五条の二　第二十一条の二第八項又は第四十五条の二第三項において準用する第三十五条第一項の規定による報告若しくは資料の提出をせず、若しくは虚偽の報告をし、若しくは虚偽の資料を提出し、又は当該職員の質問に対して答弁をせず、若しくは虚偽の答弁をし、若しくは検査を拒み、妨げ、若しくは忌避した者は、三十万円以下の罰金に処する。

第五十五条の三　次の各号のいずれかに該当するときは、その違反行為をした機構の役員又は職員は、三十万円以下の罰金に処する。

一　第三十八条の四の規定に違反して帳簿を備えず、帳簿に記載せず、若しくは帳簿に虚偽の記載をし、又は帳簿を保存しなかったとき。

二　第三十八条の七第一項の規定による報告若しくは資料の提出をせず、若しくは虚偽の報告をし、若しくは虚偽の資料を提出し、又は同項の規定による質問に対して答弁をせず、若しくは虚偽の答弁をし、若しくは同項の規定による検査を拒み、妨げ、若しくは忌避したとき。

第五十六条　第四十八条から第五十二条の三までの規定は、日本国外においてこれらの条の罪を犯した者にも適用する。

第五十七条　法人（法人でない団体で代表者又は管理人の定めのあるものを含む。以下この項において同じ。）の代表者若しくは管理人又は法人若しくは人の代理人、使用人その他の従業者が、その法人又は人の業務に関して次の各号に掲げる違反行為をしたときは、その行為者を罰するほか、その法人に対して当該各号に定める罰金刑を、その人に対して各本条の罰金刑を科する。

一　第四十八条、第四十九条及び第五十三条　一億円以下の罰金刑

二　第五十一条及び第五十三条の二から第五十五条の二まで　各本条の罰金刑

2　法人でない団体について前項の規定の適用がある場合には、その代表者又は管理人が、その訴訟行為につき法人でない団体を代表するほか、法人を被告人又は被疑者とする場合の刑事訴訟に関する法律の規定を準用する。

附　則

（施行期日）

第一条　この法律は、公布の日から起算して三年を超えない範囲内において政令で定める日〔平二七・一〇・五〕から施行する。ただし、次の各号に掲げる規定は、当該各号に定める日から施行する。

一　第一章、第二十四条、第六十五条及び第六十六条並びに次条並びに附則第五条及び第六条の規定　公布の日

二　第二十五条、第六章第一節、第五十四条、第六章第三節、第六十九条、第七十二条及び第七十六条（第六十九条及び第七十二条に係る部分に限る。）並びに附則第四条の規定　平成二十六年一月一日から起算して六月を超えない範囲内において政令で定める日〔平二六・一・一〕

三　第二十六条、第二十七条、第二十九条第一項（行政機関個人情報保護法第十条第一項及び第三項の規定を読み替えて適用する部分に限る。）、第三十一条、第六章第二節（第五十四条を除く。）、第七十三条、第七十四条及び第七十七条（第七十三条及び第七十四条に係る部分に限る。）の規定　公布の日から起算して一年六月を超えない範囲内において政令で定める日〔平二六・四・二〇〕

四　第九条から第十一条まで、第十三条、第十四条、第十六条、第三章、第二十九条第一項（行政機関個人情報保護法第十条第一項及び第三項の規定を読み替えて適用する部分を除く。）から第三項まで、第三十条第一項（行政機関個人情報保護法第十条第一項及び第三項の規定を読み替えて適用する部分に限る。）及び第二項（行政機関個人情報保護法第十条第一項及び第三項の規定を読み替えて適用する部分に限る。）、第六十三条（第十七条第一項及び第三項（同条第四項において準用する場合を含む。）に係る部分に限る。）、第七十五条（個人番号カードに係る部分に限る。）並びに第七十七条（第七十五条（個人番号カードに係る部分に限る。）に係る部分に限る。）並びに別表第一の規定　公布の日

から起算して三年六月を超えない範囲内において政令で定める日〔平二八・一・一〕

五　第十九条第七号、第二十一条から第二十三条まで並びに第三十条第一項（行政機関個人情報保護法第十条第一項及び第三項の規定を読み替えて適用する部分を除く。）及び第二項（行政機関個人情報保護法第十条第一項及び第三項の規定を読み替えて適用する部分を除く。）から第四項まで並びに別表第二の規定　公布の日から起算して四年を超えない範囲内において政令で定める日〔平二九・五・三〇〕

（準備行為）

第二条　行政機関の長等は、この法律（前条各号に掲げる規定については、当該各規定。以下この条において同じ。）の施行の日前においても、この法律の実施のために必要な準備行為をすることができる。

（個人番号の指定及び通知に関する経過措置）

第三条　市町村長は、政令で定めるところにより、この法律の施行の日（次項において「施行日」という。）において現に当該市町村の備える住民基本台帳に記録されている者について、第四項において準用する第八条第二項の規定により機構から通知された個人番号とすべき番号をその者の個人番号として指定し、その者に対し、当該個人番号を通知カードにより通知しなければならない。

2　市町村長は、施行日前に住民票に住民票コードを記載された者であって施行日にいずれの市町村においても住民基本台帳に記録されていないものについて、住民基本台帳法第三十条の三第一項の規定により住民票に当該住民票コードを記載したときは、政令で定めるところにより、第四項において準用する第八条第二項の規定により機構から通知された個人番号とすべき番号をその者の個人番号として指定し、その者に対し、当該個人番号を通知しなければならない。

3　市町村長は、住民基本台帳法の一部を改正する法律（平成十一年法律第百三十三号）の施行の日以後住民基本台帳に記録されていなかった者について、同法附則第四条の規定により住民票に住民票コードを記載したときは、政令で定めるところにより、次項において準用する第八条第二項の規定により機構から通知された個人番号とすべき番号をその者の個人番号として指定し、その者に対し、当該個人番号を通知しなければならない。

4　第七条第三項及び第八条の規定は、前三項の場合について準用する。

5　第一項から第三項までの規定による個人番号の指定若しくは通知又は前項において準用する第八条第二項の規定による個人番号とすべき番号の生成若しくは通知に関する事務に従事する者又は従事していた者が、正当な理由がないのに、その業務に関して取り扱った個人の秘密に属する事項が記録された特定個人情報ファイル（その全部又は一部を複製し、又は加工した特定個人情報ファイルを含む。）を提供したときは、四年以下の懲役若しくは二百万円以下の罰金に処し、又はこれを併科する。

6　前項に規定する者が、その業務に関して知り得た個人番号を自己若しくは第三者の不正な利益を図る目的で提供し、又は盗用したときは、三年以下の懲役若しくは百五十万円以下の罰金に処し、又はこれを併科する。

7　前二項の規定は、日本国外においてこれらの項の罪を犯した者にも適用する。

（日本年金機構に係る経過措置）

第三条の二　日本年金機構は、第九条第一項の規定にかかわらず、附則第一条第四号に掲げる規定の施行の日から平成二十九年五月三十一日までの間において政令で定める日〔平二八・一一・一二〕までの間においては、個人番号を利用して別表第一の下欄に掲げる事務の処理を行うことができない。

2　日本年金機構は、第十九条第七号及び第八号の規定にかかわらず、附則第一条第五号に掲げる規定の施行の日から平成二十九年十一月三十日までの間において政令で定める日〔平二九・一一・一六〕までの間においては、情報照会者及び情報提供者並びに条例事務関係情報提供者に該当しないものとする。

（委員会に関する経過措置）

第四条　附則第一条第二号に掲げる規定の施行の日から起算して一年を経過する日（以下この条において「経過日」という。）の前日までの間における第四十条第一項、第二項及び第四項並びに第四十五条第二項の規定の適用については、第四十条第一項中「六人」とあるのは「二人」と、同条第二項中「三人」とあるのは「一人」と、同条第四項中「委員には」とあるのは「委員は」と、「が含まれるものとする」とあるのは「のうちから任命するものとする」と、第四十五条第二項中「三人以上」とあるのは「二人」とし、経過日以後経過日から起算して一年を経過する日の前日までの間における第四十条第一項及び第二項並びに第四十五条第二項の規定の適用については、第四十条第一項中「六人」とあるのは「四人」と、同条第二項中「三人」とあるのは「二人」と、第四十五条第二項中「三人以上」とあるのは「二人以上」とする。

（政令への委任）

第五条　附則第二条から前条までに規定するもののほか、この法律の施行に関し必要な経過措置は、政令で定める。

（検討等）

第六条　政府は、この法律の施行後三年を目途として、この法律の施行の状況等を勘案し、個人番号の利用及び情報提供ネットワークシステムを使用した特定個人情報の提供の範囲を拡大すること並びに特定個人情報以外の情報の提供に情報提供ネットワークシステムを活用することができるようにすることその他この法律の規定について検討を加え、必要があると認めるときは、その結果に基づいて、国民の理解を得つつ、所要の措置を講ずるものとする。

2　政府は、第十四条第一項の規定により本人から個人番号の提供を受ける者が、当該提供をする者が本人であることを確認するための措置として選択することができる措置の内容を拡充するため、適時に必要な技術的事項について検討を加え、必要があると認めるときは、その結果に基づいて所要の措置を講ずるものとする。

3　政府は、この法律の施行後一年を目途として、情報提供等記録開示システム（総務大臣の使用に係る電子計算機と第二十三条第三項に規定する記録に記録された特定個人情報について総務大臣に対して第三十条第二項の規定により読み替えられた行政機関個人情報保護法第十二条の規定による開示の請求を行う者の使用に係る電子計算機とを電気通信回線で接続した電子情報処理組織であって、その者が当該開示の請求を行い、及び総務大臣がその者に対して行政機関個人情報保護法第十八条の規定による通知を行うために設置し、及び運用されるものをいう。以下この項及び次項において同じ。）を設置するとともに、年齢、身体的な条件その他の情報提供等記録開示システムの利用を制約する要因にも配慮した上で、その活用を図るために必要な措置を講ずるものとする。

4　政府は、情報提供等記録開示システムの設置後、適時に、国民の利便性の向上を図る観点から、民間における活用を視野に入れて、情報提供等記録開示システムを利用して次に掲げる手続又は行為を行うこと及び当該手続又は行為を行うために現に情報提供等記録開示システムに電気通信回線で接続した電子計算機を使用する者が当該手続又は行為を行うべき者であることを確認するための措置を当該手続又は行為に応じて簡易なものとすることについて検討を加え、その結果に基づいて所要の措置を講ずるものとする。

一　法律又は条例の規定による個人情報の開示に関する手続（前項に規定するものを除く。）

二　個人番号利用事務実施者が、本人に対し、個人番号利用事務に関して本人が希望し、又は本人の利益になると認められる情報を提供すること。

三　同一の事項が記載された複数の書面を一又は複数の個人番号利用事務実施者に提出すべき場合において、一の書面への記載事項が他の書面に複写され、かつ、これらの書面があらかじめ選択された一又は複数の個人番号利用事務実施者に対し一の手続により提出されること。

5　政府は、給付付き税額控除（給付と税額控除を適切に組み合わせて行う仕組みその他これに準ずるものをいう。）の施策の導入を検討する場合には、当該施策に関する事務が的確に実施されるよう、国の税務官署が保有しない個人所得課税に関する情報に関し、個人番号の利用に関する制度を活用して当該事務を実施するために必要な体制の整備を検討するものとする。

6　政府は、適時に、地方公共団体における行政運営の効率化を通じた住民の利便性の向上に資する観点から、地域の実情を勘案して必要があると認める場合には、地方公共団体に対し、複数の地方公共団体の情報システムの共同化又は集約の推進について必要な情報の提供、助言その他の協力を行うものとする。

附　則（平二七・九・九法六五）（抄）

（施行期日）

第一条　この法律は、公布の日から起算して二年を超えない範囲内において政令で定める日〔平二九・五・三〇〕から施行する。ただし、次の各号に掲げる規定は、当該各号に定める日から施行する。

一　〔略〕

二　〔前略〕附則〔中略〕第六条〔中略〕の規定　平成二十八年一月一日

三～六　〔略〕

（特定個人情報保護委員会規則に関する経過措置）

第六条　附則第一条第二号に掲げる規定の施行の際現に効力を有する特定個人情報保護委員会規則は、第二号施行日以後は、個人情報保護委員会規則としての効力を有するものとする。

附　則（令二・六・五法四〇）（抄）

（施行期日）

第一条　この法律は、令和四年四月一日から施行する。ただし、次の各号に掲げる規定は、当該各号に定める日から施行する。

一　〔前略〕附則第九十五条中行政手続における特定の個人を識別するための番号の利用等に関する法律（平成二十五年法律第二十七号）別表第二の百七の項の改正規定〔中略〕
　公布の日

二～十一　〔略〕

附　則（令二・六・一二法四四）（抄）

（施行期日）

第一条　この法律は、公布の日から起算して二年を超えない範囲内において政令で定める日〔令四・四・一〕から施行する。ただし、次の各号に掲げる規定は、当該各号に定める日から施行する。

一　〔略〕

二　〔前略〕第二条中行政手続における特定の個人を識別するための番号の利用等に関する法律第五十七条の改正規定〔中略〕　公布の日から起算して六月を経過した日

三　〔略〕

附　則（令三・六・一一法六六）（抄）

（施行期日）

第一条　この法律は、令和四年一月一日から施行する。ただし、次の各号に掲げる規定は、当該各号に定める日から施行する。

一　〔前略〕附則〔中略〕第三十一条〔中略〕の規定　公布の日

二～六　〔略〕

別表第一（第九条関係）〔略〕

別表第二（第十九条、第二十一条関係）〔略〕

㊟　次の法律の附則第一九条により行政手続における特定の個人を識別するための番号の利用等に関する法律が改正されたが、令和六年一月一日から施行となるため、一部改正法の形式で掲載した。

○森林環境税及び森林環境譲与税に関する法律

平三一・三・二九
法　三

最終改正　令三・五・一九法三七

（行政手続における特定の個人を識別するための番号の利用等に関する法律の一部改正）

第十九条　行政手続における特定の個人を識別するための番号の利用等に関する法律（平成二十五年法律第二十七号）の一部を次のように改正する。

第十九条第十号中「、第四十八条第七項」を削り、「又は第三百二十五条」を「、第三百二十五条又は第七百三十九条の五第七項」に改め、「同法」の下に「若しくは森林環境税及び森林環境譲与税に関する法律（平成三十一年法律第三号）」を加え、「地方税に」を「地方税若しくは森林環境税に」に改める。

〔別表第一の改正略〕

〔別表第二の改正略〕

附　則（抄）

（施行期日）

第一条　この法律は、平成三十一年四月一日から施行する。ただし、〔中略〕附則〔中略〕第十九条〔中略〕の規定は、令和六年一月一日から施行する。

注 次の法律の第四条により行政手続における特定の個人を識別するための番号の利用等に関する法律が改正されたが、公布の日から起算して五年を超えない範囲内において政令で定める日から施行となる部分については、一部改正法の形式で掲載した。

○情報通信技術の活用による行政手続等に係る関係者の利便性の向上並びに行政運営の簡素化及び効率化を図るための行政手続等における情報通信の技術の利用に関する法律等の一部を改正する法律

令元・五・三一
法 一六

改正 令三・五・一九法三七

（行政手続における特定の個人を識別するための番号の利用等に関する法律の一部改正）

第四条 行政手続における特定の個人を識別するための番号の利用等に関する法律（平成二十五年法律第二十七号）の一部を次のように改正する。

第二条第七項中「氏名、住所、生年月日、性別、個人番号その他政令で定める」を「次に掲げる」に、「その他の」を「その他」に改め、同項に次の各号を加える。

一 氏名

二 住所（国外転出者（住民基本台帳法第十七条第三号に規定する国外転出者をいう。以下同じ。）にあっては、国外転出者である旨及びその国外転出届（同号に規定する国外転出届をいう。第十七条第二項において同じ。）に記載された転出の予定年月日）

三 生年月日

四 性別

五 個人番号

六 その他政令で定める事項

第十四条第二項中「まで」の下に「又は第三十条の四十四から第三十条の四十四の五まで」を加え、「機構保存本人確認情報（」を削り、「第三十条の九に」を「第三十条の七第四項に」に、「をいう。」を「又は同法第三十条の四十二第四項に規定する機構保存附票本人確認情報（」に、「同じ。）の」を「「機構保存本人確認情報等」という。）の」に改める。

第十七条第一項中「に対し」を「又は当該市町村が備える戸籍の附票に記録されている者（国外転出者である者に限る。）に対し」に〔中略〕改め、同条第二項中「第二十四条の二第一項に規定する最初の転入届」を「第二十二条第一項の規定による届出又は国外転出届」に、「当該最初の転入届」を「これらの届出」に改め、〔中略〕同条第八項を同条第九項とし、同条第七項の次に次の一項を加える。

8 国外転出者に対する第四項、第五項及び前項の規定の適用については、第四項中「その変更があった日から十四日以内に」とあるのは「速やかに」と、「住民基本台帳」とあるのは「戸籍の附票」と、「住所地市町村長」とあるのは「附票管理市町村長」と、第五項及び前項中「住所地市町村長」とあるのは「附票管理市町村長」とする。

第十八条の二第三項中「住所地市町村長」の下に「又は第十七条第八項の規定により読み替えて適用される同条第四項に規定する附票管理市町村長」を加える。

第十九条第五号及び第四十八条中「機構保存本人確認情報」を「機構保存本人確認情報等」に改める。

附 則（抄）

（施行期日）

第一条 この法律は、公布の日から起算して九月を超えない範囲内において政令で定める日〔令元・一二・一六〕から施行する。ただし、次の各号に掲げる規定は、当該各号に定める日から施行する。

一〜九 〔略〕

十 〔前略〕第四条中番号利用法第二条第七項及び第十四条第二項の改正規定、番号利用法第十七条の改正規定（同号〔第六号〕に掲げる部分を除く。）並びに番号利用法第十八条の二第三項、第十九条第五号及び第四十八条の改正規定〔中略〕 公布の日から起算して五年を超えない範囲内において政令で定める日

㊟ 次の法律の附則第一三条及び第一四条により行政手続における特定の個人を識別するための番号の利用等に関する法律が改正されたが、公布の日から起算して三年を超えない範囲内において政令で定める日等から施行となるため、一部改正法の形式で掲載した。

○戸籍法の一部を改正する法律

令元・五・三一
法 一七

最終改正 令三・五・一九法三七

第十三条 行政手続における特定の個人を識別するための番号の利用等に関する法律の一部を次のように改正する。

第四十五条の二第一項中「は、」の下に「第十九条第七号又は第八号の規定による提供の用に供する」を加え、「を作成する」を「の作成に関する事務を行う目的の達成に必要な範囲を超えて、戸籍関係情報作成用情報（戸籍関係情報を作成する」に、「第三項において「戸籍関係情報作成用情報」という。）の作成に関する事務に関する秘密について、その漏えいの防止その他の適切な管理のために、当該事務に使用する電子計算機の安全性及び信頼性を確保することその他の必要な措置を講じなければ」を「）をいう。以下この条において同じ。）を保有しては」に改め、同条第三項中「、「法務大臣」を「「法務大臣又は第四十五条の二第六項に規定する者」と、第三十六条中「第十九条第十四号」とあるのは「第四十五条の二第五項（同条第七項において準用する場合を含む。）において準用する第十九条第十四号」に改め、同項を同条第九項とし、同条第二項を同条第三項とし、同項の次に次の五項を加える。

4 法務大臣は、第一項に規定する目的以外の目的のために戸籍関係情報作成用情報を自ら利用してはならない。

5 第十九条（第五号、第十二号及び第十四号から第十六号までに係る部分に限る。）の規定は、法務大臣による戸籍関係情報作成用情報の提供について準用する。この場合において、同条第十二号中「第三十五条第一項」とあるのは、「第四十五条の二第九項において準用する第三十五条第一項」と読み替えるものとする。

6 前項（次項において準用する場合を含む。）において準用する第十九条（第五号、第十二号及び第十四号から第十六号までに係る部分に限る。）の規定により戸籍関係情報作成用情報の提供を受けた者は、その提供を受けた目的の達成に必要な範囲を超えて、当該戸籍関係情報作成用情報を保有してはならない。

7 第四項及び第五項の規定は、前項に規定する者について準用する。この場合において、第四項中「第一項に規定する」とあるのは、「その提供を受けた」と読み替えるものとする。

8 戸籍関係情報作成用情報については、行政機関個人情報保護法第四章の規定は、適用しない。

第四十五条の二第一項の次に次の一項を加える。

2 法務大臣は、戸籍関係情報作成用情報の作成に関する事務に関する秘密について、その漏えいの防止その他の適切な管理のために、当該事務に使用する電子計算機の安全性及び信頼性を確保することその他の必要な措置を講じなければならない。

第五十三条の二及び第五十五条の二中「第四十五条の二第三項」を「第四十五条の二第九項」に改める。

第十四条 行政手続における特定の個人を識別するための番号の利用等に関する法律の一部を次のように改正する。

第二条第十項中「又は第二項」を「から第三項まで」に改め、同条第十一項中「第九条第三項」を「第九条第四項」に改める。

第九条第一項中「第三項」を「第四項」に改め、同条中第五項を第六項とし、第四項を第五項とし、同条第三項中「前項」を「第二項」に改め、同項を同条第四項とし、同条第二項の次に次の一項を加える。

3 法務大臣は、第十九条第八号又は第九号の規定による戸籍関係情報（戸籍又は除かれた戸籍（戸籍法（昭和二十二年法律第二百二十四号）第百十九条の規定により磁気ディスク（これに準ずる方法により一定の事項を確実に記録することができる物を含む。）をもって調製されたものに限る。以下この項及び第四十五条の二第一項において同じ。）の副本に記録されている情報の電子計算機処理等（電子計算機処理（電子計算機を使用して行われる情報の入力、蓄積、編集、加工、修正、更新、検索、消去、出力又はこれらに類する処理をいう。）その他これに伴う政令で定める措置をいう。以下同じ。）を行うことにより作成することができる戸籍又は除かれた戸籍の副本に記録されている者（以下この項において「戸籍等記録者」という。）についての他の戸籍等記録者との間の親子関係の存否その他の身分関係の存否に関する情報、婚姻その他の身分関係の形成に関する情報その他の情報のうち、第十九条第八号又は第九号の規定により提供するものとして法務省令で定めるものであって、情報提供用個人識別符号（同条第八号又は第九号の規定による特定個人情報の提供を管理し、及び当該特定個人情報を検索するために必要な限度で第二条第五項に規定する個人番号に代わって用いられる特定の個人を識別する符号であって、同条第八項に規定する個人番号であるものをいう。以下同じ。）をその内容に含むものをいう。以下同じ。）の提供に関する事務の処理に関して保有する特定個人情報ファイルにおいて個人情報を効率的に検索し、及び管理するために必要な限度で情報提供用個人識別符号を利用することができる。当該事務の全部又は一部の委託を受けた者も、同様とする。

第十条第二項中「第三項」を「第四項」に改める。

第十三条中「個人番号利用事務実施者」の下に「（第九条第三項の規定により情報提供用個人識別符号を利用する者を除く。次条第二項及び第十九条第一号において同じ。）」を加える。

第十四条第一項中「個人番号利用事務等実施者は」を「個人番号利用事務等実施者（第九条第三項の規定により情報提供用個人識別符号を利用する者を除く。以下この項及び第十六条において同じ。）は」に改める。

第十九条第十二号中「第九条第三項」を「第九条第四項」に改める。

第二十一条の二第一項を次のように改める。

情報照会者又は情報提供者（以下この条において「情報照会者等」という。）は、情報提供用個人識別符号を内閣総理大臣から取得することができる。

第二十一条の二第二項中「機構」の下に「（第九条第三項の法務大臣である情報提供者にあっては、当該個人の本籍地の市町村長及び機構）」を加え、同条第三項中「及び機構」を「、機構及び前項の市町村長」に改める。

第二十八条第一項第五号中「（電子計算機処理（電子計算機を使用して行われる情報の入力、蓄積、編集、加工、修正、更新、検索、消去、出力又はこれらに類する処理をいう。）その他これに伴う政令で定める措置をいう。第三十八条の三、第三十八条の三の二第二項及び第四十五条の二第一項において同じ。）」を削る。

第三十条第二項の表第九条第一項の項及び第三項の表第十六条第三項第一号の項中「第九条第四項」を「第九条第五項」に改める。

第四十四条中「並びに」を「、第二十一条の二第二項（情報提供者が第九条第三項の法務大臣である場合における通知に係る部分に限り、第二十六条において準用する場合を含む。）並びに」に改める。

第四十五条の二第一項を次のように改める。

法務大臣は、第十九条第八号又は第九号の規定による提供の用に供する戸籍関係情報の作成に関する事務を行う目的の達成に必要な範囲を超えて、戸籍関係情報作成用情報（戸籍関係情報を作成するために戸籍又は除かれた戸籍の副本に記録されている情報の電子計算機処理等を行うことにより作成される情報（戸籍関係情報を除く。）をいう。以下この条において同じ。）を保有してはならない。

第四十五条の二第五項中「おいて、」の下に「同条中「次の」とあるのは「第二十一条の二第二項の規定による通知を行う場合及び次の」と、」を加え、「あるのは」を「あるのは」に改める。

〔別表第二の改正略〕

附　則（抄）

（施行期日）

第一条　この法律は、公布の日から起算して二十日を経過した日から施行する。ただし、次の各号に掲げる規定は、当該各号に定める日から施行する。

一・二〔略〕

三　〔前略〕附則第十三条の規定　公布の日から起算して三年を超えない範囲内において政令で定める日〔令三・九・一三〕

四　附則〔中略〕第十四条（行政手続における特定の個人を識別するための番号の利用等に関する法律（平成二十五年法律第二十七号）別表第二の改正規定を除く。）の規定　前号に掲げる規定の施行の日又は情報通信技術利

用法改正法〔令元法一六〕附則第一条第九号に掲げる規定の施行の日〔令四・一・一一〕のいずれか遅い日

五　〔前略〕附則〔中略〕第十四条（前号に掲げる部分を除く。）の規定　公布の日から起算して五年を超えない範囲内において政令で定める日

㊟　次の法律の附則第九六条により行政手続における特定の個人を識別するための番号の利用等に関する法律が改正されたが、戸籍法の一部を改正する法律（令和元年法律第十七号）附則第一条第五号に定める日から施行となる部分については、一部改正法の形式で掲載した。

○年金制度の機能強化のための国民年金法等の一部を改正する法律

令二・六・五
法　四〇

第九十六条　行政手続における特定の個人を識別するための番号の利用等に関する法律の一部を次のように改正する。

〔別表第二の改正略〕

附　則（抄）

（施行期日）

第一条　この法律は、令和四年四月一日から施行する。ただし、次の各号に掲げる規定は、当該各号に定める日から施行する。

一～九　〔略〕

十　附則第九十六条の規定　戸籍法の一部を改正する法律（令和元年法律第十七号）附則第一条第五号に定める日〔令和元年五月三一日から起算して五年を超えない範囲内において政令で定める日〕

十一　〔略〕

㊟　次の法律の第五五条、第五六条、附則第五三条及び第五四条により行政手続における特定の個人を識別するための番号の利用等に関する法律が改正されたが、公布の日から起算して一年を超えない範囲内において政令で定める日等から施行となる部分については、一部改正法の形式で掲載した。

○デジタル社会の形成を図るための関係法律の整備に関する法律

令三・五・一九
法　三七

最終改正　令三・五・一九法三九

（行政手続における特定の個人を識別するための番号の利用等に関する法律の一部改正）

第五十五条　行政手続における特定の個人を識別するための番号の利用等に関する法律（平成二十五年法律第二十七号）の一部を次のように改正する。

〔別表第二の改正略〕

第五十六条　行政手続における特定の個人を識別するための番号の利用等に関する法律の一部を次のように改正する。

〔別表第一の改正略〕

〔別表第二の改正略〕

（行政手続における特定の個人を識別するための番号の利用等に関する法律の一部改正）

附則・第五十三条　行政手続における特定の個人を識別するための番号の利用等に関する法律の一部を次のように改正する。

目次中「行政機関個人情報保護法等」を「個人情報保護法」に改める。

第一条中「行政機関の保有する個人情報の保護に関する法律（平成十五年法律第五十八号）、独立行政法人等の保有する個人情報の保護に関する法律（平成十五年法律第五十九号）及び」を削る。

第二条第一項中「行政機関の保有する個人情報の保護に関する法律（以下「行政機関個人情報保護法」という。）第二条第一項」を「個人情報の保護に関する法律（以下「個人情報保護法」という。）第二条第八項」に改め、同条第二項中「独立行政法人等の保有する個人情報の保護に関する法律（以下「独立行政法人等個人情報保護法」という。）第二条第一項」を「個人情報保護法第二条第九項」に改め、同条第三項中「行政機関個人情報保護法第二条第二項に規定する個人情報であって行政機関が保有するもの、独立行政法人等個人情報保護法第二条第二項に規定する個人情報であって独立行政法人等が保有するもの又は個人情報の保護に関する法律（以下「個人情報保護法」という。）」を「個人情報保護法」に改め、「であって行政機関及び独立行政法人等以外の者が保有するもの」を削り、同条第四項中「行政機関個人情報保護法第二条第六項」を「個人情報保護法第六十条第二項」に、「行政機関が保有するもの、独立行政法人等個人情報保護法第二条第六項に規定

する個人情報ファイルであって独立行政法人等」を「行政機関等（個人情報保護法第二条第十一項に規定する行政機関等をいう。以下この項及び第五章第二節において同じ。）」に、「第二条第四項」を「第十六条第一項」に、「行政機関及び独立行政法人等」を「行政機関等」に改める。

第二十三条第二項第一号中「第三十一条第一項の規定により読み替えて適用する行政機関個人情報保護法第十四条」を「個人情報保護法第七十八条（個人情報保護法第百二十三条第二項の規定によりみなして適用する場合を含む。第三号において同じ。）」に改め、同項第三号を削り、同項第四号中「第三十一条第四項の規定により読み替えて」を「第三十一条第三項において」に、「独立行政法人等個人情報保護法第十四条」を「個人情報保護法第七十八条」に改め、同号を同項第三号とする。

第二十八条第五項中「第三十条第一項の規定により読み替えて適用する行政機関個人情報保護法第十条第一項」を「個人情報保護法第七十四条第一項」に改める。

第五章第二節の節名中「行政機関個人情報保護法等」を「個人情報保護法」に改める。

第三十条の見出しを「（個人情報保護法の特例）」に改め、同条第一項中「行政機関が」を「行政機関等（個人情報保護法第百二十三条第二項の規定により個人情報保護法第二条第十一項第二号に規定する独立行政法人等とみなされる個人情報保護法別表第二に掲げる法人（次条第一項において「みなし独立行政法人等」という。）を含む。）が」に、「行政機関個人情報保護法第八条第二項第二号から第四号まで及び第二十五条」を「個人情報保護法第六十九条第二項第二号から第四号まで及び第八十八条」に、「、行政機関個人情報保護法の」を「、個人情報保護法の」に、「掲げる行政機関個人情報保護法」を「掲げる個人情報保護法」に改め、同項の表読み替えられる行政機関個人情報保護法の規定の項中「行政機関個人情報保護法」を「個人情報保護法」に改め、同表第八条第一項の項の上欄中「第八条第一項」を「第六十九条第一項」に改め、同項の中欄中「利用目的」の下に「以外の目的」を加え、同項の下欄中「利用目的」の下に「以外の目的（独立行政法人等にあっては、行政手続における特定の個人を識別するための番号の利用等に関する法律（平成二十五年法律第二十七号）第九条第五項の規定に基づく場合を除き、利用目的以外の目的）」を加え、同表第八条第二項の項中「第八条第二項」を「第六十九条第二項」に改め、同表第八条第二項第一号の項中「第八条第二項第一号」を「第六十九条第二項第一号」に改め、同表第十条第一項及び第三項の項、第十二条第二項の項、第十三条第二項、第二十八条第二項及び第三十七条第二項の項及び第十四条第一号、第二十七条第二項及び第三十六条第二項の項を削り、同表第二十六条第二項の項中「第二十六条第二項」を「第八十九条第二項」に改め、同項の次に次のように加える。

第八十九条第四項	定める	定める。この場合において、独立行政法人等は、経済的困難その他特別の理由があると認めるときは、行政手続における特定の個人を識別するための番号の利用等に関する法律第三十条第一項の規定により読み替えて適用する第八十九条第二項の規定の例により、当該手数料を減額し、又は免除することができる

第三十条第一項の表第三十六条第一項第一号の項中「第三十六条第一項第一号」を「第九十八条第一項第一号」に、「第八条第一項」を「第六十九条第一項」に改め、「（平成二十五年法律第二十七号）」を削り、同表第三十六条第一項第二号の項中「第三十六条第一項第二号」を「第九十八条第一項第二号」に、「第八条第一項及び第二項」を「第六十九条第一項及び第二項又は第七十一条第一項」に改め、同表第一項及び第二項に次のように加える。

第百二十三条第三項の規定により読み替えて適用する第九十八条第一項第一号	第十八条若しくは第十九条の規定に違反して取り扱われているとき、又は第二十条の規定に違反して取得されたものである	行政手続における特定の個人を識別するための番号の利用等に関する法律第三十条第二項の規定により読み替えて適用する第十八条第一項、第二項及び第三項（第一号及び第二号に係る部分に限る。）若

	とき	しくは第十九条の規定に違反して利用されているとき、同法第二十条の規定に違反して収集され、若しくは保管されているとき、又は同法第二十九条の規定に違反して作成された特定個人情報ファイル（同法第二条第九項に規定する特定個人情報ファイルをいう。）に記録されているとき
第百二十三条第三項の規定により読み替えて適用する第九十八条第一項第二号	第二十七条第一項又は第二十八条	行政手続における特定の個人を識別するための番号の利用等に関する法律第十九条

第三十条第二項を削り、同条第三項中「第二条第五項」を「第十六条第二項」に、「個人情報取扱事業者」を「個人情報取扱事業者（個人情報保護法第五十八条第二項の規定により個人情報保護法第十六条第二項に規定する個人情報取扱事業者とみなされる独立行政法人労働者健康安全機構（次条第三項において「みなし個人情報取扱事業者」という。）を含む。）」に改め、「及び第二項」の下に「（これらの規定を第二十六条において準用する場合を含む。以下同じ。）」を加え、「第十六条第三項第三号及び第四号、第十七条第二項並びに第二十三条から第二十六条まで」を「第十八条第三項第三号から第六号まで、第二十条第二項及び第二十七条から第三十条まで」に改め、同項の表第十六条第一項の項中「第十六条第一項」を「第十八条第一項」に改め、同表第十六条第二項の項中「第十六条第二項」を「第十八条第二項」に改め、同表第十六条第三項第一号の項中「第十六条第三項第一号」を「第十八条第三項第一号」に改め、同表第十六条第三項第二号の項中「第十六条第三項第二号」を「第十八条第三項第二号」に改め、同表第三十条第三項の項中「第三十条第三項」を「第三十五条第三項」に、「第二十三条第一項又は第二十四条」を「第二十七条第一項又は第二十八条」に改め、同条第三項を同条第二項とする。

第三十一条第一項中「行政機関が」を「行政機関等（みなし独立行政法人等を含む。）が」に、「行政機関個人情報保護法第八条第二項から第四項まで、第九条、第二十一条、第二十二条、第二十五条、第三十三条、第三十四条及び第四章第三節の規定」を「個人情報保護法第六十九条第二項から第四項まで、第七十条、第八十五条、第八十八条、第九十六条及び第五章第四節第三款の規定（みなし独立行政法人等については、個人情報保護法第八十五条、第八十八条、第九十六条及び第五章第四節第三款の規定）」に、「、行政機関個人情報保護法の」を「、個人情報保護法の」に、「掲げる行政機関個人情報保護法」を「掲げる個人情報保護法」に改め、同項の表読み替えられる行政機関個人情報保護法の規定の項中「行政機関個人情報保護法」を「個人情報保護法」に改め、同表第八条第一項の項中「第八条第一項」を「第六十九条第一項」に改め、同表第十条第一項及び第三項の項、第十二条第二項の項、第十三条第二項及び第二十八条第二項の項及び第十四条第一号及び第二十六条第二項の項中「第二十六条第二項」を「第八十九条第二項」に改め、同項の次に次のように加える。

第八十九条第四項	定める	定める。この場合において、独立行政法人等は、経済的困難その他特別の理由があると認めるときは、行政手続における特定の個人を識別するための番号の利用等に関する法律（平成二十五年法律第二十七号）第三十一条第一項の規定により読み替えて適用する第八十九条第二項の規定の例により、当該手数料を減額し、又は免除することができる

第三十一条第一項の表第三十五条の項中「第三十五条」を「第九十七条」に改め、「（平成二十五年法律第二十七号）」を削り、「行政機関の長」を「行政機関の長等」に改め、同条第二項中「行政機関個人情報保護法第八条第二項か

ら第四項まで、第九条、第二十一条、第二十二条、第二十五条、第三十三条、第三十四条及び第四章第三節」を「個人情報保護法第六十九条第二項から第四項まで、第七十条、第八十五条、第八十八条、第九十六条及び第五章第四節第三款」に、「、行政機関個人情報保護法の」を「、個人情報保護法の」に、「掲げる行政機関個人情報保護法」を「掲げる個人情報保護法」に改め、同項の表読み替えられる行政機関個人情報保護法の規定の項中「行政機関個人情報保護法」を「個人情報保護法」に改め、同表第八条第一項の項中「第八条第一項」を「第六十九条第一項」に改め、同表第十条第一項及び第三項の項、第十二条第二項の項、第十三条第二項及び第二十八条第二項の項及び第十四条第一号及び第二十七条第二項の項を削り、同表第二十六条第二項の項中「第二十六条第二項」を「第八十九条第二項」に改め、同表第三十五条の項中「第三十五条」を「第九十七条」に改め、同条第三項を削り、同条第四項中「独立行政法人等個人情報保護法第三条、第五条から第九条第一項まで、第十二条から第二十条まで、第二十三条、第二十四条、第二十六条から第三十二条まで、第三十五条及び第四十六条第一項の規定は、行政機関、地方公共団体、独立行政法人等」を「個人情報保護法第六十一条、第六十三条から第六十五条まで、第六十六条第一項（同条第二項（第一号及び第四号（同項第一号に係る部分に限る。）に係る部分に限る。）において準用する場合を含む。以下この項において同じ。）、第六十七条から第六十九条第一項まで、第七十六条から第八十四条まで、第八十六条、第八十七条、第八十九条第三項から第五項まで、第九十条から第九十五条まで、第九十七条及び第百二十五条の規定（みなし個人情報取扱事業者については、個人情報保護法第六十一条、第六十三条から第六十六条第一項まで及び第六十七条から第六十九条第一項までの規定）は、行政機関等、地方公共団体」に、「以外の者」を「以外の者（みなし個人情報取扱事業者を含む。）」に、「掲げる独立行政法人等個人情報保護法」を「掲げる個人情報保護法」に改め、同項の表読み替えられる独立行政法人等個人情報保護法の規定の項中「独立行政法人等個人情報保護法」を「個人情報保護法」に改め、同表第九条第一項の項中「第九条第一項」を「第六十九条第一項」に改め、同表第十二条第二項の項、第十三条第二項及び第二十八条第二項の項及び第十四条第一号及び第二十七条第二項の項を削り、同表第二十三条第一項の項中「第二十三条第一項」を「第八十六条第一項」に改め、同表第二十六条第一項の項中「第二十六条第一項」を「第八十九条第三項」に、「開示請求をする」を「独立行政法人等に対し開示請求をする」に、「第三十五条」を「第九十七条」に改め、同表第三十五条の項中「第三十五条」を「第九十七条」に改め、同条第四項を同条第三項とする。

　第三十二条中「、行政機関個人情報保護法、独立行政法人等個人情報保護法」を削り、「第二条第五項」を「第十六条第二項」に改める。

　第三十三条中「、行政機関」及び「、独立行政法人等」を削る。

　第四十五条の二の見出し中「行政機関個人情報保護法」を「個人情報保護法」に改め、同条第一項中「第十九条第七号又は第八号」を「第十九条第八号又は第九号」に改め、同条第五項中「第五号、第十二号及び第十四号から第十六号まで」を「第六号、第十三号及び第十五号から第十七号まで」に、「同条第十二号」を「同条第十三号」に改め、同条第六項中「第五号、第十二号及び第十四号から第十六号まで」を「第六号、第十三号及び第十五号から第十七号まで」に改め、同条第八項中「行政機関個人情報保護法第四章」を「個人情報保護法第五章第四節」に改め、同条第九項中「第十九条第十四号」を「第十九条第十五号」に改める。

　第五十二条の三中「第四十五条の二第二項」を「第四十五条の二第三項」に改める。

附則・第五十四条　行政手続における特定の個人を識別するための番号の利用等に関する法律の一部を次のように改正する。

　目次中「第三十二条の二」を「第三十二条」に改める。

　第二十三条第二項第一号中「第七十八条」を「第七十八条第一項」に、「第百二十三条第二項」を「第百二十五条第二項」に、「第三号」を「次号」に改め、同項第二号を削り、同項第三号中「第七十八条」を「第七十八条第一項」に改め、同号を同項第二号とする。

　第二十九条の二中「第三十二条の二」を「第三十二条」に改める。

　第三十条第一項中「第百二十三条第二項」を「第百二十五条第二項」に、「第二条第十一項第二号に規定する独立行政法人等」を「第二条第十一項第三号に規定する独立行政法人等又は同項第四号に規定する地方独立行政法人」に、「別表第二に掲げる法人」を「第五十八条第一項各号に掲げる者」に改め、同項の表第八十九条第二項の項中「第八十九条第二項」を「第八十九条第三項」に改め、「行政機関の長」の下に「及び地方公共団体の機関」を、「政令」の下に「及び条例」を加え、同表第八十九条第四項の項中「第八十九条第四項」を「第八十九条第五項」に、「第八十九条第二項」を「第八十九条第三項」に改め、同項の次に次のように加える。

第八十九条第八項	定める	定める。この場合において、地方独立行政法人は、経済的困難その他特別の理由があると認めるときは、行政手続における特定の個人を識別するための番号の利用等に関する法律第三十条第一項の規定により読み替えて適用する第八十九条第三項の規定の例により、当該手数料を減額し、又は免除することができる

第三十条第一項の表第百二十三条第三項の規定により読み替えて適用する第九十八条第一項第一号の項及び第百二十三条第三項の規定により読み替えて適用する第九十八条第一項第二号の項中「第百二十三条第三項」を「第百二十五条第三項」に改め、同条第二項中「独立行政法人労働者健康安全機構」を「個人情報保護法第五十八条第二項各号に掲げる者」に改め、同項の表第十八条第三項第一号の項中「法令」の下に「（条例を含む。以下この章において同じ。）」を加える。

第三十一条第一項の表第八十九条第二項の項中「第八十九条第二項」を「第八十九条第三項」に改め、「行政機関の長」の下に「及び地方公共団体の機関」を、「政令」の下に「及び条例」を加え、同表第八十九条第四項の項中「第八十九条第四項」を「第八十九条第五項」に、「第八十九条第二項」を「第八十九条第三項」に改め、同項の次に次のように加える。

第八十九条第八項	定める	定める。この場合において、地方独立行政法人は、経済的困難その他特別の理由があると認めるときは、行政手続における特定の個人を識別するための番号の利用等に関する法律第三十一条第一項の規定により読み替えて適用する第八十九条第三項の規定の例により、当該手数料を減額し、又は免除することができる

第三十一条第一項の表第九十七条の項中「条例事務関係情報照会者」の下に「若しくは条例事務関係情報提供者」を加える。

第三十一条第二項の表第八十九条第二項の項中「第八十九条第二項」を「第八十九条第三項」に改め、同条第三項中「第四号」を「第五号」に、「第八十九条第三項から第五項まで」を「第八十九条第四項から第六項まで」に、「第百二十五条」を「第百二十七条」に改め、「、地方公共団体及び地方独立行政法人」を削り、同項の表第八十九条第三項の項中「第八十九条第三項」を「第八十九条第四項」に改め、同表第九十七条の項中「条例事務関係情報照会者」の下に「若しくは条例事務関係情報提供者」を加える。

第三十二条を削り、第三十二条の二を第三十二条とする。

第三十三条後段を削る。

附　則（抄）

（施行期日）

第一条　この法律は、令和三年九月一日から施行する。ただし、次の各号に掲げる規定は、当該各号に定める日から施行する。

一　〔略〕

二　附則〔中略〕第五十三条（行政手続における特定の個人を識別するための番号の利用等に関する法律第四十五条の二第一項、第五項、第六項及び第九項の改正規定並びに同法第五十二条の三の改正規定に限る。）の規定　戸籍法の一部を改正する法律（令和元年法律第十七号）附則第一条第三号に掲げる規定の施行の日〔令三・八・二五政令二三五により、令三・九・一〕又はこの法律の施行の日（以下「施行日」という。）のいずれか遅

い日

三 〔略〕

四 〔前略〕附則〔中略〕第五十三条（行政手続における特定の個人を識別するための番号の利用等に関する法律第四十五条の二第一項、第五項、第六項及び第九項の改正規定並びに同法第五十二条の三の改正規定を除く。）〔中略〕の規定 公布の日から起算して一年を超えない範囲内において、各規定につき、政令で定める日〔令四・四・二〕

五・六 〔略〕

七 〔前略〕附則〔中略〕第五十四条〔中略〕の規定 公布の日から起算して二年を超えない範囲内において、各規定につき、政令で定める日

八 第五十五条（行政手続における特定の個人を識別するための番号の利用等に関する法律別表第二の二十七の項の改正規定に限る。）の規定 戸籍法の一部を改正する法律（令和元年法律第十七号）附則第一条第五号に掲げる規定の施行の日〔令和元年五月三一日から起算して五年を超えない範囲内において政令で定める日〕

九 〔略〕

十 〔前略〕第五十六条〔中略〕の規定 公布の日から起算して四年を超えない範囲内において政令で定める日

注 次の法律の附則第九条により行政手続における特定の個人を識別するための番号の利用等に関する法律が改正されたが、公布の日から起算して二年を超えない範囲内において政令で定める日から施行となるため、一部改正法の形式で掲載した。

○公的給付の支給等の迅速かつ確実な実施のための預貯金口座の登録等に関する法律

令三・五・一九
法 三 八

第九条 行政手続における特定の個人を識別するための番号の利用等に関する法律の一部を次のように改正する。

〔別表第一の改正略〕
〔別表第二の改正略〕

附 則（抄）

（施行期日）

第一条 この法律は、公布の日から施行する。ただし、次の各号に掲げる規定は、当該各号に定める日から施行する。

一 〔略〕

二 〔前略〕附則〔中略〕第九条〔中略〕の規定 公布の日から起算して二年を超えない範囲内において政令で定める日

三 〔略〕

注 次の法律の附則第八条により行政手続における特定の個人を識別するための番号の利用等に関する法律が改正されたが、公布の日から起算して三年を超えない範囲内において政令で定める日から施行となるため、一部改正法の形式で掲載した。

○預貯金者の意思に基づく個人番号の利用による預貯金口座の管理等に関する法律

令三・五・一九
法 三 九

（行政手続における特定の個人を識別するための番号の利用等に関する法律の一部改正）

第八条 行政手続における特定の個人を識別するための番号の利用等に関する法律の一部を次のように改正する。

第九条第四項中「第四条の三第一項」の下に「、預貯金者の意思に基づく個人番号の利用による預貯金口座の管理等に関する法律（令和三年法律第三十九号）第六条第一項」を加える。

〔別表第一の改正略〕

附 則（抄）

（施行期日）

第一条 この法律は、公布の日から起算して三年を超えない範囲内において政令で定める日から施行する。〔ただし書略〕

参考文献――より深く学びたい人のために

行政手続法について、より深く学びたい人のために、参考文献を紹介する。行政手続に関する文献は枚挙に暇がないが、紙幅の都合もあり、ここでは、単行本のみあげるものとする。

○第一臨調草案について、

橋本公亘・行政手続法草案（有斐閣、一九七四年）

○第二次研究会要綱案と米独仏の比較法研究について、

総務庁行政管理局編・行政手続法の制定にむけて（ぎょうせい、一九九〇年）

○行政手続法の立法過程について、

塩野宏＝小早川光郎編著・行政手続法制定資料（一）〜（十）（信山社、二〇一二〜二〇一三年）

塩野宏＝宇賀克也編著・行政手続法制定資料（十一）〜（十六）（信山社、二〇一三〜二〇一四年）

○行政手続法（平成五年法律第八八号）について、

室井力＝芝池義一＝浜川清＝本多滝夫編著・行政手続法・行政不服審査法〔第三版〕（日本評論社、二〇一八年）

髙木光＝常岡孝好＝須田守・条解行政手続法〔第二版〕（弘文堂、二〇一七年）

南博方＝高橋滋編・注釈行政手続法（第一法規、二〇〇〇年）

兼子仁・行政手続法（岩波書店、一九九四年）

青木康・行政手続法の解説（ぎょうせい、一九九三年）

総務省行政管理局編・逐条解説行政手続法〔改正行審法対応版〕（行政管理研究センター、二〇一六年）

南博方＝関有一・わかりやすい行政手続法（有斐閣、一九九四年）

経済広報センター編・はやわかり行政手続法（学陽書房、一九九四年）

仲正・行政手続法のすべて（良書普及会、一九九五年）

小早川光郎編・行政手続法逐条研究（有斐閣、一九九六年）

高橋滋・行政手続法（ぎょうせい、一九九六年）

成田頼明監修・行政手続の実務（第一法規、加除式）

行政手続研究会編・明解行政手続の手引（新日本法規、加除式）

行政手続法自治体実務研究会編著・行政手続法実務の手引（第一法規、一九九五年）

仲正＝中山泰・知っておきたい行政手続法〔三訂版〕（大蔵省印刷局、一九九七年）

田中舘照橘・行政手続法　解説と運用（公人の友社、

一九九五年）
総務庁行政管理局編・データブック行政手続法〔一九九六年版〕（第一法規、一九九六年）
滝口弘光・行政手続法の解説（一橋出版、一九九五年）
全国行政相談委員連合協議会編・行政手続法の定着に向けて（全国行政相談委員連合協議会、一九九六年）
黒沼稔・行政手続法と地方自治（多賀出版、一九九七年）

○平成一七年の改正行政手続法について、

宇賀克也編著・改正行政手続法とパブリック・コメント（第一法規、二〇〇六年）
常岡孝好・パブリック・コメントと参加権（弘文堂、二〇〇六年）
行政管理研究センター編・Q＆Aパブリック・コメント法制（ぎょうせい、二〇〇五年）

○行政手続についての全般的考察を行ったものとして、

中村彌三次・行政手続法概説（自治日報社、一九七一年）
杉村敏正・行政手続（筑摩現代法学全集、一九七三年）
青木康・行政手続法指針〔新版〕（ぎょうせい、一九九一年）
兼子仁＝磯部力編・手続法的行政法学の理論（勁草書房、一九九五年）
宇賀克也・行政手続法の理論（東京大学出版会、一九九五年）
畠山武道・行政手続と市民参加（北海道町村会、一九九五年）
椎名慎太郎・行政手続法と住民参加（成文堂、一九九九年）
宇賀克也編著・行政手続と監査制度（地域科学研究会、一九九八年）
田村悦一・住民参加の法的課題（有斐閣、二〇〇六年）
宇賀克也・行政手続と行政情報化（有斐閣、二〇〇六年）

○自治体行政手続について、

磯部力＝小早川光郎編著・自治体行政手続法〔改訂版〕（学陽書房、一九九五年）
地方自治総合研究所監修＝佐藤英善編著・自治体行政実務：行政手続法（三省堂、一九九四年）
地方自治総合研究所・公正で透明度の高い自治体行政の創造をめざして―自治体行政と行政手続法（地方自治総合研究所資料№62・一九九四年）
兼子仁＝椎名慎太郎編著・行政手続条例制定の手引（学陽書房、一九九五年）
宇賀克也・自治体行政手続の改革（ぎょうせい、一九九六年）
室井力＝紙野健二編著・地方自治体と行政手続（新日本法規、一九九六年）
出口裕明・行政手続条例運用の実務（学陽書房、一九九六

年）

地方自治制度研究会編・Q&A地方行政手続ハンドブック（ぎょうせい、一九九四年）

○税務行政手続について、

北野弘久編・質問検査権の法理（成文堂、一九七四年）

石村耕治・先進諸国の納税者権利憲章（中央経済社、一九九三年）

金子秀夫・税務行政と適正手続（ぎょうせい、一九九三年）

宇賀克也監修・東京地方税理士会編著・税務行政手続改革の課題（第一法規、一九九六年）

○行政手続の電子化について、

宇賀克也編著・行政サービス・手続の電子化（地域科学研究会、二〇〇二年）

宇賀克也・行政手続オンライン化3法（第一法規、二〇〇三年）

総務省行政管理局＝総務省自治行政局編・解説行政手続オンライン化法（第一法規、二〇〇三年）

宇賀克也・行政手続と行政情報化（有斐閣、二〇〇六年）

内閣官房情報通信技術（IT）総合戦略室デジタル・ガバメント担当編著・逐条解説デジタル手続法（ぎょうせい、二〇二〇年）

○日独伊の行政手続について論ずるものとして、

南博方・行政手続と行政処分（弘文堂、一九八〇年）

○アメリカの行政手続について、

鵜飼信成編・行政手続の研究（有信堂、一九六一年）

園部逸夫・行政手続の法理（有斐閣、一九六九年）

熊本信夫・行政手続の課題（北海道大学図書刊行会、一九七五年）

小高剛・住民参加手続の法理（有斐閣、一九七七年）

宇賀克也・アメリカ行政法〔第二版〕（弘文堂、二〇〇〇年）

橋本宏子・住民参加と法（日本評論社、一九九一年）

中川丈久・行政手続と行政指導（有斐閣、二〇〇〇年）

常岡孝好・パブリック・コメントと参加権（弘文堂、二〇〇六年）

○ドイツの行政手続について、

海老沢俊郎・行政手続法の研究（成文堂、一九九二年）

高木光・技術基準と行政手続（弘文堂、一九九五年）

山田洋・大規模施設設置手続の法構造（信山社、一九九五年）

○運輸法制を中心とした日英米独仏の比較研究として、

成田頼明編著・行政手続の比較研究（第一法規、一九八一年）

○オーストリア、スペイン等五か国の行政手続法の資料集として、

中村彌三次訳編・行政手続法資料（自治日報社、一九七一年）

○スウェーデンの行政手続について、

ハンス・ラーグネマルム著（萩原金美訳）・スウェーデン行政手続・訴訟法概説（信山社、一九九五年）

萩原金美訳・翻訳　スウェーデン手続諸法集成（中央大学出版部、二〇一一年）

ほ

み

め

も

よ

り

れ

ろ

わ

と

に

は

ひ

ふ

へ

す

せ

そ

た

ち

つ

て

さ

し

く

け

こ

事項索引

地方自治関係
　地方自治法概説〔第９版〕(有斐閣, 2021年)
　2017年地方自治法改正（編著）(第一法規, 2017年)
　環境対策条例の立法と運用（編著）(地域科学研究会, 2013年)
　地方分権（編著）(新日本法規, 2000年)
行政法一般
　行政法概説Ⅰ〔第７版〕(有斐閣, 2020年)
　行政法概説Ⅱ〔第７版〕(有斐閣, 2021年)
　行政法概説Ⅲ〔第５版〕(有斐閣, 2019年)
　行政法〔第２版〕(有斐閣, 2018年)
　ブリッジブック行政法〔第３版〕(編著)(信山社, 2017年)
　判例で学ぶ行政法（第一法規, 2015年)
　対話で学ぶ行政法（共編著）(有斐閣, 2003年)
　アメリカ行政法〔第２版〕(弘文堂, 2000年)
行政組織法関係
　行政組織法の理論と実務（有斐閣, 2021年)
宇宙法関係
　逐条解説　宇宙二法（弘文堂, 2019年)
法人法関係
　Ｑ＆Ａ　新しい社団･財団法人制度のポイント（共著）(新日本法規, 2006年)
　Ｑ＆Ａ　新しい社団・財団法人の設立・運営（共著）(新日本法規, 2007年)

施行令完全対応　自治体職員のための番号法解説（実務編）（第一法規，2014 年）
完全対応　自治体職員のための番号法解説（共著）（第一法規，2013 年）
新・個人情報保護法の逐条解説（有斐閣，2021 年）
情報公開・個人情報保護（有斐閣，2013 年）
情報法（共編著）（有斐閣，2012 年）
情報公開と公文書管理（有斐閣，2010 年）
個人情報保護の理論と実務（有斐閣，2009 年）
逐条解説　公文書等の管理に関する法律〔第 3 版〕（第一法規，2015 年）
新・情報公開法の逐条解説〔第 8 版〕（有斐閣，2018 年）
情報公開の理論と実務（有斐閣，2005 年）
情報公開法 ――アメリカの制度と運用（日本評論社，2004 年）
ケースブック情報公開法（有斐閣，2002 年）
情報公開法・情報公開条例（有斐閣，2001 年）
情報公開法の理論〔新版〕（有斐閣，2000 年）
行政手続・情報公開（弘文堂，1999 年）

行政手続関係

行政手続法制定資料 ⑾ ～ ⒃（共編著）（信山社，2013 ～ 2014 年）
行政手続と行政情報化（有斐閣，2006 年）
改正行政手続法とパブリック・コメント（編著）（第一法規，2006 年）
行政手続オンライン化 3 法（第一法規，2003 年）
自治体行政手続の改革（ぎょうせい，1996 年）
行政手続法の理論（東京大学出版会，1995 年）
行政サービス・手続の電子化（編著）（地域科学研究会，2002 年）
行政手続と監査制度（編著）（地域科学研究会，1998 年）
税務行政手続改革の課題（監修）（第一法規，1996 年）

国家補償関係

条解国家賠償法（共編著）（弘文堂，2019 年）
国家賠償法〔昭和 22 年〕（日本立法資料全集）（編著）（信山社，2015 年）
国家補償法（有斐閣，1997 年）
国家責任法の分析（有斐閣，1988 年）

政策評価関係

政策評価の法制度（有斐閣，2002 年）

行政争訟関係

解説　行政不服審査法関連三法（弘文堂，2015 年）
行政不服審査法の逐条解説〔第 2 版〕（有斐閣，2017 年）
Ｑ＆Ａ　新しい行政不服審査法の解説（新日本法規，2014 年）
改正　行政事件訴訟法〔補訂版〕（青林書院，2006 年）

〈著者紹介〉

宇賀　克也（うが　かつや）

略　歴　東京大学法学部卒。東京大学大学院法学政治学研究科教授（東京大学法学部教授・公共政策大学院教授を兼担）を経て，現在，東京大学名誉教授。この間，ハーバード大学，カリフォルニア大学バークレー校，ジョージタウン大学客員研究員，ハーバード大学，コロンビア大学客員教授を務める。

〈主要著書〉

情報法関係

自治体職員のための2021年改正個人情報保護法解説（編著）（第一法規，2021年）

マイナンバー法と情報セキュリティ（有斐閣，2020年）

情報公開法制定資料⑵〜⑷，⑹〜⒁（共編著）（信山社）（2020年〜2021年）

次世代医療基盤法の逐条解説（有斐閣，2019年）

情報公開・オープンデータ・公文書管理（有斐閣，2019年）

個人情報の保護と利用（有斐閣，2019年）

個人情報保護法制（有斐閣，2019年）

自治体のための解説　個人情報保護制度（第一法規，2018年）

論点解説　個人情報保護法と取扱実務（共著）（日本法令，2017年）

論点解説　マイナンバー法と企業実務（共著）（日本法令，2015年）

逐条解説　公文書等の管理に関する法律（第3版）（第一法規，2015年）

完全対応　自治体職員のための番号法解説（実例編）（監修）（第一法規，2015年）

完全対応　特定個人情報保護評価のための番号法解説（実務編）（監修）（第一法規，2015年）

マイナンバー（共通番号）制度と自治体クラウド（共著）（地域科学研究会，2012年）

地理空間情報の活用とプライバシー保護（共編著）（地域科学研究会，2009年）

災害弱者の救援計画とプライバシー保護（共編著）（地域科学研究会，2007年）

個人情報保護の実務Ⅰ・Ⅱ（編著）（第一法規，加除式）

情報公開の実務Ⅰ・Ⅱ・Ⅲ（編著）（第一法規，加除式）

マイナンバー法と企業実務（共著）（日本法令，2015年）

番号法の逐条解説〔第2版〕（有斐閣，2016年）

施行令完全対応　自治体職員のための番号法解説（制度編）（第一法規，2014年）

行政手続三法の解説〈第3次改訂版〉
——行政手続法、デジタル手続法、マイナンバー法

2014年1月24日　初版発行
2016年6月15日　第2次改訂版発行
2022年4月27日　第3次改訂版発行

著　者　宇賀（うが）　克也（かつや）
発行者　佐久間　重　嘉

発行所　学　陽　書　房

〒102-0072 東京都千代田区飯田橋1-9-3（編集）TEL 03—3261—1112（代）
（営業）TEL 03—3261—1111（代）
FAX 03—5211—3300
http://www.gakuyo.co.jp/

印刷　文唱堂印刷　／　製本 東京美術紙工
ISBN978-4-313-31247-0 C1032